KB206779

또래코칭은 내 옆에 있는 또래와 함께 하는
상호코칭을 말한다.

FRIENDSHIP 또래코칭

저자 · 김성희

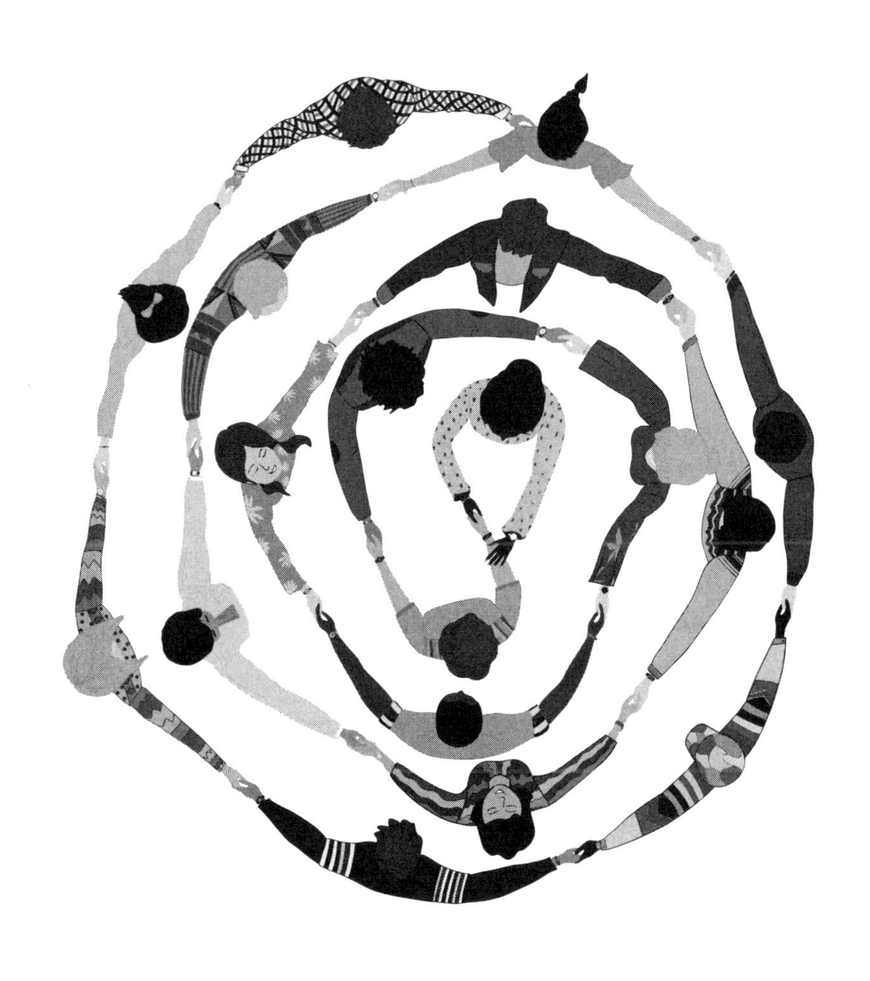

한국 또래코칭 심리연구소

서 문

사회 인류학자 진 레이브(Jean Lave)의 실행 공동체 이론에 따르면 우리는 모두가 여러 공동체의 일원으로 각각의 동심원으로 구성된다고 했습니다. 신입은 그 공동체의 시스템을 이해하는 과정에서 어색하고 불편한 주변부에 머물러 있습니다. 이때 옆에 있는 구성원이 내부자 관점에서 일이 어떻게 돌아가고, 그들만이 알 수 있는 비밀까지 공유한다면 신입은 공동체의 중심부로 나아가는 데 수월할 것입니다. 공동체의 경계는 유동적이며, 구성원들과의 관계도 고정되어 있지 않고 재구성됩니다.

'FRIENDSHIP 또래코칭'은 실행 공동체의 최소 단위인 같은 공간과 시간에 나의 옆에 있는 또래 친구와 함께하는 것입니다. 둘 이상의 동등한 관계로 근접에 위치한 동료 간에 자발적이고 상호 유익한 관계에서 이루어지는 코칭, 즉 함께 성장하는 코칭입니다.

우리는 실행 공동체의 주변부에서 시작하여 중심부로 들어가고, 또 다른 실행 공동체로 옮겨가는 과정에서 함께 머물며 시간을 같이 보내고 성장하는 구성원인 또래이며, 서로가 힘이 되어 주는 또래코치가 되어 함께 성장해 가는 것이 'FRIENDSHIP 또래코칭'입니다.

'FRIENDSHIP 또래코칭'은 나와 너에서 우리로 시작하여 사회 전반에 적용이 가능한 것으로 유아부터 시니어까지 또래코치가 되어 코칭 문화를 만들어 갈 수 있습니다. FRIENDSHIP 또래코칭을 통해 실행 공동체의 구성원인 내가 리더가 되어 함께하는 동료, 선배, 후배에게 영향력을 펼쳐 나갈 수 있습니다.

아파트 광고판에 엄마와 딸이 한발은 올리고 한발은 바닥에 딛고 몸을 앞뒤로 기울이며 운동하는 모습이 나왔습니다. 넘어지지 않고, 균형을 잡고 즐겁게 웃으면서 하는 것을 보고, 집에 와서 저도 그 운동을 해보았습니다. 몸의 균형을 잡고 앞뒤로 몸을 수직으로 숙여서 균형을 잡아야 하는데 자꾸만 넘어지려고 합니다. 광고에서는 쉬워 보였는데, 직접 해보니 어려웠습니다. 평소에 운동을 하지 않아서 그랬을까요? 아니면 몸의 유연성이 부족해서일까요?

다음에 다시 그 광고를 자세히 집중해서 보고 나서 알게 되었습니다. 엄마와 딸이 등 뒤에서 서로 손을 잡고 있어서 넘어지지 않았습니다. 서로에게 힘이 되어 믿고 의지하면서 딸이 올린 한쪽 발은, 바닥을 딛고 있는 엄마의 한쪽 발이 딸의 다른 발이 되어 주고, 엄마의 들어 올려진 한쪽 발은 딸이 또 엄마의 한쪽 발이 되어 주고 있었기에 서로의 부족한 부분을 채워줌으로써 서로가 하나가 되는 연결성의 원칙으로 넘어지지 않는 운동이 되었던 것입니다. 웃으며 대화하는 그 모녀의 모습에서 어쩌면 운동은 덤이었을지 모릅니다.

'FRIENDSHIP 또래코칭'이 이와 같습니다. 내 옆에 제일 가까이 있는 이와 무언가를 시작할 때 한 발을 앞으로 뗄 수 있는 동기와 에너지를 주고받는 상보적 관계인 양방향 커뮤니케이션입니다. 실행 공동체의 최소 단위인 가정에서부터 또래코칭은 시작됩니다. 일상 대화가 아닌 코칭 대화로 나부터 시작하는 코칭이 'FRIENDSHIP 또래코칭'입니다.

「양육가설」에 의하면 영유아기의 아이는 부모보다 더 많은 영향을 받는 사람이 또래라고 합니다. 내가 속해 있는 공동체의 구성원은 모두 또래입니다. 이 또래가 동료, 선후배가 될 수도 있고, 교사나 부모님, 멘토 또는 상사가 될 수도 있습니다. 또래는 친구가 될 수 있습니다. 공동체 속에 있는 나는 언제 어디서나 또래를 만나서, 또래코칭을 할 수 있습니다. 또래코칭은 존중과 배려의 마음으로 코칭 대화를 할 수 있으면 가능합니다. 그 결과 나와 또래의 의식 수준은 올라가고, 삶의 질을 향상해 나갈 수 있습니다.

'FRIENDSHIP 또래코칭'은 내 옆에 있는 그 누구라도 교육과 훈련을 통해 또래코치가 될 수 있습니다. 또래코치는 코칭 언어를 사용하여 또래 친구끼리 수다가 아닌, 코칭 대화로 감정과 생각을 나누며 함께 성장하는 코치입니다. 또 자기실현을 위해 발전하려는 의지를 가지고 서로에게 S.E.A.[1]를 제공합니다.

이 책은 처음 시작하는 또래코치를 위한 교재로 기본에 기본을 더하였습니다. 또한 선배 코치가 후배 코치에게 도움을 줄 수 있는 책으로, 이는 현장에서 바로 활용이 가능합니다. 일반적으로 프로 코치가 지식과 역량을 겸비한 경험이 충분한 코치라면, 또래코치는 코칭 기본 교육과 훈련을 통해서 코칭 언어로 코칭 대화를 할 수 있으며 상대방이 발전하는데 도움을 줄 수 있으면 가능합니다.

---

1) 지지(Support)와 격려(Encouragement) 그리고 상호책임(Accountability)을 제공

코칭의 경험치가 충분하지 않은 초보 코치, 코칭을 처음으로 시작하는 예비 코치들이 쉽게 접할 수 있는 교재나 책이 되었으면 하는 바람으로 만들었습니다. 그리고 우리 삶에 자연스럽게 스며들어 일상이 또래코칭이 되어 또 하나의 코칭 문화로 이어지는 매개체가 'FRIENDSHIP 또래코칭'이 되길 소망합니다.

김 성 희

추천사

여러분은 또래코칭을 어떻게 생각하는지요? 저자에 따르면 또래코칭은 실행 공동체의 최소 단위인 같은 공간과 시간에 자신의 옆에 있는 또래와 함께하는 것이라고 합니다. 또래코칭은 서로 동등한 입장에서 자발적이고 상호 유익하게 이루어지는 코칭입니다.

이러한 또래코칭은 실행 공동체의 최소 단위인 가정에서부터 시작하고, 일상 대화가 아닌 코칭 대화로 시작하며, 자신이 속해 있는 공동체의 구성원이 모두 또래이며 동료, 선후배, 교사나 부모님, 멘토 또는 상사 등 모두가 또래코치가 될 수 있다는 통찰력이 놀랍습니다.

'FRIENDSHIP 또래코칭'을 통해 실행 공동체의 구성원인 자신이 리더가 되어 동료, 선배, 후배에게 함께 영향력을 펼쳐 나갈 수 있다고 강조한 내용에 전적으로 공감합니다.

FRIENDSHIP 또래코치가 되려면 먼저 온전히 본연의 마음을 간직한 자기 자신을 믿고 자기 신뢰 속에서 출발하며 그다음 상대방에게 동기부여를 하여, 그들이 창의적인 생각을 끌어 올리게 하는 변화의 촉매자가 스스로 되는 것입니다.

변화와 성장을 위해 또래코치는 파트너에게 S.E.A. 즉, 지지(Support)와 격려(Encourage-ment) 그리고 상호책임(Accountability)을 제공합니다. 작은 성공이라도 지지와 격려를 하고 상호책임을 인정한다는 것은 자존감과 유능함을 형성하여 에너지 충전을 통해 강력한 실천으로 목표를 달성하게 합니다. 이는 모든 사람의 잠재력을 이끌어 그들이 원하는 삶에서 행복과 조직에서의 성공을 가져다줄 것입니다

저자는 〈또래코칭이 학업 열의 및 대학 생활 만족에 미치는 영향에 관한 연구〉로 박사 논문을 쓴 또래코칭 전문가입니다. 현재 경희대 겸임교수로 경영대학원과 경영학부에서 겸임교수로 활동하면서 쓴 〈FRIENDSHIP 또래코칭〉 책은 자신의 옆에 있는 그 누구라도 교육과 훈련을 통해 또래코치가 될 수 있도록 기본을 다질 수 있는 교재로 편찬되었습니다.

이 책에는 코칭을 이해하고 코칭의 기초를 습득하며, 또래코칭 현장에서 누구나 활용할 수 있는 코칭 스킬과 코칭 대화 프로세스 등의 이론과 다양한 사례, 그리고 풍부한 실습 케이스 등이 담겨있어 매우 유용합니다. 코칭을 처음 배우는 분들이나 기존 코치분들에게 강력히 추천합니다. 감사합니다.

김 영 헌

(사) 한국코치협회 회장

경희대 경영대학원 코칭사이언스 주임교수

추천사

2022년 12월 1일 미국기업 오픈AI의 챗 GPT 출시는 인류 역사의 새로운 시대의 시작점을 알려주는 모습이었다. 모든 질문에 유려한 답변을 내놓을 수 있는 챗 GPT는 순식간에 핫 이슈로 떠올랐고 우리 사회는 각자의 분야에 새로운 기술을 접목하느라 동분서주하는 모습이었다. 많은 이들이 빠르게 변화하는 고도의 기술을 따라잡기 위해 동분서주하는 이 시기에 김성희 박사의 책 〈FRIENDSHIP 또래코칭〉이 나온 것은 매우 시의적절하고 반가운 마음이다.

대다수가 생성형 AI가 내놓는 유려한 답변에 집중했지만 저자는 오히려 그 생성형 AI가 그려내는 세상을 가능하게 하는 기본적인 재료인 물감, 즉 AI가 학습할 수 있는 인프라 즉 학습데이터에 집중하고 있다. 결국 똑똑한 챗 GPT는 학습데이터가 있어야 그 똑똑함을 발휘할 수 있듯이 우리도 공동체의 구성원으로서 개인의 정체성을 유지하며 서로 돕고 성장하는 가운데 서로 좋은 영향력을 펼치는 과정에서 공동체 사회가 성장하고 발전하는 것이다. 챗 GPT가 유려한 답변을 내기 위해 기본 인프라가 필요하듯 훌륭한 개인으로 제대로 서기 위해서는 서로를 지지하고 응원하며 헌신하는 공동체 문화가 필요하다. 그 공동체 문화의 기초 구성원은 사람과 사람 즉 또래이며 동료이다.

VUCA의 시대[2] 빠르게 격변하는 사회 속에서 가장 기본이 되는 사람과 사람 사이의 최소 단위인 가족, 친구, 동료에 깊은 관심과 애정을 쏟으며 같은 공간과 시간을 함께하는 또래 친구 혹은 동료 사이에 자발적이고 상호 유익한 관계에서 함께 성장할 수 있도록 돕는 Friendship 또래코칭에 관한 책을 저술하게 된 것이다. 또래는 생물학적, 심리적, 혹은 영적으로 서로 수평적 관계를 맺고 있는 관계라면 누구든 가능한 관계이다. 지금 내 옆 가장 가까운 자리에 있는 이와 무엇인가를 시작할 때 서로에게 소소하지만 작은 시작을 할 수 있도록 동기와 용기를 주며 에너지를 주고받는 서로 돕는 존재이다. 이 과정에서 반드시 필요한 것이 코칭 대화이다. 코칭 대화를 통해 또래 사이의 성장과 발전을 향한 그들의 에너지는 더 증폭될 것이고 그들의 잠재력은 극대화되어 멋지게 꽃피울 것이다.

본 책은 오랫동안 코칭 문화에서 사는 코칭의 고수부터 이제 이 책을 통해 코칭을 처

---

2) 미국 군대에서 처음 사용한 용어로서, Volatility(불안정성), Uncertainty(불확실성), Complexity(복잡성), Ambiguity(모호성) 의 약자입니다.

음 접하는 모든 이에게 각 개인의 수준에 맞추어 이해하고 실행에서 잘 활용할 수 있도록 쉽고 편안하게 읽히는 책이다. 코칭을 이미 접한 이, 아직 코칭이 무엇인지 알지 못하는 모든 이에게 일독을 추천한다. 이 책을 통해 또래코칭이 서로에게 동기와 용기가 되어 긍정적인 코칭 문화가 자연스럽게 스며들어 우리 사회가 더 아름답고 행복한 일들이 일상이 되기를 소망해 본다.

안앤지(PH. D./KPC/ PCC)
한국코치협회 부회장
AEU대학 교수
AEU대학 부설 라온코칭 센터장

추천사

코칭이 한국에 들어와 확산된 지 20여 년이 훨씬 지났다. 이제 코칭은 경영 현장뿐만 아니라 직장생활, 학교생활, 그리고 개인의 일생 생활까지 그 영역을 넓혀 가고 있다. 당연히 내 이웃과 친구, 또래 간에도 코칭이 필요한 시대가 되었다. 사람이 살아 숨 쉬는 모든 곳에서 '코칭'(Coaching)이 스며들고 있다고 해도 과언이 아니다. 그런데 코칭은 일반적인 대화나 상담과는 다른 차원의 독특한 대화이자 개념이고 철학의 총체이다. 그래서 그것들과는 다른 접근법이 필요하고, 다른 고유한 방식이 필요하다. 이런 차원에서 이 책은 '또래코칭'에 관한 전형(典型)을 보여주는 의미 있는 책이다. 특히 점점 각박해지는 세상 속에서 가정을 살리고, 학교를 살리며, 이웃과 사람들을 살리는 데 관심이 많으신 분들에겐 안성맞춤인 책이 될 것이다. 자신에게 꼭 맞으면서도 잘 어울리는 옷을 입은 것과 같은 느낌이랄까? 저자의 성정(性情)과 코칭에 대한 경험, 학업에 대한 뜨거운 열정, 그리고 삶을 바라보는 태도와 경륜이 곳곳에 잘 묻어 있는 이 책을 선택한 분들은 첫 페이지를 넘기는 순간부터 감동과 희열을 느낄 것이다. 그래서 감히 이 책을 여러분께 추천한다.

조성진
한국수퍼바이저코치/KSC
한국융합코칭학회 학회장

추천사

'FRIENDSHIP 또래코칭'은 또래 간의 상호 유익하고 자발적인 관계를 통해 함께 성장하고자 하는 코칭 방법을 제안합니다.

이 책은 또래코치가 되는 방법과 이를 통해 더 긍정적인 삶을 이끌어 가는 방법을 다루며, 모든 연령대에 적용 가능한 코칭 문화를 만들어 나가는 데 중점을 둡니다. 실행공동체의 일원으로서 서로를 지지하고 격려하는 'FRIENDSHIP 또래코칭'의 가치와 중요성을 강조하며, 이를 통해 개인이 리더로 성장하고 영향력을 발휘할 수 있음을 보여줍니다.

'FRIENDSHIP 또래코칭'이 또 하나의 코칭 문화로 이어지는 매개체가 되길 비는 마음으로 코칭을 사랑하는 모든 이들에게 이 책을 추천합니다.

임기용
뇌과학 박사
뉴코컨설팅 대표
한국코치협회 이사(KSC)

처음 시작하는 또래코치, 코칭의 경험치가 충분하지 않는 초보 코치, 또는 선배 코치가 후배 코치에게 도움을 줄 수 있는 'FRIENDSHIP 또래코칭'은 기본에 기본을 더한 것으로 현장에서 활용 가능한 내용으로 잘 짜여진 책입니다. 삶에 자연스럽게 스며들어 코칭이 일상이 되도록 또래코칭의 대중화를 이끌고 있는 저자의 진심이 느껴지는 'FRIENDSHIP 또래코칭'입니다.

이 책은 또래코치가 되는 방법과 또래코치가 되어 'FRIENDSHIP 또래코칭'을 할 수 있는 방법을 알려주는 최적의 책으로 실천 코치와 리더 코치까지 포함하여 코칭에 호기심과 매력을 알고자 하는 독자들을 초대합니다.

구재선
경영학 박사
휴먼리소스코리아 대표이사

Contents

1장

FRIENDSHIP 또래코칭의 준비

1-1. 주요 용어

❖ 또래(Peer)

- 자신과 비슷한 연령의 경험과 가치관 등을 지닌 사람으로, 같은 공간에서 시간의 차이를 두고 함께하는 동료, 선배와 후배를 포함한 관계를 말합니다.
- 유아부터 시니어까지 전 세대가 또래입니다. 코칭의 시작은 내 옆에 있는 또래부터입니다.

❖ 또래코치(Peer Coach)

- 또래코칭 프로그램을 통해 교육과 훈련을 받은 또래 리더를 말합니다.
- 이 프로그램을 이수하고 근접한 상대와 상호보완이 되는 관계에서 리드(lead)하는 또래를 말합니다.

❖ FRIENDSHIP

- FRIENDSHIP이란 믿음과 신뢰에 기반하여 상호작용하며, 감정과 생각을 나누는 따뜻하고 친밀한 대인관계를 말합니다.

❖ FRIENDSHIP 또래코칭

또래코칭은 내 옆에 있는 또래와 함께 하는 상호 코칭을 말합니다.

좀 더 구체적으로 또래코칭은 또래끼리 신뢰와 믿음으로, 생각과 감정(고민, 목표)을 나누고, 상대방이 생각(계획)에서 행동(실천)으로 옮겨가는 과정을 S.E.A.(지지하고 격려하며, 함께하는 상호책임을 제공)하는 것으로 서로가 성장하는 상호 코칭을 말합니다.

❖ 또래코칭의 철학

- 모든 인간은 온전하고 창의적이며 무한한 가능성의 존재입니다.
- 가장 간단한 방법이 가장 좋은 방법입니다.
- 완전히 이해할 수 없어도 완벽하게 사랑할 수 있습니다.

1-2. 리더의 변화

❖ 리더의 변화 코칭 리더십

리더십 불변의 법칙은 없습니다. 조직을 움직이는 리더는 조직의 생존과 성장을 위해 조직 차원에서 조직원들에게 동기부여 하여 초점을 유지하고 도전하도록 격려해야 하는 지식과 스킬이 필요합니다. 리더는 구성원들의 생각의 파트너가 되어 성과 향상을 위한 실행력을 높이는 신뢰감과 의사소통으로 조직원의 재능과 역량을 이끌어 내어 성과를 창출하는 과정에서 신뢰와 협력의 시너지를 높이는 데 에너지를 사용합니다. 그 과정에서 리더 자신만의 코칭 스타일을 개발하고 훈련과 연습으로 행동하는 실천코치가 될 수 있습니다.

코칭 리더십(Coaching Leadership)은 개인과 조직이 현재 지점에서 목표 지점까지 갈 수 있도록 격려하고 도전하여 잠재력을 실현하도록 합니다. 그리고 리더는 자신이 가진 무형의 자산으로 브랜드 가치를 높일 수 있어야 합니다. 이는 자신과 조직의 행복을 도모하는 행복한 리더가 끝까지 갈 수 있는 토대가 됩니다.

❖ 현대적 리더는 FRIENDSHIP 또래코치

현대적 리더십 스타일에는 FRIENDSHIP 또래코칭의 리더가 있습니다. 코칭 리더십에서 한발 더 나아가 따뜻하고 친밀한 관계로 신뢰와 믿음을 바탕으로 감정과 생각을 나누며 함께 성장하는 새로운 형태의 영향력을 펼치는 또래코치가 있습니다. 실리콘밸리의 위대한 코치인 빌 캠벨의 "당신과 함께 일한 사람들이나 당신이 도와준 사람들 중 훌륭한 리더로 성장한 사람이 몇 명인가?"라는 이 질문에 대한 답은 지금 이 순간 또래코치인 당신입니다.

- 서로 좋아하고 아껴주는 상호애정이 있습니다.
- 서로를 믿고 의지할 수 있다는 확신이 있는 신뢰가 있습니다.
- 서로의 생각과 감정을 존중하는 태도가 있습니다.
- 관심사와 가치, 경험 등을 공유하는 즐거움이 있습니다.
- 서로에게 도움과 격려를 제공하고 지원하는 의지가 있습니다.

❖ FRIENDSHIP 또래코치의 자세

- 성과를 향상할 수 있도록 구성원들에게 동기부여 합니다.
- 합의를 촉진하고, 액션 플랜에 대한 실천 의지를 강화합니다.
- 창의적인 생각을 끌어 올리고, 변화의 촉매자가 됩니다.
- 더 큰 영향력을 발휘하고, 구성원들에게 지식과 아이디어를 공유합니다.
- 다름을 인정하고 의견 차이와 논쟁을 해결합니다.
- 구성원들을 신뢰하고 존중하며 협력과 팀워크를 강화합니다.
- 문제에 대한 혁신적이고 창의적인 새로운 해결책을 설계합니다.
- 변화, 성장에 숨겨진 장애물을 표면화하고 저항에 대한 토의를 합니다.
- 문제를 학습의 기회로 전환하고 기대 사항에 대해 명확히 합니다.
- 상대에게 믿음을 주는 피드백과 상호책임감을 고취합니다.
- 온전한 본연의 모습을 간직한 자기 자신을 믿는 자기 신뢰가 있습니다.

1-3. 위대한 끌림

주민 대다수가 실업자와 범죄자이고 마약과 알코올 중독 등 열악한 환경이었던 하와이의 카우아이섬에서, 1955년도에 태어난 833명의 아이 중 가장 열악한 환경에서 자란 201명을 대상으로 종단 연구를 진행했습니다. 에미 워너(Emmy Werener) 교수의 연구 결과는 대다수 아이들이 여러 차례 범죄를 저지르며 사회에 심각한 영향을 끼치는 성인으로 자랐으나, 그와 다르게 72명의 아이들은 아무런 문제도 일으키지 않았고, 명문대에 진학하고, 스포츠 스타나 타인을 보살피는 성인으로, 좋은 환경에서 자란 아이보다 더 모범적으로 성장했습니다.

그들의 공통적인 비결은 무엇이었을까요?
에미 워너(Emmy Werener) 교수의 회복탄력성의 핵심적 요인인 인간관계에서 찾을 수 있습니다. 취약한 환경과 조건 속에서 바르게 성장할 수 있었던 단 한 가지 이유는 전적으로 신뢰하고 사랑해 주는 사람이 적어도 한 명 이상은 꼭 있었다는 것입니다. 그들은 역경과 고난 속에서도 다시 일어설 수 있는 힘을 실어 주었습니다.

회복탄력성은 어려운 환경에서 태어난 아이들에게만 필요한 것은 아닙니다. 누구나 살아가면서 역경과 어려움을 겪게 마련입니다. 특히 치열한 삶을 살아가는 현대인에게 절실히 요구되는 힘이 바로 회복탄력성입니다.

인생을 살아오면서 공식적이든 비공식적이든 나에게 의미 있는 사람들이 있습니다. 따뜻한 위로의 말 한마디, 특별하게 관심을 보여준 사람들, 또래 친구, 선배, 후배, 동료, 선생님, 멘토, 코치 등 우리가 좋아하는 사람들이 있습니다.
현대인들은 누구나 내 편을 필요로 합니다.

우리는 실행 공동체의 일원으로 사랑과 인정을 받으며, 또한 서로 존중하고 존중받으며 가치 있는 삶을 살고 싶어 합니다. 그러나 내가 진정 원하는 삶을 살고 있는 사람이 많지 않다는 것이 안타까운 현실입니다. 나를 믿고 지지해 주는 그 누군가 있다면, 단 한 사람이라도 내 편이 있다면 살아가는 날들이 어떻게 달라질까요?

생각나누기

- 당신이 존경하고 따랐으며, 당신에게 동기부여를 했던 사람은 누가 있을까요?
- 여러분의 삶에 위대한 끌림이 몇 번이나 있었나요?
- 이 위대한 끌림의 관계를 생각하면서 다음 질문을 작성해 보고 팀원들과 나누어 봅니다.

✓ 그 관계는 어떻게 시작되었나요?

✓ 그는 당신에게 어떻게 관심을 가졌나요?

✓ 그로부터 얻은 교훈과 통찰은 무엇인가요?

✓ 그는 어떻게 당신을 동기부여 시키고 성장할 수 있도록 했나요?

✓ 당신은 그로부터 어떤 영향을 받았나요?

✓ 그가 없었다면 당신의 삶은 어떻게 달라졌을까요?

✓ 또 다른 끌림의 관계를 찾아서, 관계의 위대함을 찾아서, 위의 질문을 반복해 보세요.

1-4. 신뢰의 선물

신뢰는 내가 누군가에게 줄 수 있는 가장 큰 선물입니다. 그 선물을 받았을 때 자신이 진정으로 존중받고 수용되고 있다고 인식하게 된 것입니다. 그 선물을 주는 방법은 개인적인 이야기를 나누는 것입니다. 이는 새로운 코칭 관계의 시작을 알리는 지점입니다. 코칭 관계는 내가 만드는 만큼 신뢰도 함께합니다.

코칭의 깊이는 고객에게 얼마나 신뢰를 선물했는지에 따라 달라집니다. 신뢰성은 코치의 역량과 직결됩니다. 코치가 만드는 신뢰만큼 코칭의 관계는 깊어집니다.

신뢰성은 다른 사람의 삶에 투자한 시간만큼, 그리고 그 시간의 질만큼 형성됩니다. 코칭 관계에서 진정으로 자신의 삶을 변화시키도록 영향력을 끼치고 싶다면 영향력을 끼치고 싶은 만큼 신뢰를 쌓기 위한 시간을 투자해야 합니다.

시간을 들여서 상호책임을 져주고, 존재의 아름다움을 보아주고, 특별히 상대방이 보인 가치를 그대로 인정해 줄 때 코치는 고객의 삶에 영향을 미치게 될 것입니다.

평소 존경하는 분들과 위대한 관계를 만들어 가고 있는 우리는 그분들이 삶에서 권위를 갖는 것을 허용합니다. 그만큼 우리를 사랑하고 보다 나은 삶을 살 수 있도록 자신들의 삶보다 우리의 삶에 더 투자하고 모든 것을 기꺼이 우리에게 내주었기 때문입니다. 그것이 우리가 그들을 믿고 신뢰하는 이유입니다.

신뢰를 쌓기 위해서는 상대가 편안하게 이야기할 수 있는 환경을 만들어 주어야 합니다. 사람은 누구나 자신이 존중과 배려를 받고 있는 소중한 존재라고 인식할 때 신뢰라는 선물이 드러나게 됩니다. 코칭은 신뢰에서부터 시작됩니다.

생각나누기

- 2인 1조(A, B)가 되어 코치와 고객으로 구성합니다.
- 아래 내용을 코치는 질문을 하고 고객은 답을 합니다.
- 역할을 바꾸어 진행합니다.

✓ 코치와 고객 사이에 어떻게 신뢰가 형성될까요?

내가 믿고 있는 한 사람을 생각해 봅니다.
나는 어떻게 그를 믿기로 결정하였나요?
그는 무엇을 했고, 무엇을 하지 않았나요?
그를 믿기 위해 무엇을 요구했나요?
그를 믿는 데 얼마나 시간이 걸렸나요?

✓ 신뢰는 자신을 아는 것부터입니다.

내가 믿지 않는 누군가를 생각해 봅니다.
어떻게 그를 믿지 않기로 하였나요?
그는 무엇을 했고, 무엇을 하지 않았나요?
그가 믿을 만하지 않다고 결정하는 데 얼마나 시간이 걸렸나요?

1-5. 또래코치의 자원

❖ 장점

1. 신체적인 장점: 건강, 아름다움, 잘생김, 키가 큼, 날씬함, 피부가 고움, 힘이 셈 등 신체의 특정 부분이 매력이 있는 것입니다.

- 내가 생각하는 나는 어떤 신체적 장점이 있을까요?

____

____

2. 심리적인 장점: 성격이나 심리적 특성을 말합니다. 성격이 온순하다, 부드럽다, 적극적이다, 지적이다, 창의성이 높다, 분석 능력이 뛰어나다 등 성격과 심리적 특성은 엄격하게 구분하기 어렵기에 혼용해서 알아봅니다.

- 내가 생각하는 나는 어떤 심리적 장점이 있을까요?

____

____

3. 사회적인 장점: 사회생활, 학교(직장)생활, 인간관계와 관련하여 장점으로 꼽을 수 있습니다. 친구가 많다. 리더십이 있다. 공감 능력이 뛰어나다. 협상 능력이 뛰어나다 등 사회적 장점을 알아봅니다.

- 내가 생각하는 나는 어떤 사회적 장점이 있을까요?

____

____

4. 마지막으로 위의 범주에 들어가지 않는 장점이 있을 수 있습니다. 그것은 무엇이 있을까요?

❖ 특기

- 장점과 달리 특별히 자신이 남다른 능력을 발휘하는 면을 말합니다. 특기가 장점이 될 수도 있습니다. 그림을 잘 그리는 것, 노래를 잘하는 것, IT를 잘 다루는 것, 특정 운동을 잘하는 것 등을 말합니다.

- 나는 어떤 특기가 있는지 생각해 보고 작성해 봅니다.

- 나는 언제 어떤 상황에서 특기를 발휘했는지 또는 그 특기에 대해 인정을 받았는지 생각해 보고 그 특기를 발휘한 상황을 시각적, 청각적, 신체 감각적 차원에서 구체적으로 작성해 봅니다.

❖ 성취 경험(성공 경험)

- 과거에 목표를 달성했던 일이나 원하던 어떤 일을 성취하거나 달성했던 일이 단 한 번이라도 있을 것입니다. 갖고 싶거나, 얻고 싶었던 그 어떤 것을 가졌던 일을 성취 경험이라고 합니다.

- 나는 과거에 어떠한 성취 경험을 해보았는가? 사소한 것이라도 언제, 어떤 상황에서 성취 경험이 있었는지 생각해 보고, 성취 경험을 했을 때의 상황을 시각적, 청각적, 신체 감각적 차원에서 구체적으로 작성해 봅니다.

____

____

____

____

❖ 긍정적 정서 경험

- 긍정적 정서 경험은 행복감, 기쁨, 즐거움, 황홀, 신남, 열정, 자랑스러움, 뿌듯함 등을 느꼈던 경험을 말합니다. 사람은 누구나 이러한 긍정적 정서 경험이 있습니다.
- 나는 언제, 어떤 상황에서 긍정적 정서를 경험했는지 생각해 보고, 특별히 기억나는 긍정적 정서 경험을 시각적, 청각적, 신체 감각적 차원에서 구체적으로 작성해 봅니다.

____

____

____

____

❖ 이상적인 인물

- 이상적인 인물이란 자기가 존경하거나 닮고 싶은 사람, 동일시 대상, 즉 롤모델을 말합니다. 어떤 존재이든 개인적으로 존경하고, 닮고 싶은, 그리고 동일시 하고 싶은 이상적인 사람이 있습니다.

- 마지막으로 당신은 어떤 사람을 이상적인 인물로 여기나요? 당신이 닮고 싶은 사람은 누구인가요? 당신의 목표와 관련하여 이상적으로 생각되거나 꼭 닮고 싶고, 동일시 하고 싶은 인물이 있을까요? 있다면 어떤 사람인가요? 이제 그 사람을 생각해 보고 그의 특징을 나열해 봅니다.

1-6 미리되어 보기 또래코치

대화는 '말하는 사람'과'듣는 사람'이 있어야 합니다. 모임이나 만남에서 '말하는 사람'과'말하려고 준비하는 사람'만이 있다면 , 자신이 말하고 싶은 욕구를 충족시켜 준 모임이나 만남이 좋은 느낌으로 기억 될 것입니다. 사람들은 자기의 이야기를 들어주고, 알아주며, 지지와 격려를 해주는 또래코치를 기다리고 있습니다.

앞서 자원을 만들어 본 나는 이제 또래코치가 되어봅니다.
3인 1조가 되어 A는 또래코치, B는 고객, C는 관찰자입니다.
A는 질문과 경청을 하고, B는 1분 이내로 답을 합니다.
C는 A와 B를 관찰합니다. 실습이 끝나면 역할을 바꾸어 진행합니다.

질문 순서	또래코치 되어보기
1.	• 오늘 컨디션은 어떤가요?
2.	• 5년후에 당신이 되고 싶은 모습이나, 하고 싶은 일은 무엇인가요?
3	• 꿈이 이루어졌다고 생각하고 5년 후를 상상해 보세요. 당신은 구체적으로 00월 00일 어디에서 무엇을 하고 있을까요?
4.	• 제가 신호를 주면 당신은 시간 여행을 떠나서 당신이 꿈을 이룬 5년 혹은 00년 후로 가게 될 것입니다. 자! 눈을 감고, 미래로 여행을 떠날 준비가 되면 제게 알려주세요. 준비되면 하나! 둘! 셋!
5.	• 우리는 지금 미래로 당신의 꿈을 이룬 곳에 와 있습니다. 지금 이곳에선 어떤 모습들이 보이나요? 가장 인상적인 모습은 어떤 것이 있나요? 당신과 함께 있는 사람들은 어떤 사람들인가요? 그 사람들의 표정은 어떠하며, 차림새는 어떤가요? 주변에서는 어떤 소리가 들리나요? 사람들은 나에게 무슨말을 하고 있나요? 나를 어떻게 부르고 있나요? 이 곳에서 나는 무슨 말을 하고 있나요?

질문 순서	또래코치 되어보기
	사람들과 이곳에서 어떤 향기나 냄새가 날까요? 내 몸에서 어떤 느낌들이 느껴지나요?
6.	• 나는 이 곳에서 무엇을 하고 있는지 구체적으로 설명해 주세요. 또 다른 사람들은 어떤 일을 하고 있나요? 지금 여기서 어떤 일들이 벌어지고 있나요?
7.	• 지금 나는 어떤 능력들을 발휘하고 있나요?
8.	• 이 꿈을 이루는 과정에서 가장 큰 위기는 무엇이었나요? 그 위기를 어떻게 극복 하였나요? 무엇이 이 위기를 넘어서게 했을까요? 이 꿈을 이룬 과정을 통해서 배우게 된 교훈이 있다면 무엇인가요?
9.	• 꿈을 이룬 나는 어떻게 불리우고 싶으신가요?
10	• 사람들은 꿈을 이룬 나에게 뭐라고 부르고 있나요?
11.	• 꿈을 이룬 나의 영성은 어떤가요? 은유로 표현, 설명한다면 무엇과 같은가요?
12.	• 미래의 꿈을 이룬 내가 현재의 나에게 조언을 해준다면 어떤 말을 해주고 싶은가요?
13.	• 지금까지 저와 대화를 나눈 느낌을 나누어 주세요.

영성은 삶에서 영감을 주고 삶의 방향을 알려주는 원천인 것으로 경험되고 있습니다. 또한 영성은 비물질적 실재들을 믿거나 우주 또는 세상의 본래부터 내재하는 성품, 또는 초월적 성품을 경험하는 것을 뜻합니다.

2 장

코칭의 이해와 또래코칭

2-1. 코칭과 또래코칭

코칭(Coaching)이란

첫째 코칭은 스포츠에 필요한 스킬을 개인 또는 팀에 가르치는 과정입니다.

둘째 코칭은 중요한 시험이나 특정 상황에 있어서 어떻게 대처할지 준비하는 것을 지원하는 과정으로, 두 가지 의미가 있습니다.

"1톤(t)의 생각과 1그램(g)의 행동"

"1%의 행동이 100%의 결과를 만든다."

코칭은 변화와 성장의 기회입니다.

펌프에서 물이 잘 안 나올 때 물을 끌어 올리기 위하여 처음에 부어주는 물을 무엇이라고 하나요? 그렇습니다. 마중물이라고 합니다.

그 마중물이 깨끗한 일급수만 가능한 것일까요? 그렇지 않습니다.

마중물은 지하수를 끌어 올리기 위해 사용하는 것으로 그 물이 청정수이건, 구정물이건 마중물의 역할을 충분히 할 수 있으면 됩니다.

펌프에서 마중물을 통해 원하는 대로 물이 잘 나오면 마중물의 역할은 사라지고, 지하에서 끌어올린 시원하고 깨끗한 물이 자신의 역할을 할 수 있게 됩니다.

코칭은 마중물과 같습니다.

고객이 이미 가지고 있는 잠재능력을 끌어 올려주는 것으로, 코치는 고객의 자아실현을 도와주는 수평적 파트너십으로 원하는 삶을 살 수 있도록 하는 조력자의 역할을 합니다.

줄탁동시(啐啄同時)는 알 속에서 병아리가 껍질을 깨고 밖으로 나오려고 부리로 톡톡 치면, 밖에서 기다리고 있던 어미 닭이 그 소리를 알아차리고 함께 쪼아주는 것을 말합니다. 이는 어미 닭이 병아리가 세상 밖으로 나오는 힘든 과정을 알고 함께하기 위해 주의를 집중하고 있었기에 가능한 것입니다.

코칭은 줄탁동시와 같습니다.

병아리는 안에서, 어미 닭은 밖에서 같은 시간에 공동작업으로 알 껍데기를 쪼아서 세상 밖으로 병아리가 나올 수 있도록 주의를 집중하여 협력합니다. 코칭이 이와 같습니다. 특히 FRIENDSHIP 또래코칭은 상호 존중과 신뢰를 기반으로 공동의 목표를 가진 또래코치가 코칭을 제공하여 함께 성장하는 협력적인 관계로 줄탁동시와 기본 맥락을 같이합니다.

코칭은 개인과 조직 내에서 끊임없이 변화와 성장을 위해 계속 되어지는 파트너십으로 고객에게 전적인 지지와 격려, 시스템을 통해 원하는 긍정적인 삶에 이르게 할 수 있습니다.

코칭은 코치가 경청과 발견 질문을 통해 고객이 다른 사람이 말하는 인생과, 다른 사람의 해결책이 아닌 스스로의 인생과 해결책으로 삶을 다시 바라볼 수 있게 합니다. 이러한 코칭이 진행되기 위한 대 전제는 모든 인간의 잠재능력과 가능성에 대한 믿음입니다. 따라서 전문코치가 되기 위해서는 코칭에 대한 역량뿐아니라 인간에 대한 완전한 사랑과 완전한 믿음이 최우선 되어야 합니다.

인간의 일반적인 의식구조는 코칭 질문을 받으면 미처 의식하고 있지 않았던 잠재의식을 일깨워서 스스로 답을 찾을 수 있게 됩니다. 인간은 이미 완전한 주체이며, 우리가 원하는 삶을 살기 위한 모든 자원을 가지고 있습니다. 우리 자신이 얼마나 소중하고 매력적이며 가치 있는지를 매 순간 깨닫기 위해 노력해야 합니다.

또래코칭(Peer Coaching)이란, 비슷한 연령이나 비슷한 경험을 가진 사람들이 서로를 지원하고 격려하며, 학습이나 개인적 성장 발전에 도움을 주는 과정입니다. 이 과정에서는 정보를 공유하고, 상호 학습을 촉진하며, 개인이나 집단의 목표 달성을 지원합니다. 또래코칭은 서로의 경험과 지식을 바탕으로 상호작용하는 동시에, 서로에게 긍정적인 영향을 미치려는 목적을 가지고 있습니다.

"FRIENDSHIP 또래코칭"은 또래가 또래에게, 동료가 동료에게, 구성원이 구성원에게, 리더가 구성원에게, 구성원이 리더에게 양방향 커뮤니케이션 과정으로 그들이 목적한 바를 이룰 수 있도록 초점을 맞춥니다. 우리는 자신의 이야기를 진심으로 들어주고 내 편이 되어 줄 수 있는 사람을 원하고 있습니다. 그 역할을 하는 사람이 바로 또래코치이며, 이 세상에 또래코치가 존재하는 이유입니다.

지금부터 당신은, 내가 누구인지 알고, 온전하고, 완전한 자기 존재를 먼저 믿고 신뢰해야 합니다. 자기 신뢰가 먼저 있어야 합니다. 그리고 내가 원하는 것이 무엇인지를 발견하는 작업을 시작합니다. 내 삶의 주인으로, 내 안에 무한한 잠재능력과 자원, 창조성과 에너지와 열정을 끌어내어, 변화와 성장의 시간을 만들어 나갈 것입니다.

FRIENDSHIP 또래코칭에 온 마음으로 몰두하고 최선을 다하면 당신은 활기있고 즐거워지며 또래를 만나면 어떻게 코칭 대화를 나누어야 하는지 저절로 알게 될 것입니다. 더 나아가 다른 사람의 삶에 영향을 주는 따뜻하고 멋진 또래코치로 거듭나게 됩니다.

생각나누기

- 팀원들과 나누고 발표합니다.
- 주변에서 전문 코치가 아니더라도 코치 역할을 하고 있는 사람들의 공통점은 무엇이 있나요?

____

____

____

____

____

2-2. 코칭과 유사 분야

코칭과 상담이 무엇이 다른가? 또 코칭이 멘토링과 무엇이 다른가? 코칭과 컨설팅은 무엇이 다른가?

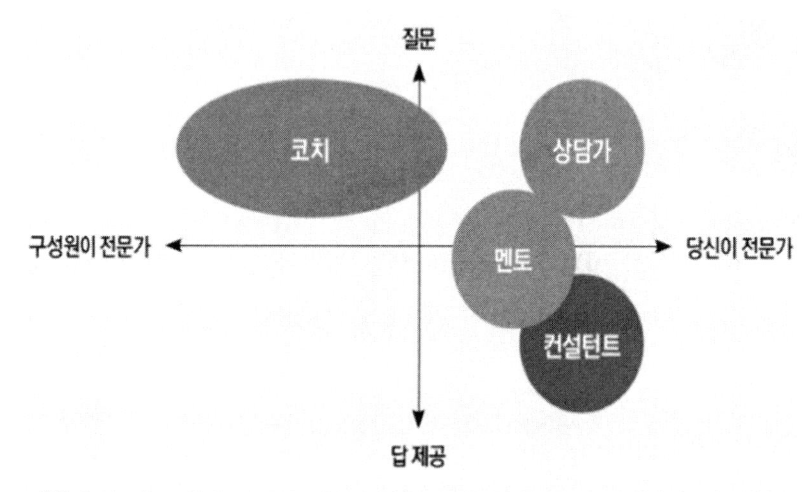

출처: Getting Started in Personal and Executive Coaching, Stephen Fairley and Chris Stout, Wiley

❖ 코칭과 상담의 차이점

상담(Counseling)은 내담자가 과거에 받았던 정서적, 영적 고통을 회복시켜 주는 과정으로 직면하고 있는 문제해결에 초점을 두지만, 코칭은 사람들이 더 나은 미래로 나아갈 수 있도록 목표를 설정하고 돕는 과정에서 가능성에 초점을 두고 있습니다.

코칭은 임상 차원의 심리적 문제를 지닌 사람의 문제해결은 다루지 않습니다.
코치가 상담과 치료사의 자격을 겸비한 경우라도 코칭을 하는 중에는 심리요법을 시행하지 않고, 원칙적으로 심신이 건강한 사람으로 자신을 보다 성장시키거나 퍼포먼스를 올리려고 하는 사람을 대상으로 합니다.

임상심리사이면서 전문코치인 카우프만은 "심리요법은 사람의 고통을 덜어주는 눈물과 치유의 여행이고, 코칭은 꿈과 번영을 위한 쾌적한 안주를 위한 여행"이라고 표현하였습니다.

상담가는 내담자를 치유의 대상으로 보고 해결책을 제시하고, 코치는 고객을 성장과 발전의 주체로 보고 지원한다는 점에서 차이가 있습니다.

❖ 코칭과 멘토링의 차이점

멘토(Mentor)란 원래 그리스 신화에 등장하는 오디세우스의 친구이자, 아들의 가정교사 이름입니다. 멘토의 현재 의미는 자기 분야의 전문적인 식견과 지혜를 가진 경험이 풍부한 사람이 그것을 필요로 하는 멘티(Mentee)에게 자신의 노하우를 전수하거나, 후배나 제자를 동기 유발하여 임파워(Empower)하는 교사 같은 이미지로 받아들여지고 있습니다.

코칭과 멘토링(Mentoring)의 주된 차이는 코칭이 현재의 퍼포먼스를 향상시키는 것에 초점을 둔다면, 멘토링은 미래의 경력을 고려한 장기적인 계획과 관련된 것이 많아 코칭보다 장기간 지속된다는 것입니다.

❖ 코칭과 컨설팅의 차이점

컨설팅(Consulting)은 심의나 논의를 위해 회의를 하는 행위를 뜻하는 것으로, 컨설턴트(consultant)는 고객의 의뢰를 받아 특정 문제 또는 그 분야에 관한 전문가적 조언을 제공하거나 업무를 수행하는 전문가를 말합니다.

컨설팅은 해당 분야의 전문적인 지식과 풍부한 경험을 가지고 있는 컨설턴트가 주도적으로 고개의 문제를 파악하고 진단하여 원인을 분석하고 해결책을 제시합니다.

이 과정에서 컨설팅은 고객이 지닌 현재의 능력과 잠재적인 역량보다 컨설턴트가 가지고 있는 전문지식과 경험 및 관점, 의견에 의해 해결책이 좌우되는 일방향 커뮤니케니션이라는 점이 코칭과 차이가 있습니다.

2-3 또래코칭과 유사영역

또래코칭과 유사한 영역에서 또래에 대한 조력을 의미하는 또래상담, 또래중재, 또래조력, 또래촉진으로 크게 나누어 볼 수 있습니다.

또래조력(Peer Helper)은 또래를 학생이 도울 수 있도록 훈련하고 지도하는 것입니다. 그리고 또래조력 프로그램은 이러한 지도와 훈련을 실습하는 과정입니다.

또래중재(Peer Mediation)는 또래를 활용한 지지활동으로 학교에서 발생하는 다양한 갈등상황에 대하여 상황을 객관적으로 직시하고, 원만한 갈등을 해결할 수 있도록 돕는 행동입니다.

또래상담(Peer Counseling)은 비슷한 연령과 유사한 생활 경험 및 가치관을 지닌 청소년 중에서 일정한 훈련을 통해서 자기 경험을 바탕으로 주변에 있는 다른 또래들이 발달과정에서 경험할 수 있는 문제를 해결하고 함께 성장과 발달을 할 수 있도록 지원하는 활동입니다.

또래코칭(Peer Coaching)은 비슷화 또래의 개인이나 동료의 원하는 욕구를 해결하기 위해 비슷한 가치관과 경험이 있는 두명 이상의 동료, 선.후배가 또래가 되어 상호협력하고 원하는 바를 이룰 수 있도록 수평적인 파트너 과정이며 상호간의 지지와 지원을 통해 변화와 성장이 되도록 서로 협력하는 과정입니다. 1980년대 이후부터 상담, 교육, 직원개발 등 다양한 교육과 훈련에 효과적인 도구로 활용되고 있습니다.

❖ 코칭의 패러다임(Paradigm)

세상을 보는 틀(Frame), 주변 세상을 지각하고 이해하며 해석하는 방식입니다. 코칭이란 고객의 자아실현을 최대의 목적으로 하는 협동적인 인간관계입니다. 변화란 자아실현성이라는 방향성을 가집니다. 인간은 정체되어 있는 존재가 아니라 끊임없이 발전할 가능성을 지닌 존재입니다. 역량 있는 코치의 도움으로 내재된 잠재능력을 최대한 개발할 수 있습니다. 코칭 관계 속에서 존재하는 인간관은 코칭의 철학으로 정교화됨으로써 코칭 패러다임의 기반이 됩니다. 21세기는 해답이 없는 시대입니다. 이러한 시대를 사는 우리에게는 '스스로 생각하고 움직이는 자기 주도형' 인재상이 요구됩니다.

2-4 코칭을 변주하는 프렌드십 또래코칭

코칭을 변주한다는 것은 기본적인 코칭 프로세스나 방법에 다양한 변화를 주어 새롭게 조정하고, 적용하는 것을 의미합니다. 이는 코칭이 진행되는 환경과 대상에 따라 접근 방법이 기존의 구조화된 형식과 다르게 진행되는 코칭을 말합니다.

프렌드십 또래코칭은 코칭의 변주로 코칭 언어를 사용하여 또래끼리 상호 코칭하는 것입니다. 코칭언어는 또래코칭 과정에서 더욱 효과적이고 맞춤화된 그들만의 방식으로 경험을 만들어가면서 소통과 협력을 통해 가장 적합한 방법을 탐색하고 적용해 가는 도구적 언어로 사용됩니다.

1.코칭 언어를 사용합니다.

프렌드십 또래코칭은 내가 속한 실행 공동체의 구성원이 프렌드십 또래코칭의 프로그램을 교육과 훈련을 받고 코칭 언어를 사용하여 또래친구에게 선한 영향을 줄 수 있으면 됩니다.

2. 코칭 기술과 GROW 대화프로세스를 통해 성장하는 또래코치가 됩니다.

또래코치는 전문 코치로 가는 시작점이 될 수 있습니다. 코칭의 언어를 사용할 수 있다면 그 누구라도 또래코치가 될 수 있습니다. 그리고 역량을 강화하여 인증 코치로 도약할 수 있습니다. 코칭의 저변확대와 대중화를 이끄는 단초 역할이 또래코치입니다.

3.친구끼기 또래끼리 서로가 성장하고 의식을 한 차원 올려줍니다.

또래끼리, 친구가 되어 의식적으로 코칭의 언어를 사용하는 자연스러운 또래코칭 관계로 발전할 수 있습니다. 수다에서 시작된 언어가 코칭의 언어로 바뀌게 되면, 서로의 감정과 생각을 나누고, 계획이 행동으로 옮겨가는 또래코칭을 경험하게 됩니다.

4. 또래코칭은 S.E.A.로 함께 성장하고 동기부여가 되는 코칭입니다.

프렌드십 또래코칭은 친밀한 관계에서 부정적인 측면은 공감의 위로를 함께하고, 긍정적인 부분은 격려와 지지를 받아서 앞으로 한발 나아갈 수 있는 용기와 힘을 얻게 됩니다.

S.E.A.는 Support(지지), Encouragement(격려), Accountability(상호책임)의 앞글자로, 성장과 행동 변화를 경험하고자 하는 사람들이 또래코칭을 통해 동기부여 받을 수 있도록 지지하고 격려하며 상호책임을 제공하는 또래코치의 도구입니다.

❖ Help와 Support

Help(돕기)	Support(지지하기)
도움을 요청하는 사람이 자신의 힘으로 문제를 해결할 수 없는 상태	도움을 요청하는 사람이 스스로 행동할 수 있도록 응원해 주는 것으로 문제를 해결할 수 있는 상태
지배, 종속적인 관계	협동적인 관계
"-" 상태에 있는 사람을 "0" 상태까지 위에서 끌어 올려주는 의미가 함축되어 있음	원래 "0" 또는 "+" 상태에 있는 사람이 더 나은 "+" 상태에 가도록 아래에서 지지해 주는 의미가 함축되어 있음

❖ 코칭의 차별적 특징

코칭은 고객이 스스로 답을 찾기 위해 자신이 원하는 것과 가능성을 발견하고 미래 중심적으로 현실을 인지하면서 행동이 일어나도록 하는 일련의 과정으로서 상담, 컨설팅, 멘토링, 티칭과 차별적 특징을 가지고 있습니다.

해결책 제시	⇨	스스로 답 찾기
문제 집중	⇨	원하는 것, 가능성
과거 중심	⇨	현재와 미래
생각	⇨	행동까지

전문 컨설턴트는 자신의 전문영역에서 진단하고 해결책을 제시하고, 카운슬링은 심리적 치유를 통해 문제를 해결할 수 있도록 도와주고, 멘토링은 자신의 전문 분야를 전수하고, 해박한 교사는 자신의 전문지식을 강의를 통해 전달합니다.

코칭은 이들과는 다른 방법으로 문제를 해결해 나갑니다. 코칭을 받는 고객이 자신이 직면한 문제의 답을 스스로 찾을 수 있도록 합니다. 그 과정에서 코치는 고객과 동반자적 역할을 합니다.

생각나누기

- 코칭, 컨설팅, 상담, 멘토링, 티칭을 다음의 기준을 중심으로 구별해 보고 해당되는 위치에 표시해 보세요.

✓ 고객에게 '질문'을 주로 하는가? '답'을 주는가?

✓ 과정을 고객이 주도하는가? 전문가가 주도하는가?

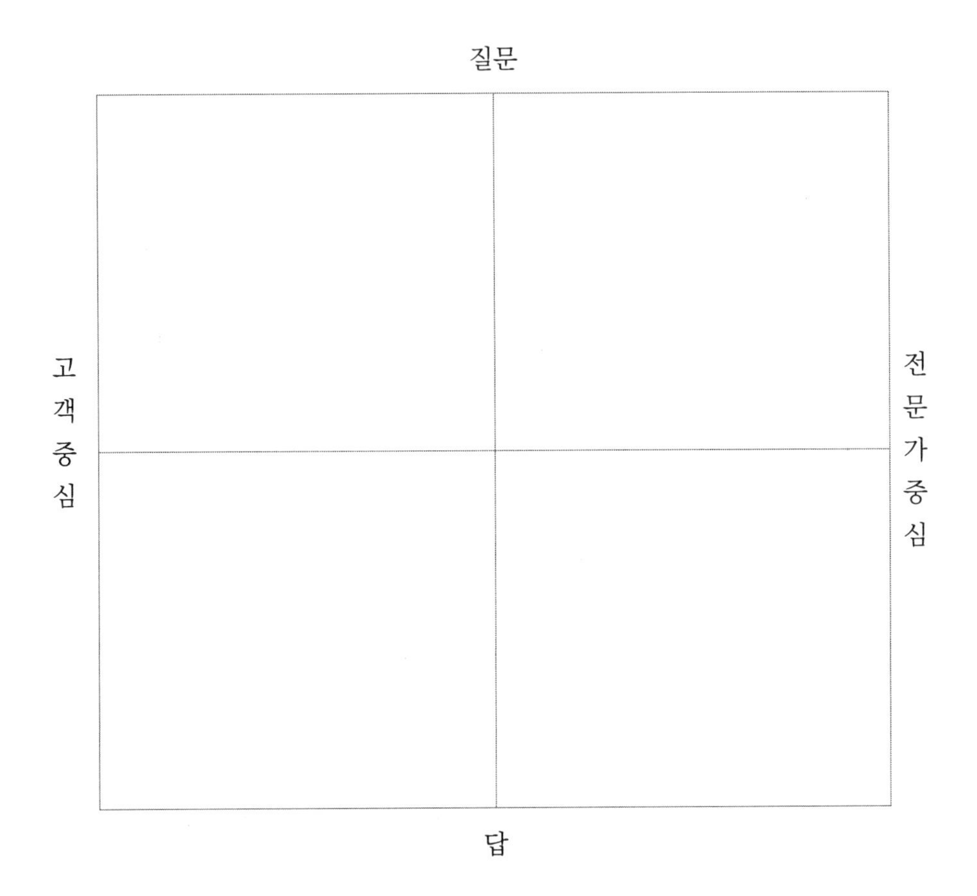

2-5. 또래코칭 대화

또래코칭 대화는 서로의 학습과 성장을 지원하기 위해 사용하는 대화 방식입니다. 이 대화는 개방적이고 존중하는 태도를 바탕으로, 서로의 생각과 경험을 공유하며 목표 달성을 위한 전략을 모색하는 과정입니다. 여기 또래코칭 대화의 예시를 몇 가지 들어보겠습니다.

❖ 직장에서의 대화 1

☑ 다음 대화에서 일반 대화와 코칭 대화의 차이점을 찾아봅니다.

일반 대화 OR 코칭 대화

직원: "팀장님! 이번 갑을 기업 납품계약 건에 관한 것입니다만."

팀장: "그래, 그거 무척 중요한 계약 건이지.... 어떻게 되어 가고 있는가?"

직원: "그게 말이죠, 계약 진행하는 데 어려움이 있습니다...."

팀장: "그래, 어떤 어려움이 있지?"

직원: "네, 담당자와 이야기가 잘 되었는데, 담당부장이 다른 회사와 계약을 하라고 한다는군요."

팀장: "그래?"

직원: "네, 아무래도 계약이 다른 회사로 넘어갈 것 같습니다."

팀장: "계약이 넘어간다? 큰일이군.... 자네는 무엇 때문에 그렇게 되었다고 생각하지?"

직원: "담당자만 믿고 윗선의 접촉을 소홀히 했기 때문이라고 생각합니다."

팀장: "그래? 그럼, 자네는 어떻게 대처하는 것이 좋다고 생각하는가?"

직원: "경쟁사보다 더 좋은 조건을 제시하는 것이 필요한 것 같습니다."

팀장: "어떻게 그렇게 할 수 있지?"

직원: "영업 수수료의 일정 비율을 떼어서 가격을 보전해 주는 방법이죠."

팀장: "그래? 그렇게 되면 우리 수익이 줄어들고, 또 그렇게 한다고 우리 쪽으로 돌아온다는 보장도 없을 것 같은데.... 다른 방법은 없을까?"

직원: "음... 그러면, 담당부장을 만나서 그동안 우리가 이 건으로 노력한 것을 보여주고, 그분이 원하는 것을 듣고 나서 우리 쪽에서 제공할 수 있는 것을 찾아보면 어떨까요?"

팀장: "그거 좋은 생각이군. 그렇게 되면, 담당부장과 관계도 만들어지고 그쪽에서 꼭 필요한 것을 찾아서 제안할 수 있겠네."

직원: "네, 그럴 것 같습니다. 담당부장도 다시 생각해 보게 될 거고요."

팀장: "그렇겠군. 내가 도와줄 것은 없을까?"

직원: "네, 담당부장과 만날 때 같이 한번 방문해 주시면 좋겠습니다."

팀장: "좋아. 그렇게 하자고."

직원: "네... 그러면 당장 담당부장과 약속을 잡아 보겠습니다."

❖ 직장에서의 대화 2

☑ 다음 대화에서, 일반 대화와 코칭 대화가 어떻게 다른지 차이점을 찾아보세요.

일반 대화 OR 코칭 대화

직원: "팀장님, 이번 갑을 기업 납품계약 건에 관한 것입니다만."

팀장: "그래, 그거 무척 중요한 계약 건이지.... 잘 되고 있겠지?"

직원: "아, 예... 제가 계속 찾아가서 협의하고 있습니다만...,"

팀장: "그래, 다행이군. 그런데 하고 싶은 말은 뭐지?"

직원: "저 그게 말입니다...."

팀장: "뭔가? 무슨 문제라도 생긴 건가?"

직원: "그게 말이죠. 담당자하고는 얘기가 잘 되었는데...,"

팀장: "그런데?"

직원: "그런데, 담당부장이 다른 회사와 계약하라고 한다는군요...."

팀장: "뭐야! 그게 도대체 무슨 말이지?"

직원: "네, 아무래도 계약이 다른 회사로 넘어갈 것 같습니다."

팀장: "뭐라고? 그걸 왜 지금 얘기하는 거야? 당신이 계속 찾아갔었다며?"

직원: "네, 계속 찾아갔었죠."

팀장: "그런데, 지금까지 담당부장과 접촉도 안 한 거야?
그동안 담당자랑 만나서 뭘 한 거야? 노닥거리기만 했냐?"

직원: "노닥거리긴요.... 저도 만나려고 했죠. 하지만 그게 쉽지 않잖습니까?"

팀장: "그렇게 쉬운 거만 하려고 하면 집에서 푹 쉬지 왜? 그렇게 해서 앞으로 이 일을 할 수 있겠어?"

직원: "앞으로 잘하겠습니다."

팀장: "경쟁 보험사는 담당부장하고 그동안 접촉을 해 왔다는 거잖아? 그동안 당신은 뭘 한 거야? 그리고, 일이 잘 안 될 것 같으면 미리 보고를 하고 대책을 세웠어야 할 것 아냐? 일이 이렇게 될 때까지 보고도 안 하고 뭐 하고 있는 거야?"

직원: "죄송합니다."

팀장: "죄송하다고? 지금 그걸 말이라고 하는 거야? 이게 얼마나 중요한 건인 줄 알아? 당신 몇 개월 동안 달랑 이 건에만 매달려 온 거잖아.... 밥 벌어먹고 살겠냐?"

☑ 일반 대화와 코칭 대화입니다. "직장에서 대화 1, 2"는 어떻게 다른지 차이점을 찾아서 적어 봅니다.

	일반 대화	코칭 대화
감정		
에너지		
의미		
행동 변화		

❖ 친구 간의 대화 1

☑ 다음 대화에서 일반 대화와 코칭 대화가 어떻게 다른지 차이점을 찾아보세요.

일반 대화 OR 코칭 대화

친구 A: "이번 여름에 어디로 놀러 갈까?"

친구 B: "여름엔 뭐니 뭐니 해도 바다로 가야지."

친구 A: "싫어, 바다는 무슨 바다냐? 그러지 말고 그냥 가까운 콘도 빌려서 조용하게 놀다 오자."

친구 B: "너는 꼭 뭐 하자고 하면 딴소리하더라?"

친구 A: "무슨 딴소리... 너는 니가 하고 싶은 거만 하려고 하잖아."

친구 B: "여름에 바다로 가는 게 나만 하고 싶은 거냐? 니가 이상한 거지...."

친구 A: "사람들 복잡하고 쉴 데도 없는 데를 넌 왜 굳이 가려고 하는데...?"

친구 B: "재미있잖아?"

친구 A: "재미는 너만 재미있지... 다른 사람도 재밌냐?"

친구 B: "야... 솔직히 니 튀어나온 똥배 때문이라고 솔직히 말해...."

친구 A: "야 그러는 너는... 키도 좁쌀만 하고 얼굴은 시커먼 게...."

친구 B: "뭐야! 너 말 다했어?"

친구 A: "다했다 왜?"

친구 B: "야, 내가 너 같은 걸 친구라고 같이 여행을 가자고 했으니."

친구 A: "누가 너하고 같이 여행 간다고 했어?"

친구 B: "됐어... 됐고... 너 다시는 나한테 연락하지 마.... 알았어?"

친구 A: "너도 마찬가지야.... 다시는 나보고 아는 척하지 마."

❖ 친구 간의 대화 2

☑ 다음 대화에서, 일반 대화와 코칭 대화가 어떻게 다른지 차이점을 찾아보세요.

일반 대화 OR 코칭 대화

친구 A: “이번 여름에 같이 놀러 가는 거 어때?”

친구 B: “좋아! 여름엔 역시 바다로 가야지....”

친구 A: “바다? 네가 바다로 가자고 하는 걸 보니, 뭔가 생각이 있는 듯한데....”

친구 B: “그렇지. 바다로 가면 멋진 여(남)자 친구도 만들 수 있잖아....”

친구 A: “오! 바다에 가서 멋진 여(남)자 친구를 만들 수 있는 확률은 몇 %일까?”

친구 B: “글세... 한 30~40%는 되지 않겠어?”

친구 A: “그렇군... 솔직히 나는 바다는 너무 사람들이 복잡해서 좀 그런데....”

친구 B: “좀 그렇긴 해”

친구 A: “그러면, 여(남)자 친구 만들 수 있으면 꼭 바다가 아니어도 괜찮겠네”

친구 B: “그렇지! 그러면 오히려 조용한 데가 훨씬 좋지....”

친구 A: “여(남)자 친구도 만들고 조용한 여행을 가는 다른 방법이 있다면 뭐가 있을까?”

친구 B: “아! 생각났다. 지난번 인터넷에서 봤는데.... 또래코칭 캠프를 가는 거야”

친구 A: “그거 좋은 생각인데.”

친구 B: “그렇지.... 여(남)자 친구들과 계곡에서 함께 캠핑하면서 자연스럽게 이야기할 수 있으니”

친구 A: “그러면 여(남)자 친구 만들 확률도 훨씬 높아지겠네?”

친구 B: “그래... 완벽해! 내가 생각했지만 정말 멋진 계획이야....”

친구 A: “넌 역시 대단해!”

☑ 일반 대화와 코칭 대화입니다. "친구 간의 대화 1, 2"는 어떻게 다른지 차이점을 찾아서 적어 봅니다.

	일반 대화	코칭 대화
감정		
에너지		
의미		
행동 변화		

❖ 부모와 자녀의 대화 1

☑ 다음 대화에서, 일반 대화와 코칭 대화가 어떻게 다른지 차이점을 찾아보세요.

일반 대화 OR 코칭 대화
아들: "엄마! 나 졸려 그만하고 자면 안 될까?"
엄마: "뭐라고? 이제 공부 시작한 지 얼마나 됐다고...."
아들: "밥을 늦게 먹으니까 배불러서 졸려.... 집중도 안 되고"
엄마: "그러면 가서 찬물로 세수하고 와...."
아들: "싫어! 자고 싶단 말이야."
엄마: "이 녀석이! 너 이런 식으로 해서 대학이나 갈 수 있겠어?"
아들: "누가 대학 간데? 나 대학 안 갈 거니까 그냥 잘래...."
엄마: "안 돼! 하던 것 끝까지 하고 자...."
아들: "엄마는 졸린 데 공부한다고 공부가 돼?"
엄마: "그렇다고 맨날 잠만 잘래? 다음부터는 저녁을 절반만 먹어...."
아들: "배고프면 공부 더 안 된단 말이야."
엄마: "그럼... 어쩌겠다는 거야?"
아들: "..."
엄마: "너 엄마가 누구 때문에 이렇게 고생하는지 알아? 다 너 잘되라고 하는 건데.... 네가 그것도 못 참고 공부 안 하고 매일 잠만 자면 엄마는 무슨 보람으로 사니?"
아들: "알았어, 그만해.... 공부하면 될 거 아냐...."

❖ 부모와 자녀의 대화 2

☑ 다음 대화에서, 일반 대화와 코칭 대화가 어떻게 다른지 차이점을 찾아보세요.

일반 대화 OR 코칭 대화

아들: "엄마! 나 졸려 그만하고 자면 안 될까?"

엄마: "그래? 민준이가 피곤한가 보구나...?"

아들: "응! 밥을 늦게 먹으니까 배불러서 졸려.... 집중도 안 되고"

엄마: "응 지금 집중이 안 돼서 민준이가 힘든가 보네.... 해야 할 숙제는 얼마나 남았는데?"

아들: "응! 한 시간 정도만 집중하면 될 것 같은데.... 지금은 졸려서 안 돼."

엄마: "그렇구나! 졸릴 때는 집중도 안 되겠지....
그러면 앞으로 이 시간에 졸리지 않으려면 어떻게 하는 게 좋을까?"

아들: "저녁을 조금 일찍 먹고, 가볍게 운동을 하고 오면 좋을 것 같아...."

엄마: "그것 좋은 생각이다. 그러면 건강도 챙기고 머리고 맑아지겠네....
내일부터 그렇게 할까?"

아들: "응...."

엄마: "좋아! 그러면 오늘은 어떻게 하면 좋을까?"

아들: "일단은 지금은 잠을 자고, 아침에 일찍 일어나서 하면 될 것 같아...."

엄마: "아침에? 좋은 생각이네.... 아침에 몇 시에 일어나면 좋을까?"

아들: "6시... 알람 시계 맞춰놓고 6시에 일어나서 할게."

엄마: "좋아! 민준이가 아침에 일찍 일어나서 공부하는 모습을 보겠네....
그러면 엄마가 어떻게 도와주면 좋을까?"

아들: "혹시 못 일어나면 엄마가 깨워줘!"

엄마: "알았어. 그렇게 하자."

아들: "응."

☑ 일반 대화와 코칭 대화입니다. "부모와 자녀의 대화 1, 2"는 어떻게 다른지 차이점을 찾아서 적어 봅니다.

	일반 대화	코칭 대화
감정		
에너지		
의미		
행동 변화		

❖ 교사와 학생의 대화 1

☑ 다음 대화에서, 일반 대화와 코칭 대화가 어떻게 다른지 차이점을 찾아보세요.

일반 대화 OR 코칭 대화
교사: "경준이 너 오늘 또 민준이하고 싸웠어.... 왜 싸웠니?"
경준: "그 녀석이 먼저 욕했단 말이에요."
교사: "이번엔 욕 때문이니? 저번에 뭐 던졌다고 싸우고, 그전엔 놀렸다고 싸우고, 또 뭐로 싸울래?"
경준: "..."
교사: "넌 학교에 뭐 하러 오니? 싸우러 오니?"
경준: "아뇨!"
교사: "근데 맨날 이렇게 친구들하고 싸우니? 너 때문에 선생님이 골치가 아파요."
경준: "죄송해요...."
교사: "안 되겠다. 너 아무래도 부모님을 모셔 와야겠다."
경준: "선생님 제발.... 집에서 혼난단 말이에요"
교사: "그럼, 혼나라는 거지, 칭찬받으라는 건 줄 알아?"
경준: "선생님 한 번만 봐주세요."
교사: "이번에 한 번만 봐주면 앞으로 안 싸울 거야?"
경준: "네."
교사: "수업 시간에 안 떠들고 공부도 열심히 할 거야?"
경준: "네."
교사: "대답은 잘한다. 네가 잘할지 모르겠지만, 다음에 또 싸우면 그땐 부모님 모시고 와.... 알았지?"
경준: "네."

❖ 교사와 학생의 대화 2

☑ 다음 대화에서, 일반 대화와 코칭 대화가 어떻게 다른지 차이점을 찾아보세요.

일반 대화 OR 코칭 대화
교사: "경준아! 오늘 민준이하고 싸웠구나.... 싸운 이유가 뭐니?"
경준: "그 녀석이 먼저 욕했단 말이에요."
교사: "아 그래! 민준이가 먼저 욕을 해서 화가 나서 싸운 거니?"
경준: "네...."
교사: "음, 욕을 들었으니 화가 나긴 했겠구나.... 그런데 너는 원래 민준이하고 잘 지내고 싶은 거지?"
경준: "그렇죠...."
교사: "그런데... 민준이가 욕을 했다고 해서 네가 덤벼들면, 네가 원하는 대로 된 거니?"
경준: "아뇨."
교사: "친구와 잘 지내고 싶은데... 자꾸 싸우게 되는 이유가 너한테도 있다면, 그게 뭐라고 생각하니?"
경준: "기분이 나빠지면 참지 못하는 거요...."
교사: "그렇구나... 잘 참지 못하는 것 때문에 친구들과 싸우게 되는구나?"
경준: "그렇다고 할 수 있죠."
교사: "그럼 네가 원하는 대로 앞으로 친구들과 잘 지내기 위해서는 스스로 어떻게 달라져야 할까?"
경준: "제가 좀 참는 훈련을 해야겠죠...."
교사: "좋아, 그리고 앞으로 민준이하고 잘 지내기 위해서는 무엇을 해야 할까?"
경준: "제가 먼저 앞으로 잘 지내자고 화해해야겠어요"
교사: "그래, 좋은 생각이다. 그러면 민준이도 좋아할 거야.... 언제 할 건데?"
경준: "지금 가서 해야죠."
교사: "좋아, 앞으로는 경준이가 친구들과 잘 지내는 모습을 보겠군...."

☑ 일반 대화와 코칭 대화입니다. "교사와 학생의 대화 1, 2"는 어떻게 다른지 차이점을 찾아서 적어 봅니다.

	일반 대화	코칭 대화
감정		
에너지		
의미		
행동 변화		

❖ 또래코칭 대화 사례 1

구분	대화 내용(수학 문제 해결)
A: 코치 B: 고객	A: "이 문제를 풀기 시작할 때 어떤 과정을 거쳐야 할지 같이 생각해 볼까?" B: "음, 먼저 문제에서 주어진 정보를 정리해보면 좋을 것 같아." A: "좋아, 그 다음에는 어떤 식을 세워볼 수 있을까?" B: "아마도 이런 식을 사용해 볼 수 있을 것 같아." A: "정말 잘했어! 그 식을 사용해서 문제를 해결해보자. 중간에 막히는 부분이 있으면 언제든지 말해 줘."

❖ 또래코칭 대화 사례 2

구분	대화 내용(프로젝트 계획 수립하기)
A: 코치 B: 고객	A: "프로젝트의 첫 단계로 무엇을 해야 할지 같이 논의해 보자." B: "아마도 주제를 정하고, 필요한 자료를 조사하는 것부터 시작해야 할 것 같아." A: "좋은 생각이야. 주제에 대해 어떤 아이디어가 있어?" B "지속 가능한 환경에 관한 주제를 다루고 싶어." A: "훌륭해! 그 주제로 어떤 자료를 찾아볼 수 있을지, 어떤 방향으로 프로젝트를 진행할지 같이 계획해 보자."

위의 예시는 또래코칭 대화가 어떻게 이루어지는지 보여줍니다. 이 대화들은 학습자가 스스로 생각하고, 문제를 해결하며, 자신의 아이디어와 계획을 구체화할 수 있도록 도와줍니다.. 또래코칭에서 중요한 것은 서로를 격려하고 지지하면서 학습 과정에 적극적으로 참여하도록 하는 것입니다.

❖ 또래코칭 대화 실습 1

구분	대화 내용
코치	A; 오늘 컨디션은? A: 이루고 싶거나 해결하고 싶은 것이 있다면? A: 현실 상황은? A: 그런데도 이룰 수 있는 대안이 있다면? A: 또? A: 한가지만 더 A: 지금까지 한 번도 생각해보지 못한 것은? A: 먼저 실행해 보고 싶은 것은?

생각나누기

1) 2인 1조로(A,B) 구성합니다. A는 코치, B는 고객을 합니다.
2) A는 모든 질문을 하고 경청하고 요약해서 확인해 줍니다.
3) B는 A의 질문에 답변하고 대화를 해봅니다. 그리고 서로 느낌을 나눕니다.

1. 또래코칭의 사례와 실습에서 어떤 느낌이 들었나요?

____

____

____

____

____

❖ 또래코칭 실습 2

또래 친구인 A 씨는 요즘 당신과 관계가 좋지 않습니다. 최근 A 씨와 팀으로 함께하는 프로젝트 수업에서 A 씨가 맡은 과제를 완성하지 못해서 당신이 맡은 과제도 같이 못 하게 되었습니다.

우리 팀 프로젝트의 완성도가 떨어지고 있어서 팀장에게 경고를 받았습니다.

A 씨는 최근 한 달간 팀 프로젝트 회의에 지각하여 회의 분위기를 흐트러뜨리고 있습니다. 오늘도 지각하여 팀구성원들이 눈살을 찌푸렸습니다.

정확히 8번 회의에 5번 지각을 했습니다. 이러한 A 씨는 팀원들에게 미안해하기는커녕 오히려 당신과 팀원들에게 자신을 비난하고 잘 도와주지 않는다고 불평을 합니다.

당신은 A 씨와 대화를 통해 A 씨가 당신에게 서운해하는 것에 대해 당신의 입장을 말하고, A 씨의 행동에 대해 시정할 것을 요청하려고 합니다.

이런 상황에서 당신이라면 어떻게 대화할지 적어보고 이야기를 나누어 봅니다.

생각나누기

사례를 읽고, 이런 상황에서 어떻게 대화를 할지 적어보고 이야기를 나눕니다.

____

____

____

____

____

☑ 일반 대화와 코칭 대화의 다른 점은 무엇입니까?
위 사례를 보고 팀원들과 작성하고 발표합니다.

일반 대화	코칭 대화

2-6 또래코칭의 기회

또래코칭은 매우 다양한 환경과 상황에서 이루어질 수 있습니다. 사람들은 변화와 성장을 위해 새로운 시도를 합니다. 그 과정에서 무엇을 어떻게 해야 할지 모를 때, 누군가의 도움이 절실할 때, 그 순간이 바로 코칭의 기회입니다. 또래코칭의 공식적인 상황과 비공식적인 상황 모두에서 상호작용에 의한 개인과 조직의 관점에서 구분하여 봅니다.

또래코칭은 구조화된 프로그램에서부터 일상적인 대화에 이르기까지 다양한 형태로 이루어질 수 있으며, 이러한 활동은 개인의 성장과 발전에 크게 기여할 수 있습니다.

공식적 상황(Formal Situations)	비공식적 상황(Informal Situations)
개인의 공식적상황 -학교 프로그램과 학술 동아리에서 ____________ ____________ ____________ ____________	개인의 비공식적상황 -친구나 동료와의 자율적학습과 온라인 커뮤니티의 참여자중심 ____________ ____________ ____________ ____________
조직의 공식적상황 -기업과 교육기관의 멘토링 프로그램 ____________ ____________ ____________ ____________ ____	조직의 비공식적상황 -직장내 커뮤니티기반의 학습활동 ____________ ____________ ____________ ____________ ____

2-7 코칭의 이슈와 또래코칭

또래코칭에서 다루는 주제는 매우 다양하며, 참여하는 개인의 필요와 관심사, 그리고 특정 상황이나 목표에 따라 크게 달라질 수 있습니다. 그러나 일반적으로 또래코칭은 정체성을 중심으로 의식과 신념, 가치관, 감정, 자존감과 같은 내적인 영역을 다루기도 하고 역량개발과 행동, 습관 및 자기계발과 같은 외적인 영역을 다룹니다.

	긍정적 키워드	부정적 키워드
정체성	누구, 가치, 의미, 중요, 삶, 자아, 존재, 의도, 미션, 열망, 기여	혼란, 악영향
관계	도움, 관계, 인맥, 감사, 존경, 만남, 스승, 파트너, 사람, 피드백, 영향, 영향력, 칭찬	실망, 다툼
사실	사실, 사전, 정보, 증세, 증거, 이익, 수치, 중요, 전문성, 제거, 소중, 비밀, 성공 경험, 자원, 경험, 요소, 결과	실패, 손해, 피해, 부족
행동	습관, 과정, 역량, 능력, 선택, 책임, 행동, 방법, 건강, 약속, 집중, 용기, 계기, 최선, 실력, 응원, 투자, 관찰	포기, 미룸, 방해, 제한, 판단
정서	느낌, 직관, 에너지, 선호, 신뢰, 호기심, 행복, 즐거움, 기쁨, 인정, 감동, 만족, 인기, 흥미, 흥분, 애정, 매력, 사랑, 책임감, 자존감	억울, 애착, 집착, 외로움, 화, 비난, 슬픔, 아쉬움
비전	꿈, 비전, 열정, 성취, 유산, 목표, 계획, 기대, 목적, 의도, 상상, 도전, 롤모델, 힘	걱정, 애착, 집착, 외로움, 화, 비난, 슬픔, 아쉬움
생각	비유, 초점, 기대, 신념, 의미, 가치, 이해, 원칙, 지식, 이미지, 아이디어, 완벽, 각오, 의지	고정관념, 운
감정	강점, 재능, 지혜, 리더십, 탁월함, 기술, 자랑, 강화, 극복	단점, 핸디캡
변화	교훈, 성장, 변화, 깨달음, 결심, 동기, 회복, 역동, 가능성	악화, 퇴보
환경	환경, 시간, 공간, 기회, 재산, 돈, 필요, 선물, 질서, 균형, 조화, 직업, 사람, 약속, 도움, 신호, 경쟁, 알림, 시스템, 자동	장애물, 방해 요인 제거

2-8. 또래코칭의 목표

또래코칭은 서로 상호코칭으로 발전을 도모하는 상보적 관계로 다양한 목표를 가지고 지지화 격려하며 상호책임을 제공하는S.E.A 활동으로 여러 긍정적인 효과를 가져올 수 있습니다.

❖ 또래코칭의 목표

1. 동기부여 및 참여를 증진합니다.

또래끼리 서로 함께하며 동기를 부여하여 코칭 과정에서 적극적 참여를 하게됩니다. 그리고 성장과 개발을 촉진하여 가치와 신념을 지속적으로 지지합니다.

2. 지식의 공유로 학습능력을 향상시킵니다.

또래끼리 서로의 지식과 경험을 공유함으로써, 상대방을 더 깊이 이해하고 변화의 필요성을 받아드리고 학습능력이 확장되고 자신감도 향상됩니다.

3. 사회적 기술이 발달됩니다.

상호 코칭을 통해 협력과 의사소통, 갈등 해결 등의 사회적 기술을 개발하는데 도움이 됩니다. 그리고 더 좋은 리더로 성장할 수 있는 내적 자원을 개발하고 파트너십을 구현할 수 있는 지지와 지원을 받습니다.

4. 자기 주도적 학습을 촉진합니다.

또래코칭을 통해 자신의 학습과정과 목표 설정에 적극적인 성공 지원과 지속적인 개선으로 강점을 활용하여 재능을 끌어내는 자기 주도적인 학습자가 됩니다.

❖ 또래코칭의 효과

또래코칭은 같은 공간의 시간차를 두고 무언가를 함께하는 구성원이 상호 존중과 정서적 공감을 가지고 신뢰 관계를 형성하여 서로가 성장 발전하는 것입니다. 그 과정에서 참여자들에게 많은 긍정적인 효과를 가져옵니다. 이러한 효과는 학업, 개인발달, 사회적 관계 등 다양한 영역에서 나타납니다.

1. 학업 성과의 향상입니다.

같은 또래가 설명해 주는 내용은 더 쉽게 이해될 수 있으며 학습자는 이를 통해 학습 내용을 더 잘 이해하게 됩니다. 또래코칭을 통한 직접적인 학습 지원은 학업 성취감을 높이며, 이는 학습 동기를 증가시킵니다.

2. 사회적 기술의 발달입니다.

또래코칭은 효과적인 의사소통 기술을 개발하는 데 도움을 줍니다. 이는 학업뿐만 아니라 일상 생활에서도 중요한 역량입니다. 또래코칭 과정에서 협력적 학습 환경이 조성되며, 이는 참여자들이 팀워크와 협력의 중요성을 이해하게 됩니다.

3. 자기 개발과 진로 준비를 할 수 있습니다.

또래코칭은 개인이 자신의 강점과 약점을 더 잘 이해하도록 돕습니다. 이는 자기 개발의 중요한 시작점이 됩니다. 코칭 과정에서의 성공 경험은 참여자의 자기 효능감을 증가시키며, 이는 다른 영역에서도 긍정적인 영향을 줍니다. 그리고 또래코칭은 진로에 대한 정보와 조언을 제공하여 자신의 진로를 탐색하는데 도움이 되고, 실질적인 직업 경험과 조언을 나눔으로써, 미래의 직업 세계에 대해 준비할 수 있습니다.

4. 심리적 안정이라는 정서적 지원을 받습니다.

긍정적인 또래 관계는 심리적 안정감을 제공하며, 이는 정서적 건강에 중요한 역할을 합니다. 공동체에서 함께 활동하는 또래 관계에서 강한 소속감을 느끼게 됩니다.

5. 또래 리더십과 책임감이 생깁니다.

코칭을 하는 또래 친구는 자신의 역할에 대한 책임감을 가지게 되어, 또래코칭 과정에서 자연스럽게 리더십 능력이 개발됩니다. 이는 상호 또래코칭을 하는 개인과 조직인 공동체의 성장에 도움이 됩니다.

2-9. FRIENDSHIP 또래코칭의 효과

프렌드십 또래코칭(Friendship Peer Coaching)은 학습자의 긍정적인 관계 구축을 통해 학습과 개인적 발달을 촉진하는 또래코칭의 한 형태입니다. 이는 서로 우정을 기반으로 또래 간의 지지와 격려를 통해 다양한 학습 목표를 달성할 수 있도록 돕습니다.

1.사회적 기술이 향상됩니다.

프렌드십 또래코칭은 학습자들이 서로 소통하고 협력하는 과정에서 사회적 기술을 발달시킵니다. 이는 의사소통 능력, 협동 능력, 갈등 해결 능력 등을 포함합니다.

2. 또래코치에 의해 동기부여가 됩니다.

또래 친구와 함께 학습하는 환경은 문제의 해결을 위한 해결방안을 찾고 행동하게 합니다. 이는 학습 장애물을 극복하는 과정에서 가능성과 잠재능력을 발견하고 학습에 대한 동기를 부여하고, 학습 과정을 더 즐겁고 의미 있게 만듭니다. 이는 학업 성취도를 높이고 학습 효과를 최대화할 수 있습니다.

3. 정서적 지지와 안정감을 제공받습니다.

프렌드십 또래코칭은 학습자들이 정서적 지지를 받고 안정감을 느낄 수 있는 환경을 제공합니다. 이는 학습자의 자존감과 자신감 향상에 도움을 줍니다.

4. 사회적 유대감과 소속감을 제공합니다.

학교나 실행 공동체에서 같은 목표를 향해 함께 노력하는 또래끼리의 과정에서 서로가 유대감과 소속감이 강화되어 긍정적인 학습 문화와 공동체 의식을 형성할 수 있습니다.

5. 자기 주도적 능력개발이 됩니다.

프렌드십 또래코칭은 학습자가 스스로 학습 목표를 설정하고 학습 과정을 관리하는 자기 주도적 학습 능력을 개발하는데 도움을 줍니다. 이는 스스로 정한 계획에 대한 행동의지가 강하게 생기게 되는 것으로써 자기 주도성에 변화를 주었을 때 성공 가능성이 높아집니다.

생각나누기

✓ 내가 생각하는 또래코칭 목표와 또래
✓ 코칭의 효과는 무엇인가요?

✓ 또래코칭의 효과를 증대하기 위해 더 필요한 것이 있다면 무엇이 있을까요?

3 장
또래코칭의 기초

3-1. 또래코칭의 역사
3-2. 또래코칭의 정의
3-3. 또래코칭의 철학
3-4. 코칭의 종류와 또래코칭
3-5. 또래코칭의 언어

3-1. 또래코칭의 역사

❖ 코칭의 어원

코칭(Coaching)이라는 어원은 헝가리의 마다디아스 왕 시대인 1500년경 콕스(Kocs)라는 도시에서 여러 사람을 태울 수 있는 마차를 만든 것에서 유래하였습니다. 헝가리 도시 콕스에서 개발된 이 사륜마차는 편안하고 안전한 이동 수단으로 전 유럽에 퍼져 그 당시 귀족들 사이에서 인기가 많았습니다. 당시 유럽 최고의 마차 생산지로 유명한 콕스(Kocs)에서 전 유럽으로 퍼진 이 사륜마차는 “중요한 사람을 태우고 원하는 목적지까지 데려다준다“라는 의미로 파생되어 콕시(Kocsi) 또는 콕지(Kotdzi)라는 명칭으로 불렸으며, 이는 고객이 현재 있는 곳에서 출발하여 고객이 원하는 목적지까지 데려다주는 이동 서비스로 영국에서는 코치(Coach)라고 불렸습니다. 이 용어가 오늘날 정식명칭으로 정착되어 불리게 되었습니다. 1500년경 운송수단으로써 표현된 코치는 오늘날에는 사람을 대상으로 변화와 성장을 위해 코칭을 행하는 사람으로 표현되고 있습니다.

❖ 코칭의 역사

코칭의 역사는 고대 그리스의 소크라테스에서 시작됩니다. BC 400년경 “나는 다른 사람에게 아무것도 가르칠 수 없다. 다만 생각하게 할 뿐이다.”라고 이야기한 소크라테스는 질문을 통해 대화 상대가 스스로 답을 찾도록 돕는 “산파술”을 사용했습니다. 이는 스스로 문제의 본질을 깨닫게 하여, 논리에 대한 개념을 명료화시켜서 자신을 알아차리게 하는 것으로 코칭의 기본 원리와 유사합니다.

소크라테스의 산파술은 “나는 모른다”에서 시작하여 자신을 성찰하고 문제를 스스로 해결해 가는 것으로 삶의 영역에서 이미 존재하는 것들에 대한 질문과 그 행위와 형식이 코칭의 본질과 닮았습니다.

코치(Coach)라는 단어는 ‘교육하다, 훈련하다’라는 의미로, 시험에 합격하기 위해 특정 과목을 지도하는 개인 지도교사(Tutor)를 지칭하는 말로 1840년대 영국의 옥스퍼드 대학에서 처음 사용되었습니다. 그 이후 1880년대부터는 스포츠에 적용되어 코치를 운동선수를 훈련하는 사람이라고 가리키게 되었습니다.

코치(coach)는 선수가 최고의 컨디션으로 경기를 할 수 있도록 지도와 훈련을 돕고 격려하여 좋은 성과를 낼 수 있도록 지원하는 역할을 하였습니다. 이는 목표 달성을 위한 안내와 도움이라는 의미를 담고 있으며, 현대적 코칭의 핵심적인 가치와 일맥상통합니다.

이후 현대 코칭의 시작은 1970년대 티모시 골웨이(Timothy Gallwey)가 "이너게임(Inner Game)"을 통해 스포츠 분야에 새로운 방식을 제시하면서 부터입니다. 그는 코칭에서 사용되는 대화의 기술을 가르친 것이 아니고 '셀프 1(Self 1),'과 '셀프 2(Self 2)'를 통해 선수들의 내면의 잠재된 능력을 발휘하도록 돕는 데 초점을 맞추었습니다.

코칭이 직업의 한 분야로 삶과 비즈니스의 영역으로 들어온 것은 1980년대 재무설계사인 토마스 레너드(Thomas J. Leonard)에 의한 코칭에서부터라고 할 수 있습니다. 그의 고객 중 한 명이 그와 자신의 관계가 마치 코치와 운동선수의 파트너십과 유사하다고 생각하고 그와 같은 일을 하는 사람을 코치라고 부르게 된 것입니다. 이때부터 토마스 레너드는 코칭(Coaching)이라는 용어를 처음 사용하여 개인의 성장과 발전을 돕는 전문적인 서비스를 제공하였습니다. 1990년대부터 본격적으로 비즈니스에 적용되면서 전문코치들이 등장하고 다양한 분야로 확산하였습니다.

국제적인 코칭기관인 CCU(Corporate Coach University)와 국제코치연맹(International Coach Federation: ICF)이 설립되었고, 2003년 한국코치협회(Korea Coaching Association: KCA)가 설립되면서 코칭의 전문화와 체계화를 만들어 가기 시작했습니다.

❖ 현대 코칭의 탄생

현대 코칭의 시작은 베트남 전쟁과 그에 대한 미국 내 반전 운동과 학생 운동이 성행하던 1960~1970년대부터입니다. 이는 히피문화를 비롯한 다양한 자기 계발(Self-Improvement)과 인간 잠재력 운동(Hunan Potential Movement)이 일어나던 시기입니다. 딕 프라이스(Dick Price)와 마이클 머피(Michael Murphy)는 1962년 캘리포니아 빅서(Big Sur)에 위치한 비영리조직인 에살렌 연구소(Esalen Institute)를 설립했습니다. 그들은 인간 의식에 대한 탐구를 지원하는 장소를 만들고 싶어 했습니다.

에살렌 연구소(Esalen Institute)에서는 인간 의식, 명상, 요가, 예술, 음악, 신체 작업(bodywork) 등의 참만남과 인간 잠재력 운동, 그리고 인본주의 심리학에 관련된 다양한 자기 계발 워크숍(Self-Improvement Workshop)과 강연이 진행되었습니다. 학술계에 영향을 준 인본주의 심리학자인 매슬로우(Maslow, A. H.)와 게슈탈트 심리학의 펄스(Perls, F. S.), 인간중심주의 로저스(Rogers, C. R.) 그리고 가족요법의 사티어(Satir, V. M.)와 행동분석학의 스키너(Skinner, B. F.) 등 많은 심리치료자와 심리학자들도 에살렌 연구소를 방문해 세미나(Seminar)와 워크숍(Workshop)을 개최하였습니다.

현대적 코칭은 로저스와 매슬로우의 상담 기법을 중심으로 에살렌 연구소의 많은 심리학자들의 방법론을 결합하여 세미나에 참석한 사람들이 성장과 성공의 기법으로 코칭을 만들어 갔습니다.

인간 잠재력 운동(Hunan Potential Movement: HPM)은 인본주의 심리학의 심리요법과 동양사상이 결합하여 탄생하였고, 자기 계발 분야인 EST(Erhard Seminar Training)는 작가이면서 강연자인 워너 에어하드(Werner Erhard)가 에살렌 연구소에서 진행하는 다양한 모든 분야의 세미나에 참석하여, 1971년에 개발하였습니다. 이후 에살렌 연구소는 인간 잠재력 운동에서 자기성장을 위한 자기 계발 프로그램을 중심으로 세미나를 개최하여 대중화를 이끌었습니다.

본격적인 코칭은 티모시 골웨이(Timothy Gallwey)의 '테니스 이너게임(The Inner Game of Tennis)'이 출간되면서부터입니다. 1974년에 출판된 '테니스 이너게임(The Inner Game of Tennis)'은 테니스 선수들의 실력은 '자아 1'과 '자아 2'에 관한 것으로 외부의 경쟁보다 내면의 두려움과 불안을 극복하는 내적 경쟁에 초점을 맞추어야 수준 높은 성과를 이룰 수 있다는 것을 코칭으로 소개하여 큰 반향을 불러일으켰습니다.

코칭의 기초를 닦은 최대의 공헌자로 손꼽히는 사람은 토마스 레너드(Thomas J. Leonard)입니다. 그는 재무 설계사(Financial Planner)로 재정 컨설팅과 상담을 하면서 심리적인 것과, 의식과 행동의 변화에 필요한 전인적인 기술과 이해가 필요하다는 것을 깨닫게 되었습니다. 그는 코칭 방법론을 연구하고 임상을 통해 "가치 있는 인생과 일을 만들자"라는 주제로 퍼스널 코칭 "Design Your Life"와 'College for life planning' 과정을 만들었습니다. 1988년에는 자신이 배워온 다양한 세미나를 바탕으로 프로그램을 체계화하여 커리큘럼을 만들었습니다.

1992년에는 국제적인 코치 양성 기관인 CCU(Corporate Coach University)를 1995년에는 코치단체인 국제코치연맹 ICF(International Coach Federation)를 설립했습니다.

회계사 휘트워스는(Whitworth, L.)는 토마스 레너드의 세미나에서 만난 헨리 킴지하우스(Kimsey-House, H.)와 캐런 킴지하우스(Kimsey-House, K.)와 1992년 개인 코치 양성 기관인 CTI(Coaches Training Institute)를 만들었습니다.

CTI는 로저스의 비지식적 기법을 도입하여 협동적인 코칭의 개념인 코액티브(Co-active)를 만들었습니다.

코액티브 코칭은 코칭하는 쪽과 코칭받는 쪽이 대등한 입장에서 서로가 갖고 있는 힘을 마음껏 발휘하면서 바람직한 변화를 함께 만들어 나간다는 생각과 그와 관련된 방법을 다루고 있습니다. 이는 또래코칭의 시작이라고 할 수 있습니다.

2005년 브록(Brock, V. G.)이 "코칭에 가장 영향을 준 사람"을 주제로 설문 조사한 결과 1위가 레너드, 2위가 에어하드이고 5위는 휘트워스로, 레너드와 휘트워스는 에어하드의 회사의 직원으로 그리고 골웨이는 테니스 코치로 현대 코칭의 중심에 있는 코치들이 에어하드의 영향을 받았습니다.

한편 유럽에 코칭을 전파한 존 휘트모어(John Whitmore)는 F1의 레이싱 드라이버 출신으로 선수 은퇴 후 1969년에 에살렌 연구소에 머물며 1974년에 에어하드의 EST를 공부하고 골웨이의 이너게임으로 트레이닝을 받고, 영국으로 돌아가서 1980년경부터 회사 임원들을 상대로 테니스와 골프, 스키에 코칭을 적용하여 성과를 냈습니다. 그리고 회사 임원들의 요청으로 비즈니스에 접목하여 퍼포먼스 코칭을 중심으로 한 컨설팅 회사(Performance Consultants)를 설립합니다. 그리고 리더십, 영업, 매니지먼트, 팀워크 등을 응용한 '성과를 위한 코칭(Coaching for Performance)'이라는 책을 출간하여 큰 호응을 얻게 되었습니다.

IBM 인재교육 담당자인 그레이엄 알렉산더(Alexander, G.)가 개발한 GROW 모델은 '성과를 위한 코칭(Coaching for Performance)'에 소개되어 비즈니스 코칭에서 누구나 사용하는 대중적인 모델로 확산하였습니다.

1960년대 동양사상과 인본주의 심리학자의 영향으로 태어난 현대 코칭은 자기 성장의 사상인 인간 잠재력 운동에서 태동하여 1970년대 들어와서 개인의 성공을 목표로 하는 자기 계발 세미나로 발전되어 1980년대 후반부터 1990년대를 거치면서 급속하게 성장하기 시작했습니다. 1990년대부터는 레너드의 Coach U와 휘트워스의 CIT에서 코치 트레이닝이라는 과정을 시작하여 심리적 고민과 문제를 가진 사람에 대한 지원 기법으로 활용한 전문가를 양성하게 되었습니다. 이후 코치가 강사로 활동을 하게 되고 비즈니스 분야에서는 관리자를 대상으로 코칭이 시작되면서 본격적으로 활성화하기 시작했습니다.

(사)한국코치협회(Korea Coaching Accosiation: KCA)는 2003년에 설립된 비영리 사단법인으로 다양한 코칭 보급 사업, 코칭 연구개발 및 전문코치인증제도를 실시하여 우수한 코치를 육성하고 있으며 이를 통하여 개인의 잠재력을 높이고 기업의 생산성을 향상시키며 다양한 사회공헌 활동과 기여를 확대하여 국가 경쟁력과 국민행복지수를 높이는 데 앞장서고 있습니다.

(사)한국코치협회는 21세기 지식정보화 사회의 생존 요건인 변화와 혁신의 새로운 경영 및 커뮤니케이션 기법인 '코칭'을 보급하고 저변확대를 통해 개인의 성장 및 기업 등 조직의 성과 향상을 통한 사회발전과 국가 경쟁력 강화에 기여함을 목적으로 합니다.

❖ 전문 코칭의 초기 코치들

1. 워너 에어하드(Werner Erhard)

EST(Erhard Seminar Training)의 창시자인 워너 에어하드(Erhard, Werner)는 전문 코칭의 원리를 형성하는 데 큰 공헌을 하였습니다. 세미나 참가자들이 자기의 존재 가치를 인식하고 현재 상황에서 변화와 성장을 위한 행동을 추구하도록 동기부여 할 수 있게 하였습니다.

워너 에어하드는 자기 계발을 위해 철학과 심리학, 사회학과 영성 등을 삶의 지혜로 통합함으로써 자신의 존재 가치를 인식하고, 개인의 성장과 변화에 도움을 주는 집단 인지 훈련 프로그램인 EST라는 훈련 프로그램 개발하였습니다.

EST 프로그램은 강의와 데모, 그리고 참가자들 간의 구조화된 대화로 자신들의 삶의 원칙과 방향 등 통찰할 수 있도록 훈련받는 것으로 1972년 샌프란시스코에서 시작된 세미나가 10년 동안 75만 명이 훈련을 받을 정도로 큰 호응을 얻었습니다.

EST 훈련을 받는 초기 코치는 현대 코칭의 아버지라 부르는 토마스 레너드(Thomas Leonard), CTI(Coadh Training Institute)를 설립한 로라 휘트워스(Whitworth, L.), GROW 모델을 개발한 그레함 알렉산더(Alexander, G.), 비즈니스에 코칭을 적용한 존 휘트모어(John Whitmore), 경영자 코칭의 대가인 로버크 하그로브, 존재론적 코칭을 만든 훌리아 올라야, 라이프 코칭의 기초를 만든 '내 생의 최고의 해'를 만든 지니 디츨러, 리더십의 대가로 인정받는 워렌 베니스 등이 있습니다.

2. 티모시 골웨이(Timothy Gallwey)

심리학의 이론을 테니스에 적용하여 스포츠 분야의 코칭을 이끌어 낸 티모시 골웨이(Timothy Gallwey)는 인본주의 심리학의 선구자인 로저스와 매슬로우의 심리학적 이론을 근거로 '이너게임(Inner Game)'을 1974년에 출간했습니다.

이너게임의 원리는 잠재능력에 관한 것으로 우리는 태어날 때부터 모든 것이 갖추어져 있다는 전제를 기본으로 합니다. 그리고 두 개의 자아를 발견하고 자아 1은 나를 지시하고 평가하고 비판하는 자아이고, 자아 2는 자신의 실체로 신뢰할 수 있는 존재로서 자아 1이 조용할 때 자아 2가 집중된 상태로 최고의 실력을 발휘할 수 있다는 것입니다. 다시 말해서 이너게임은 자신의 내면을 관찰하고 그 순간에 집중하여 마음을 다스리는 내적 파워를 강화하는 것으로 실전에서 수행하지 못하게 방해하는 정신적인 요인을 극복함으로써 외적 능력과 내적 능력의 조화와 균형을 이루는 내는 것입니다.

티모시 골웨이의 '이너게임'은 잠자고 있는 잠재력을 끌어내는 것, 태어날 때부터 모든 것이 갖추어져 있다는 자기 존재 가치에 대한 인식과 믿음, 가르치는 것이 아닌 스스로 배우게 하는 것이라고 코칭을 소개합니다.

3. 존 휘트모어(John Whitmore)

존 휘트모어는 에살렌 연구소에서 에어하드의 EST와 골웨이의 이너게임 교육을 받고 이를 이용하여 영국에서 비즈니스 코칭에 적용하였습니다.

존 휘트모어는 전통적인 리더십인 지시, 감독, 설득, 통제에서 질문을 이용한 자각과 책임을 불러일으키는 코칭 리더십으로 기업의 성과를 극대화합니다. 그리고 IBM 인재교육 담당자인 그레이엄 알렉산더(Alexander, G.)가 개발한 GROW 모델은 존 휘트모어의 저서인 'Coaching for performance'에 소개되어 큰 호응을 얻었습니다.

존 휘트모어는 '성과 향상을 위한 코칭'에서 도토리 코칭 모델을 소개합니다. 도토리는 거대한 떡갈나무로 성장할 잠재력을 가지고 있다는 떡갈나무의 성장 가능성을 말합니다. 이는 우리 내면의 잠재력을 최대로 끌어내는 것이 코칭이고, 성공적인 코칭을 위해서는 사람들의 잠재능력을 끌어내는 것입니다.

'성과 향상을 위한 코칭'에서 코칭은 과거의 잘못이 아닌 미래의 가능성에 초점을 맞추고, 사람들이 스스로 일할 의욕을 가질 수 있도록 도와줍니다. 또 코치의 질문에 자각하고, 고객이 자기 자신으로부터 해답을 찾아내는 것이며, 자각과 책임을 불러일으키는 것이라고 이야기합니다. 이러한 자각과 책임을 불러일으키는 열린 질문으로 사람들을 스스로 생각하게 만들어 자각과 책임을 높여주는 GROW 모델을 제시합니다.

목표(Goal)에서는 코치가 목표를 제시하는 것이 아니고, 고객이 가장 원하는 목표를 고객 스스로 따라가도록 격려하는 것입니다. 고객이 자발적으로 목표를 정할 수 있도록 돕는 것입니다.

현실(Reality)에서 중요한 것은 고객에게 더 깊은 자각이 일어날 수 있도록 돕는 것입니다. 고객의 관심과 생각의 흐름이 고객의 이슈와 어떻게 연관되었는지, 또한 드러난 현상 뒤에 숨은 원인을 고객이 자각할 수 있도록 질문을 통해 돕는 것입니다.

대안(Option)에서는 중요한 것이 옳은 답을 찾는 것이 아니라 가능한 많은 대안을 찾는 것입니다. 대안의 방법이 많도록, 창의력을 발휘할 수 있도록, 코치는 더 많은 아이디어를 끌어내기 위해서 긍정적 질문을 합니다. 코치는 더 많은 가능성을 끌어내는 것을 돕습니다.

실행(Will)에서는 고객이 스스로 선택권을 가지고 자기에게 책임을 지도록 돕는 것입니다. 목표를 이루기 위한 아이디어를 구체적인 행동으로 옮길 수 있도록 전폭적인 지원을 위한 질문을 합니다. 고객이 스스로 선택하고 자기가 선택한 것에 책임을 다하도록 지원하는 것입니다.

4. 토마스 레너드(Thomas Leonard)

토마스 레너드는 자신의 비즈니스 배경지식을 코칭에 접목하여 코칭을 산업화하였습니다. 또 전화를 통해 코칭을 가르칠 수 있는 코칭 교육과정을 만들어 일대일 코칭을 상품화하여 어디에서나 누구에게나 코칭을 교육하고 대중화로 이끌었습니다.

토마스 레너드가 만든 코칭 시스템은 코치의 역량을 높이는 것으로 15가지 고급 코칭 역량으로 되어 있습니다. 이를중 5가지로 분류하면 첫째는 고객의 정보 드러내기, 둘째는 행함이 아닌 존재, 셋째는 적극적인 코칭, 넷째는 결과에서 행동 마지막으로 능수능란한 공동작업입니다. 고객 정보 드러내기는 고객이 이미 가지고 있는 정보를 드러나게 함으로 고객 스스로 자각을 일으키게 하는 것입니다. 고객이 가지고 있는 위대함을 고객이 인식하게 될 때 스스로 자각을 일으키고 자발성을 촉진하게 됩니다. 행함이 아닌 존재는 고객의 존재에 초점을 두는 것입니다. 고객이 행함으로 결과를 얻는 것이 아니라 고객의 존재가 얼마나 가치가 있는지 스스로 인식하게 될 때 기쁘게 되므로 결과를 만들게 되는 것입니다.

코치가 코칭을 할 때 고객이 가지고 있는 이슈를 중심에 두고 접근하는 것이 아니라 코칭에 참여하는 고객을 중심에 두고 접근합니다. 이는 행함이 아닌 존재와 연관된 고급 코칭 역량으로 고객의 모든 상황에서 완벽함을 인식하는 것과 존중에 관한 것입니다.

적극적인 코칭은 문제해결을 위한 실행계획을 도출해 내는 차원을 넘어 고객의 인생에 영향을 주는 내적인 변화에 초점을 두는 것입니다. '결과에서 행동으로'는 행동에서 결과를 도출하는 것이 아니라 결과에서 행동을 도출하는 것입니다. 이는 고객이 원하는 미래로부터 행동을 도출해 내는 역량입니다. 결과에서 행동으로 연관된 고급 코칭 역량은 고객의 위대함을 끌어내고 고객의 최고의 노력을 확장하는 것입니다. 능수능란한 공동작업은 코치와 고객이 상호작용하면서 지속 가능한 솔루션을 공동으로 설계하는 것입니다.

토마스 레너드의 코칭 시스템은 고객 안에 있는 정보를 밖으로 끌어내 스스로 인식하게 하고 자기 존재 가치를 인식하는 것과 새로운 자각을 일으키고 고객 안에 잠재되어 있는 가능성을 끌어내어 고객의 효과성을 확장하는 것입니다.

❖ 또래코칭의 역사

또래는 자신과 비슷한 경험과 가치관을 가진 동료나, 선배나, 후배를 포함한 사람으로 같은 공간에서 시간의 차이를 두고 실행 공동체에서 함께하는 사람을 말합니다. 또래코칭은 1980년대 이후부터 상담, 교육, 간호와 의학교육, 환자교육, 직원개발 등 다양한 교육 훈련에 효과적인 도구로 활용되어 왔습니다. 개인이나 조직 안에 같은 구성원들의 평생학습 요구를 해결하기 위해 새로운 자원으로 친숙하고 적시에 활용할 수 있습니다. 또래코칭은 다양한 문제 상황에서 비슷한 연령의 또래들이 교사, 상담자, 코치 등 상위 조력자 이상으로, S.E.A.할 수 있는 역량과 가능성을 지니고 있다는 것을 많은 연구를 통해 볼 수 있습니다.

또래코칭은 학습이나, 도움, 지원이라는 특정 코칭 프로세스와 메커니즘을 통해 명확한 목표에 도달하기 위해 둘 이상의 동등한 동료 간에 자발적인 수행과정으로 상호 간에 성장과 유익한 관계를 공식화하는 과정이라고 할 수 있습니다. 그 시작은 비즈니스 환경, 의료 및 비영리조직의 리더십 개발 프로그램에서 지식공유와 실무에 대한 성찰을 통해 직원들이 전문적인 성장과 발전을 촉진하게 되면서 또래코칭을 더욱 선호하게 되었습니다.

또래코칭은 전문경력 및 직원개발부터 심리적 개선에 이르기까지 다양한 환경에서 장점으로 나타나고 있습니다. 그리고 경력개발 영역의 전문성 개발과 전문적 네크워크 및 관계 개선, 업무환경 내에서의 회복탄력성과 웰빙까지 코칭의 효과적 대안으로 인식되고 있습니다. 특히 학문적 환경에서의 학습자원으로 점점 더 주목받고 있습니다. 교육에 있어서도 또래코칭은 학생들의 자율성과 회복력을 가진 학습자가 될 수 있도록 지원하고 촉진합니다.

또래코칭에서 동료는 비슷한 수준에서 상호 협력하는 과정으로 교육과정과 연계가 됩니다. 그리고 문제 해결을 위해 지속적인 협력과 도움을 제공하고 S.E.A.를 통해 창조적인 사고력을 활용하여 함께 문제를 해결하는 과정에서 서로 성장하는 즐거움이 있습니다.

3-2. 또래코칭의 정의

코칭(Coaching)은 코치가 현재 고객이 있는 지점에서 출발하여 고객이 원하는 목적지까지 고객과 신뢰의 파트너로 상호작용하면서 편안하게 데려다주는 개별 서비스입니다.

코치(Coach)는 사람이 가지고 있는 무한한 잠재능력을 깨닫도록 도와주고 자신의 분야에서 최대의 성과를 낼 수 있도록 돕는 전문가입니다.

훈련(Train)은 승객이 역까지 가서 승차한 후 다른 사람들과 함께 같은 속도와 경로로 정해진 종착지에서 하차해야 하는 집단 서비스입니다.

코칭은 코치가 목표를 정하고 끌어가는 것이 아니라, 고객이 스스로 목표를 정하고 그 목표를 성취할 수 있도록 수평적 관계에서 코치가 파트너로서 지지하고 격려하며 상호책임을 가집니다.

코칭이란 사람들이 스스로 존재 가치를 실현하고 성공적인 삶을 살도록 돕는 최고의 통합적인 인재 개발 기술입니다.

코칭은 고객의 변화와 성장에 관심을 두고 현재를 탐구하고 미래를 계획하며, 개인의 변화와 발전을 지원하여 잠재력을 극대화하며 이를 통해 자기의 삶을 주도적으로 이끄는 리더로 성장시키는 파트너십입니다.

코칭은 인생, 경력, 비즈니스와 조직에서 뛰어난 결과를 달성할 수 있도록 도와주는 지속적이고 전문적인 관계를 말합니다.

리더들의 성공 여부는 얼마나 좋은 코치가 곁에서 지지해 주고 상호책임을 함께하느냐에 달려 있다고 할 수 있습니다.

코칭은 개인의 인생을 성공적으로 이끌어 주고, 직원의 생산성 향상, 리더십 계발, 조직의 효율화, 기업의 성과 향상 등 여러 영역에서 놀라운 성과를 가져옵니다.

또래코칭은 일반 개인이나 전문가가 또래코치가 되어 다른 또래에게 수평적 파트너십으로 개인적이고 전문적인 지원을 제공하는 프로세스라고 정의할 수 있습니다.

학습에서 또래코칭은 일반적으로 다른 학생을 돕는 대리교사 역할을 하는 학생과 동일한 학업 수준의 동료와 낮은 수준의 학생을 포함하여 모두에게 성장이 되는 환경이 조성되는 장점이 있습니다.

또래코칭은 다양한 코칭의 영역에서 효과적인 대안으로 인식되고, 특히 학문적 환경에서 학습자원으로 점점 더 주목받고 있습니다.

교육에서 또래코칭은 학생들이 자율성과 회복력을 가진 학습자로서 또래코치가 되어 S.E.A.를 활용하여 코칭이 추구하는 비지시적인 접근으로 또래 간의 책임감과 자존감의 향상에 도움을 주고, 학생들이 교육의 경험을 즐기면서 자신의 잠재력을 개발하도록 지원합니다.

교사들의 또래코칭은 소속감을 주고 자신감과 고립의 느낌을 감소시킴으로써 동료교사의 전문성 발달에 도움을 주는 기회가 됩니다.

교실에서 실제적으로 적용되는 또래코칭은 자기분석과 반성적 사고를 촉진시켜 교사들의 문제를 직면하고 해결할 수 있는 교사훈련으로 각 수업자와 또래코치가 관찰자의 역할을 맡아 서로 바꾸어 가면서 더 효과적인 또래코칭이 될 수 있습니다.

또래코칭은 코치와 고객이 동반 성장의 의미를 가지고 있습니다.

전통코칭과 또래코칭의 공통적인 핵심 요소는 개인, 조직, 잠재력, 지지, 개발, 성과, 스스로 자아실현, 대화기술, 대화 시스템, 협력, 파트너십, 리더십 등 다양하게 정의될 수 있습니다.

❖ 전통코칭과 또래코칭의 정의

코칭은 개인과 조직의 잠재력을 극대화하여 최상의 가치를 실현할 수 있도록 돕는 수평적인 파트너십이다.

-한국코치협회-

코칭은 생각하게 하는 창의적인 프로세스 속에서 고객과 함께하는 협력관계이고 고객이 개인적인 삶과 일에서의 잠재력을 극대화할 수 있도록 고무하는 프로세스이다.

-국제코치연맹(ICF)-

코칭은 코치와 발전하려고 하는 의지가 있는 개인이 잠재능력을 최대한 개발하고, 발견 프로세스를 통해 목표설정, 전략적인 행동, 그리고 매우 뛰어난 결과의 성취를 가능하게 해주는 강력하면서도 협력적인 관계이다.

-CCU(Corporate Coach University)-

또래코칭은 상호 간에 협력과 지지를 통해서 정서적, 사회적, 공감과 신뢰를 바탕으로 원하는 목적을 위해 서로가 성장하고 변화하는 대화 프로세스이다.

-한국 또래코칭 심리연구소-

FRIENDSHIP 또래코칭은 실행 공동체로 각자의 공동체에서 더 나은 삶을 위해 근접한 또 다른 공동체의 동심원으로 들어갈 수 있는 매개 역할을 하는 둘 이상의 동등한 관계로 자발적이고 상호 유익한 관계를 공식화하는 과정이다.

-한국 또래코칭 심리연구소-

또래코칭은 자신과 비슷한 경험과 가치관 등을 지닌 사람들이 실행 공동체의 같은 공간에서 시간의 차이를 두고 함께하는 관계로, 또래코칭 프로그램의 교육과 훈련을 받은 또래가 코치가 되어 동료 간의 감정과 생각을 나누어 계획이 실행이 되도록 S.E.A.를 제공합니다.

-한국 또래코칭 심리연구소-

나와 너에서 우리로 시작하여 사회 전반에 적용 가능한 것으로 유아부터 시니어까지 또래코치가 되어 코칭 문화를 만들어가는 FRIENDSHIP 또래코칭은 실행 공동체의 구성원인 내가 리더가 되어 함께하는 동료, 선배, 후배에게 영향력을 펼쳐 나갈 수 있습니다.

-한국 또래코칭 심리연구소-

코칭은 리더가 토의나 대화로 개입하거나 중재하는 것으로써 구체적인 행동 또는 기능을 포함하는 프로세스이다.

-Stowell 1987.-

코칭은 고객인 피코치가 스스로 혼자서 도달할 수 있는 성과를 넘어서도록 개인과 팀에 권한을 위임하고 지속적인 파트너십을 유지해 가는 것이다.

-Evered & Selman, 1989.-

코칭이란 개인의 잠재능력을 개발하여 그 사람의 능력을 최대한 높이는 것이다.

-Whitmore, J. 1992.-

코칭은 구성원과 서로 존중하며 커뮤니케이션을 통해 상대방의 욕구에 관심을 갖고 구성원들에게 긍정적 영향을 미치는 양방향 커뮤니케이션으로서 지속적인 역량 개발의 프로세스이다.

-Aldag & Kuzuhara, 2002.-

코칭은 고객이 학습을 통해 원하는 목표에 따라 자신의 삶과 일에서 효과를 향상시키고 유지할 수 있도록 지원하는 것이다.

-Rogers, 2004.-

코칭은 개인의 변화와 성장을 위해 현재를 탐구하고 미래를 계획하며 잠재력을 극대화시켜 삶을 주도적으로 이끄는 리더로 성장시키는 파트너십 과정으로, 누구나 구성원들에게 대화를 통해서 역량 개발과 동기를 부여하고, 자발적으로 일을 할 수 있도록 지원하고 격려하며 수시로 피드백하여 주는 것이다.

-Grant & Covanagh, 2011.-

코칭은 사람들의 관심사나 재능, 환경 그리고 잠재력에 관련해 더 효율적으로 자신을 주도하고 관리하는 방법을 배우도록 지원하는 상호적이면서도 집중적인 훈련방식이다.

-McDermottm I. & Jago, W.-

코칭은 한 개인이나 그룹을 현재 있는 지점에서 그들이 바라는 더 유능하고 만족스러운 지점까지 나아가도록 인도하는 기술이자 행위이다,

-Collins, G. R.-

코칭은 성과를 극대화하기 위해 묶여 있는 개인의 잠재능력을 풀어 주는 것이고, 사람들이 코치의 가르침에만 의존하지 않고 스스로 배우도록 도와주는 것이다.

-Gallwey, T.-

코칭은 개인의 자아실현을 지원하는 시스템이다.

-에노모토 히데타케-

코칭은 개인과 조직, 그리고 그들의 세계를 변화시킬 수 있는 사람들의 능력을 신장시키고, 사람들의 비전과 가치에 영향을 주며, 그들이 달성해야 하는 것을 성취할 수 있도록 존재, 사고, 행동을 재창조하는 데 있어서 강력한 지원을 제공하는 강력한 파트너십이다.

-Hargrove, R.-

코칭은 상호 헌신하려는 파트너십 환경 속에서, 고객의 자기 인식과 행위 변화를 통해 성과를 높이고 목표를 달성함으로써 그가 계속해서 성장, 발전하도록 지원하는 코치와 고객 사이의 쌍방향 커뮤니케이션 과정이자 관계이다.

-조성진-

코칭은 스스로 자신의 잠재력을 발견하고 스스로 목표를 정하고 정한 목표를 성취할 수 있도록 격려하고 지지하는 커뮤니케이션 과정이다.

-도미향-

사람들이 탁월한 리더를 만나면 그가 유능하고 똑똑하다는 것을 알게 된다. 그러나 코치를 만나면 자신이 유능하고 똑똑하다는 것을 알게 된다.

-폴 정-

코칭은 고객의 삶의 질을 향상시키고 그들의 삶과 일에서 만족스러운 결과를 창출하도록 지원하고 협력하는 파트너 관계이다.

-김성희-

FRIENDSHIP 또래코칭은 실행 공동체의 최소 단위인 같은 공간과 시간에 나의 옆에 있는 또래 친구와 함께하는 것입니다. 둘 이상의 동등한 관계로 근접에 위치한 동료 간에 자발적이고 상호 유익한 관계에서 이루어지는 코칭, 즉 함께 성장하는 코칭을 말합니다.

-김성희-

이상과 같이 코칭에 관해서 학자마다 다양한 정의를 내리고 있습니다.

코칭은 코치가 고객으로 하여금 자기 삶의 현실을 이해하게 하고, 스스로 목표와 비전을 수립하여 변화하고 성장할 수 있는 강력한 동기를 부여하고, 목표를 실현하도록 돕는 것입니다. 즉 코칭은 효과적인 커뮤니케이션을 통하여 고객의 삶의 가치를 기반으로 열정과 주도성을 가지고 변화와 성장을 하는 과정입니다.

❖ 내가 정의하는 코칭

☑ 코칭을 자신의 언어로 정의해 보세요.

코칭이란 이다.	그 이유는 때문이다.

실습

1) 2인 1조(A, B)로 구성합니다.
2) A가 먼저 B에게 코칭의 정의를 내리고 설명을 합니다.
3) B는 설명을 듣고 본인의 언어로 확인을 합니다.
4) 서로 역할을 바꾸어 진행하고 느낌을 나눕니다.

3-3. 또래코칭의 철학

코칭은 온전한 존재들 간의 협력관계입니다.
코칭 철학이 바탕이 될 때 비로소 코칭이 의미를 갖게 됩니다.

❖ 철학이란

어떤 것에 대하여 전제가 되는 사고방식이나 사물의 관점을 말합니다.
전제는 당연한 것으로 받아들이는 신념입니다.

❖ 코칭 철학의 중요성

코칭은 코칭 기술과 어우러진 하나의 특정한 사고방식이며, 특정한 인간관계입니다. 단순히 기술이나 방법론만을 의미하는 것은 아닙니다. 코칭 철학은 코칭 성과인 변화와 성장이라는 건물을 짓는 과정의 기초공사로 코칭 전반에 녹아 들어있습니다.

❖ 또래코칭 철학의 인간관

인간관이란 코칭에서 코치가 고객을 어떻게 보는지에 관한 것으로, 자신 앞에 있는 사람이 온전한 존재임을 믿는 것입니다. 한 인간으로서 믿고 신뢰하는 것, 의도나 행동을 긍정적으로 기대함으로써 그 사람은 모든 해결책을 찾아낼 수 있고 그것을 실현할 수 있는 무한한 잠재능력을 가진 존재라고 믿는 태도입니다. 다시 말해서 어떤 행위의 결과에 관계없이 상대방을 온전한 존재라고 인식하는 것입니다.

❖ 주요 기관의 코칭 철학

코칭의 가장 큰 특징의 하나는 모든 코치가 '믿는' 철학이 있다는 것입니다. 코칭 철학은 코치로서 가져야 할 사람에 대한 기본적인 믿음으로, 코칭 철학이 빠진 상태에서는 아무리 훌륭한 기술이 있다고 하더라도 코칭이라고 할 수 없습니다.

한국코치협회

고객 스스로가 자신의 사생활 및 직업생활에 있어 그 누구보다도 잘 알고 있는 전문가라고 존중하는 코칭을 지지합니다.

ICF 국제코치연맹

코칭은 고객을 자신의 삶과 일에서 전문가로 존중하며, 모든 고객은 창의적이고, 자원이 있으며, 온전하다고 믿습니다.

한국 또래코칭 심리연구소

첫째 모든 인간은 온전하고 창의적이며 무한한 가능성의 존재입니다.
둘째 가장 간단한 방법이 가장 좋은 방법입니다.
셋째 완전히 이해할 수 없어도 완벽하게 사랑할 수 있습니다.

마법의 코칭

제1철학. 모든 사람에게는 무한한 가능성이 있습니다.
제2철학. 그 사람에게 필요한 해답은 모두 그 사람 내부에 있습니다.
제3철학. 해답을 찾기 위해서는 파트너가 필요합니다.

실습

1) 2인 1조(A, B)로 구성합니다.
2) 먼저 다음 질문에 답을 적어 봅니다.
3) A가 먼저 코칭 철학을 본인의 언어로 정리해 보고 B에게 설명합니다.
4) B는 설명을 듣고 본인의 언어로 확인을 합니다.
5) 서로 역할을 바꾸어 진행하고 느낌을 나눕니다.

✓ 코칭 철학이 반영되지 않은 코칭 기술로 고객의 변화가 가능할까요?

____

____

✓ 코칭이 어렵고 힘들게 느껴질 때는 무엇이 문제일까요?

____

____

✓ 코칭에서의 신뢰의 대상은 누구입니까?

____

____

✓ 코칭의 철학에 근거하여 코치의 책임은 어떤 것이라고 생각하나요?

____

____

3-4. 코칭의 종류와 또래코칭

한국표준 직업분류 사전에 라이프코치, 비즈니스코치, 커리어코치가 신직업으로 등재되었습니다.

❖ 코칭 영역에 따른 분류

- **라이프 코칭**(Life Coaching)
  삶에 있어서 일어나는 여러 가지 이슈들, 예를 들면 삶의 균형, 만족감 향상, 인간관계 개선, 인생의 의미와 목적의 발견 등에 초점을 맞추는 코칭입니다.
  삶 전체에 걸쳐 발생하는 문제를 해결함으로써 고객이 원하는 삶을 살도록 지원하는 것으로 궁극적으로 고객의 고유함과 탁월함을 발견하도록 돕는 과정입니다.

- **비즈니스 코칭**(Business Coaching)
  회사 운영, 리더십, 퍼포먼스 향상, 수익률 개선 등 비즈니스 이슈에 주요 초점을 맞추는 코칭입니다. 대기업과 중소기업, 그리고 개인사업에서 진행하는 모든 형태의 비즈니스에 적용할 수 있어서 다루어지는 주제의 범위가 넓습니다.

- **커리어 코칭**(Career Coaching)
  개인의 진로 또는 경력과 관련된 직업적인 주제에 초점을 맞추어 진행하는 코칭입니다. 커리어 코칭은 일이나 직무와 관련된 개인과 조직의 변화와 발전을 촉진하고 효과적인 행동을 취하도록 지원하는 과정입니다.

비즈니스 코칭과 라이프 코칭, 그리고 커리어 코칭은 초점이 주로 어디에 있는가에 따라 구분됩니다. 라이프코칭에서 비즈니스 코칭과 커리어 코칭의 이슈가 다루어질 수 있으며 그 반대로 얼마든지 있을 수 있습니다.

그 외에도 더 세부적인 영역으로 구체화되어 다양한 코칭이 존재합니다. CEO 코칭, 가족 코칭, 청소년 코칭, 크리스천 코칭, 학습 코칭, 데이트 코칭 등 코칭의 분야는 무궁무진하며 코칭이 발전해 감에 따라 보다 세분될 수 있습니다.

❖ 코칭 비용 지불 주체에 따른 분류

- **기업 코칭**(Corporate Coaching)

  코칭 비용을 회사가 지불하는 경우를 기업 코칭이라고 합니다. 기업 코칭을 제공하는 코치에는 내부코치(Internal Coach)와 외부코치(External Coach)가 있습니다.
  내부코치(Internal Coach)는 해당 기업 내부에 직원으로 소속되어 있는 코치를 말하고, 외부코치(External Coach)는 해당 기업 외부의 별도의 기관에 소속되거나 독립적으로 활동하는 전문코치입니다.

- **개인 코칭**(Personal Coaching)

  코칭을 받는 개인이 코칭 비용을 지불하는 경우를 개인 코칭이라고 합니다.

❖ 고객의 수와 목적에 따른 분류

- **그룹 코칭**(Group Coaching)

  두 명 이상의 고객이 동시에 코칭을 받는 것으로 참가자는 조직 또는 개인의 목표를 달성하기 위해 코칭을 진행합니다.

- **팀 코칭**(Teem Coaching)

  팀 코칭은 참가자들 모두 같은 팀에 소속된 구성원들입니다. 팀 전제의 성과 향상이나 목표 달성에 초점을 맞추어 코칭이 진행합니다.

- **개인 코칭**(Personal Coaching)

  한 명의 코치와 한 사람의 고객이 일대일로 진행하는 코칭으로 개인의 목표 달성에 초점을 두고 진행합니다.

❖ 또래코칭 분류

코칭영역의 분류, 코칭비용 지불 주체에 따른 분류, 고객의 수와 목적에 따른 분류에 모두 포함될 수 있는 코칭이 또래코칭입니다. 어떤 범주와 분류체계에 두는가에 따라 또래코칭은 달라질 수 있습니다.

실행 공동체는 유동적이고 구성원들과의 관계도 고정되어 있지 않고 재구성됩니다. 우리는 모두가 공동체의 일원으로 각각의 동심원으로 구성되기 때문에 또래코칭은 모든 범주와 분류체계에 포함될 수 있습니다.

실습

2인 1조(A, B)로 구성합니다.
파트너와 질문에 대한 이야기를 나눕니다.

✓ 나는 어느 분야의 코칭에 관심이 있으며 그 이유는 무엇인가요?

3-5. 또래코칭의 언어

언어는 성장 과정에서 교육과 환경으로 언어 습관이 만들어지고, 조직과 사회의 관계에서 영향을 받습니다. 또 가족과 조직의 특징 언어가 있으며, 그것이 무의식적으로 정착되면 문화의 일부가 됩니다. 또한 언어는 소통 방식에 영향을 주고 그 구성원의 정체성을 결정하기도 합니다.

철학자 하이데거는 언어를 '존재의 집'이라고 했습니다. 우리는 언어로 말을 하고, 언어로 생각을 합니다. 그리고 생각이 행동으로 이어지면서 그 사람의 전체적인 모습을 볼 수 있습니다.

언어는 곧 그 사람의 존재성을 표상하게 됩니다.

다시 말해서 사람의 언어 속에 그 사람이 있는 것입니다.

❖ 언어는 선택이다.

언어를 지혜롭게 선택하는 것만으로도, 언어의 힘을 깨닫게 될 것입니다. 언어는 곧 그 사람의 내적 표상을 지배하고 내적 표상은 그 사람의 상태를 결정합니다.

우리의 언어는 글로 쓴 문자, 입에서 나오는 말, 내면의 목소리까지 포함합니다.

❖ 긍정 언어

- 긍정 언어는 가능성에 초점을 두고 긍정적인 의식이 강화됩니다.
- 행동으로 옮길 수 있는 동기부여를 가져옵니다.
- 긍정의 언어는 에너지를 불러옵니다.

❖ 코칭의 언어는 긍정적 언어입니다

- 기회와 해결에 초점을 둡니다.
- 과거보다 미래에 집중합니다.
- 동기부여의 에너지를 고취시킵니다.

실습

일반 언어로 예시된 내용을 긍정적 언어로 표현해 보세요.

일반 언어	긍정적 언어
요즘 너무 지쳤어.	
왜 이렇게 지저분해?	
이 게을러터진 친구야!	
왜 그랬어?	
그렇게 하면 안 돼!	
너는 너밖에 모르는 이기주의자야!	
실패하지 않으려면 어떻게 해야 할까?	

❖ 중립 언어

코치는 거울이 되어 주어야 합니다.

- 코치의 주관적 의견을 말하거나 비난을 하지 않습니다.
- 평가하지 않습니다.
- 사실에 초점을 맞춥니다.

❖ 코칭의 언어는 중립 언어입니다.

- 중립 언어의 반대는 비교를 통한 상대적인 옳고 그름의 언어입니다.
- 고객은 이미 온전한 존재입니다.
- 사실을 그대로 표현하는 중립 언어를 통해 코칭 과정에서 고객을 있는 그대로 받아들이는 수용의 마음을 전달합니다.

실습

일반 언어로 예시된 내용을 다양한 관점에서, 사실을 관찰할 수 있는 중립 언어로 표현해 보세요.

일반 언어	중립적 언어
그 사람은 할 줄 아는 게 없어!	
맨날 술 먹고 늦게 들어오는군!	
상식적으로 이해가 안 되는 행동이야.	
그 사람은 나를 무시해요~	
당장 어떻게 되겠어요?	
지금 상황이 아주 엉망이야!	
하루 종일 놀다가 이제 들어오다니~	

❖개방 언어

- 생각을 열어주는 언어입니다.
- 잠재된 능력을 일깨워주는 언어입니다.
- 단정짓지 않는 확산적 언어입니다.

❖ 코칭의 언어는 개방적 언어입니다.

- 가능성과 다양성의 언어입니다.
- 유도하지 않습니다.
- 예상하지 않습니다.

실습

일반 언어로 예시된 내용을 개방적 언어로 표현해 보세요.

일반 언어	개방적 언어
할 생각은 있는 거야?	
방법이 있을까?	
왜 그랬니?	
네 생각은 틀렸어!	
그렇게 생각하면 되겠어? 안 되겠어?	
만두 먹을래? 떡볶이 먹을래?	
그게 가능하겠니?	

❖ 또래코칭 언어

- 코칭은 코치와 고객 간의 대화 프로세스입니다.
- 기본적인 존중의 언어이며, 코칭 도구입니다.
- 코치가 사용하는 언어를 통해 코칭 철학이 반영됩니다.
- 존재를 일깨우려고 코치가 사용하는 것이 코칭 언어입니다.
- 코치는 일상생활에서 코칭 언어를 생활화합니다.

❖ 코칭과 언어의 관계

- 코칭은 언어를 통한 코치와 고객 간의 대화 프로세스입니다.
- 언어는 생각이나 느낌을 표현하고, 상대방에게 전달합니다.
- 음성, 문자, 몸짓 등의 언어적, 비언어적 수단입니다.
- 온전성, 가능성, 긍정성을 표현하고 존재와 존재로 전달되는 코칭의 수단이 됩니다.

❖ 코칭 언어로 표현하기

기존 언어	코칭 언어 (긍정, 중립)	기존 언어	코칭 언어 (긍정, 중립)
산만하다	활발하다	따진다	분석적이다
이기적이다		우유부단하다	
변덕스럽다		건방지다	
열등감이 있다		게으르다	
잘난 척한다		조급하다	
소심하다		고집불통이다	

❖ 일반 언어와 코칭 언어

일반 언어	코칭 언어
• 상대에게 저항하는 언어	• 상대를 포용하는 언어
• 불만의 언어	• 감사의 언어
• 부정적 언어	• 긍정적 언어
• 원하지 않는 것 말하기	• 원하는 것 말하기
• 부정적 감정 표현하기	• 생각 표현하기
• 긍정 감정 표현 안 하기	• 긍정적 감정 표현하기
• 비판하기	• 칭찬하기
• 과거 언어	• 현재와 미래 언어

코칭 언어는 가능성을 일깨우는 언어인 긍정 언어, 중립의 언어, 개방적 언어를 사용합니다. 언어에는 그 사람의 의식이 담겨있습니다. 언어를 바꾸면 의식 수준이 바뀌고 변화가 옵니다. 우리의 인성 속에 내재하여 있는 자아를 불러주고 상대를 존중하고 믿어주는 중립의 언어를 사용하면 자긍심이 자라나게 됩니다.

코칭 언어는 상대방을 인정하고 인도하기 위해 사용합니다.

❖ I-메시지와 You-메시지

'You- 메시지'는 '너'를 중심으로 표현하는 말이고, 'I- 메시지'는 '나'를 중심으로 표현하는 말입니다. 'You- 메시지'의 특징은 명령형입니다. 사람들은 명령형을 좋아하지 않기 때문에 거부감을 갖게 됩니다. 반면에 'I- 메시지'는 호소형, 부탁형이며, 선한 마음에서 말하는 것이므로 수용적이 됩니다.

You 메시지	I 메시지
"여보! 일찍 들어와요!"	"여보! 당신 좋아하는 매운탕 해 놓을게요"
"다음에 또 이용해 주세요"	"다시 찾아 주실 것을 기다리고 있겠습니다."
"너 왜 이제 오니?, 전화도 할 줄 몰라. 아니면 너 날 무시하는 거야! 왜 이렇게 사람을 피곤하게 해! "어디 갔다 왔어?"	
"너는 너무 과식하는구나."	"나는 네가 조금 적게 먹으면 좋을 것 같아."
"너는 매번 하는 일이 이렇게 늦어."	

실습

일상생활에서 흔히 사용하는 'You- 메시지'를 찾아봅니다.
다음에 그것을 'I- 메시지'로 바꾸어 봅니다.
나눔의 시간을 갖고 발표를 합니다.

You- 메시지	I- 메시지
"넌 언제나 그런 변명을 해!"	
"너 때문에 기분이 상했어!"	
"넌 게을러."	

✓ 'I-메시지'를 사용합니다.
- 방어적 성향을 감소시키는 전달법입니다.
- 긴장감이 고조된 갈등 상황에서 특히 유용합니다.
- 통제 가능한 측면의 상황에 집중할 수 있게 합니다.
- 상황의 희생자가 되지 않게 합니다.

❖ I-메시지 대화기술 4단계

1. 사실 관찰: 내가 보이는 것, 들은 것

- 지금 여기에서 일어난 사실만을 객관적으로 보고, 듣고, 말합니다.
- 자극에 대한 주관적 해석(평가)이 아닌 있는 그대로 보고, 관찰한 것을 말합니다.

예) “이제 왔어? 어제보다 1시간 늦게 왔구나.”

2. 감정(느낌) 표현: 내가 느끼는 것은

- 관찰한 바에 대한 느낌을 표현합니다.
- 생각과 느낌을 구별하여 느낌을 표현하도록 합니다.

예) “엄마가 얼마나 걱정했는지 몰라.”

3. 욕구 발견: 내 생각에는

- 자신의 욕구가 무엇인지 찾아냅니다.
- 느낌(감정) 뒤에 숨은 욕구를 인식합니다.

예) “엄마는 네가 안전하기를 바라기 때문에, 네가 늦게 와서 걱정했어.”

4. 요청하기: 내가 바라는 것은

- 원하는 것을 명료화합니다.
- 간결하고 구체적으로 요청합니다.
- 긍정 언어로 요청합니다.

예) “다음에 늦게 올 땐 엄마가 안심하게 전화해 주면 좋겠어!”

❖ 'I-메시지' 표현을 위한 방법

☑ 사실 vs 판단 구별하기

사실(관찰)	판단(평가)
있는 그대로 보고 듣는 것 내 감각을 통해 경험한 것	자극에 대한 주관적 해석 내 감각을 통해 경험한 것을 생각하고 평가하는 것
네가 말한 것과 내가 알고 있는 것이 다르다.	너 왜 거짓말했어?
너는 매일 아침 10시에 일어난다.	넌 너무 게으르다.
넌 일주일 동안 나에게 전화를 하지 않았어.	넌 나에게 관심이 없어.

☑ 다음 내용은 사실인가? 판단인가?

철수는 학교에 자주 지각한다.	사실/판단
그 사람은 어른답지 않게 행동한다.	사실/판단
우리 아이는 거짓말을 한다.	사실/판단
나는 지난주에 책을 두 권 읽었다.	사실/판단
그 사람은 무례하다.	사실/판단
우리 상사는 나를 싫어한다.	사실/판단
선생님은 수업 시간에 내 의견을 묻지 않았다.	사실/판단
너는 우유부단하다.	사실/판단
아버지는 독재자다.	사실/판단

☑ 다음 내용은 생각인가? 감정인가?

나는 당신이 나를 사랑하지 않는다고 느껴.	생각/감정
당신이 성공해서 기뻐.	생각/감정
당신이 소리 지르면 겁나요.	생각/감정
당신이 일찍 와서 행복해.	생각/감정
팀장님이 나를 오해하고 있다는 느낌이다.	생각/감정
서두르라는 말을 들으면 초조하다.	생각/감정
내가 인사를 했는데 당신이 그냥 지나쳐서 무시당한 느낌이었어요.	생각/감정

사람들은 자기를 중심에 두고 삶을 살아갑니다. 그래서 내 생각, 내 감정, 내 의지를 중요하게 생각하고 자기 관점에서 선택하고 결정하고 행동합니다.

문제는 내 생각과 상대방의 생각이 다르기 때문에 갈등의 원인이 됩니다. "저 사람은 왜 저렇게 생각하지?"는 갈등을 겪는 사람들이 자주 사용하는 언어입니다.

이들은 나를 중심에 두고 대화를 하기 때문에 내가 원하는 방향으로 대화를 이끌어 가려고 합니다. 그리고 상대방도 마찬가지로 자기의 뜻을 이루기 위해 자기가 원하는 방향으로 대화를 이끌어가려 합니다. 그 결과 의사소통에서 갈등이 생기고, 상대와의 관계가 소원해집니다.

코칭 대화는 나를 위해 하는 대화가 아니라 상대를 위한 대화입니다. 내 관점에서 상대를 위하는 것이 아니라 상대의 관점에서 상대를 위하는 대화입니다.

코치는 상대방을 위하여 경청하고, 상대방을 위하여 질문하고, 상대방을 위하여 피드백을 합니다. 그리고 코치는 코칭 세션에서만이 아니라 일상의 삶 속에서도 상대를 중심에 두고 살아가는 것에 익숙해져야 합니다. 그러면 고객을 중심에 두고 자연스러운 코칭을 할 수 있습니다.

실습

1) 2인 1조(A, B)로 구성합니다.
2) 일상에서 일어나는 상황을 설정합니다.
3) 먼저 A가 일반적인 대화 방법을 사용해서 말해보고, B는 'I- 메시지 대화기술'을 사용해서 말을 합니다.
4) 이번에는 다른 상황을 설정하고, 역할을 바꾸어 진행합니다.

실습

자신의 언어 패턴을 확인해 보세요.
나는 어떤 언어를 많이 사용하고 있나요?
바꾸고 싶은 형태의 언어 습관은 무엇이 있나요?

❖ FRIENDSHIP 또래코칭의 정의

FRIENDSHIP 또래코칭은 신뢰와 믿음의 기반을 가지고 존중과 협력을 통해 서로 이해하고 공감하며 성장하는 관계입니다. 또한 모두가 행복하고 건강한 삶을 살아가는 것을 목표로 하는 또래코칭은 개인의 성장과 더불어 공동체의 발전에 기여하여 더 나은 세상을 만들어 갑니다.

-한국 또래코칭 심리연구소-

❖ FRIENDSHIP 또래코칭의 철학

- 모든 인간은 온전하고 창의적이며 무한한 가능성의 존재입니다.
- 가장 간단한 방법이 가장 좋은 방법입니다.
- 완전히 이해할 수 없어도 완벽하게 사랑할 수 있습니다.

-한국 또래코칭 심리연구소-

❖ FRIENDSHIP 또래코칭의 언어

- 따뜻하고 친근한 존중의 언어입니다.
- 나를 위한 대화가 아니고 상대를 위한 대화입니다.
- 내 관점에서의 대화가 아니라 상대의 관점에서 상대를 위한 대화입니다.
- 또래코치는 상대를 위해 경청과 질문을 하고 피드백을 합니다.
- 친구가 되어 주는 FRIENDSHIP 또래코칭은 상대의 관점에서 상대의 언어를 사용하여 깨끗하고 투명하게 거울이 되어 줍니다.

-한국 또래코칭 심리연구소-

4 장

또래코칭 스킬

4-1. 경청

일반적으로 사람들은 듣는 척하거나, 듣지 않거나, 듣고 싶은 것만 듣거나, 자기식으로 해석해서 듣는 경향이 있습니다. 이런 수준의 듣기를 우리는 경청이라고 하지 않습니다.

경청은 단순한 듣기가 아니라 상대방의 진정한 감정과 의도를 들어주는 것입니다. 마음을 다하여 듣는 것이며 고객의 언어적 표현과 함께 말속에 함축되어 있는 의미까지 듣고 이해하는 것입니다. 경청은 의사소통의 기본이며 토대가 되는 기술입니다. 경청은 듣는다, 귀를 기울여서 듣는다, 집중한다, 주의하다, 관찰한다, 초점을 맞춘다는 의미가 모두 포함됩니다.

코칭 기술은 대화의 기술이고, 대화의 기술은 코칭 대화의 질을 높여줍니다. 기본적인 훈련과 연습을 통해 효과적으로 활용할 수 있는 코칭 기술은 코칭 대화의 핵심 요소입니다.

실습 **"내 이야기 전달하기"** 1

1) 2인 1조(A, B)로 구성합니다. 서로 가까이 마주 보고 앉습니다.
2) 각자 "나의 특별한 친구"에 대해 생각합니다.
3) 시작 신호가 주어지면 자신의 이야기를 시작합니다.
4) 한 사람이 이야기를 먼저 시작하면 다른 사람은 말을 할 수 없습니다.
4) 말이 잠깐이라도 끊어지면 다른 사람이 말할 수 있고, 그 사람이 말하는 동안 다른 사람은 말을 할 수 없습니다.
5) 말이 끊어진 순간을 이용해서 자신의 이야기를 진행합니다.
6) 정확히 3분이 되면 진행자의 지시에 따라 이야기를 멈춥니다.
7) 가장 이야기를 오래 하고 내용을 많이 전달한 사람이 승리합니다.

실습 "내 이야기 전달하기" 2

1) 다시 진행자의 안내에 따라 한 사람씩 자신이 상대방에게 들은 내용을 최대한 똑같이 이야기합니다.
2) A가 이야기를 마치면 B는 A가 한 이야기가 자신이 한 이야기와 몇 % 유사한지 알려줍니다.
3) 역할을 바꾸어서 같은 방법으로 진행합니다.

✓ 실습을 통해서 새롭게 인식되거나 알게 된 것, 정리된 생각을 나누어 봅니다.

실습 "듣고 말하기"

1) 2인 1조(A, B)로 구성합니다. 서로 가까이 마주 보고 앉습니다.
2) 각자 "최근에 재미있게 본 영화나 TV 프로그램"에 대해 떠올려 봅니다.
3) 시작 신호가 주어지면, 마주 보고 있는 A가 먼저 자신의 이야기를 합니다. 처음 한 것과 똑같이 말을 해야 합니다.
4) B는 A가 한 말을 경청합니다.
5) 정확히 3분이 되면 진행자의 지시에 따라 이야기를 멈춥니다.
6) 다시 진행자가 시작 신호를 알리면 B는 방금 들은 이야기를 합니다.
7) B가 이야기를 마치면 A는 B가 한 이야기가 자신이 한 이야기와 몇 % 유사한지 알려줍니다.
8) 역할을 바꾸어서 같은 방법으로 진행합니다.

✓ 실습을 통해서 새롭게 인식되거나 알게 된 것, 정리된 생각을 나누어 봅니다.

1. 코칭의 시작은 경청

'임금님 귀는 당나귀 귀'는 누군가의 이야기를 들어 주는 것의 중요성과 고객이 자신의 이야기를 한다는 것의 중요성에 대해 보여줄 수 있는 좋은 은유가 될 수 있습니다. 하고 싶은 말을 하지 못하면 병들고, 그 말을 하게 되었을 때 병이 떠나게 된다는 것은 경청의 중요성을 알려줍니다. 코치는 묵묵한 대나무 숲과 같은 존재이기도 합니다.

대화할 때 말하는 사람과 듣는 사람이 있는 것이 상식이지만, 현실에선 듣는 사람은 없고 말하는 사람과 말하려고 준비하는 사람만 있습니다.

사람들은 누구나 진실한 대화를 나누고 싶어 합니다. 코칭은 고객이 말하는 것을 잘 듣는 것에서 출발합니다. 코칭의 시작은 경청입니다. 진실한 대화를 하루 중 얼마나 나누고 있는지, 그리고 진정한 대화를 나누고 있는지에 대한 다음의 질문에 스스로 생각해 보고, 자기 성찰과 점검을 해봅니다.

- 나는 말하기보다 듣기를 즐기는가?
- 나는 대화를 나누고 있는 상대방의 말을 끝까지 진지하게 듣고 있는가?
- 나는 의견대립이 생길 때, 상대의 관점에서 듣고 이해하려고 노력하는가?
- 나는 상대의 말을 중간에 끊지 않고 끝까지 듣고, 그 방법을 알고 있는가?
- 내가 좀 더 많은 얘기를 들어주어야 할 사람은 누구인가?

잘 들어주는 사람과 잘 들어주지 않고 자기 얘기만 하는 사람에 대한 기억을 서로 나누어 봄으로써 경청이 주는 효과를 발견할 수 있습니다.

✓ 자기의 이야기만 하는 사람과 내 고민과 이야기를 그대로 들어주는 사람에 대해 기억을 나누어 봅니다.

____

____

____

❖ 경청의 원칙과 기대효과

- 고객과 정서적, 심리적으로 안전하고 안정된 코칭 관계를 구축합니다.
- 의사소통 과정에서 발생하는 문제는 고객의 입장에서 이해하고 해결합니다.
- 정보에 대한 정확하게 이해하고 고객의 관점과 의도, 감정을 파악합니다.
- 고객과의 상호이해와 의사소통을 위한 편안한 환경을 조성합니다.
- 의식적인 말의 내용뿐만 아니라 무의식적인 것까지 집중합니다.
- 감정 경청으로 알 수 있는 것뿐만 아니라, 전체 맥락을 중심으로 고객을 총체적으로 이해할 수 있습니다.
- 경청 과정에서 기본적으로 존중과 신뢰를 바탕으로 수용하고 인정하는 공감 경청으로 서로에게 만족과 기쁨을 줍니다.

❖ 경청의 장애물

- 경청의 방법이나 요령을 모르는 경우입니다.
- 상대가 말할 때 집중하지 못하는 것입니다.
- 듣기만 하면 상대에게 설득당하고 있다고 생각하는 것입니다.
- 주장이 너무 강해서 상대의 의견을 수용하지 못하는 것입니다.
- 분노, 실망, 좌절 등 자신의 감정을 표출하는 것입니다.
- 내가 리더니까, 내가 최고니까 하는 권위주의적 생각입니다.

경청을 방해하는 요소는 많습니다. 코치와 고객 사이의 문화적, 언어적, 경험과 지식의 차이, 환경의 차이 등이 경청을 방해할 수 있습니다. 또 고객이 방어적인 생각을 갖고 솔직하게 말하지 않거나 너무 많이 말하려고 하면 경청을 제대로 하지 못합니다. 고객의 침묵이 두려워 고객에게 말하도록 채근하는 경우나, 어떤 선입견을 갖고 고객를 대할 때도 경청이 제대로 되지 않습니다.

❖ 경청이 아닌 것

- 이야기하는 도중에 자리를 이탈하는 것입니다.
- 이야기하는 도중에 전화를 받거나, 고객이 말할 때 끼어드는 행위입니다.
- 고객이 말하는 동안에 졸거나 화제를 바꾸는 것입니다

❖ 경청의 코칭 접근법

- 숨겨진 단서를 파악하려고 듣습니다.
- 맥락을 파악하기 위해 질문합니다.
- 자신이 이해한 것을 확인하기 위해 들은 것을 말합니다.
- 단어 뒤에 숨어 있는 의미는 무엇인지 파악합니다.
- 내용과 방향에 초점을 맞추어 주제와 패턴을 듣습니다.
- 감정적으로 잠재된 것을 듣고, 바꿔 말하고, 반영하고 통합하여 요약합니다.
- 말로 나오는 모든 것은 그 사람의 인생과 그 인생의 경험과 삶을 통하여 나온 것으로 의미를 숨기고 있을 수도 있습니다.

❖ FRIENDSHIP 또래코칭의 경청

1) 편안함을 이끌어 내는 페이싱(Pacing)과 리딩(Reading)

고객이 편안하게 이야기할 수 있는 환경을 만듭니다. 그리고 이야기 내용, 말하는 속도, 목소리 상태나 크기, 호흡, 표정, 제스처, 앉은 자세, 보고 있는 방향과 동작을 페이싱(Pacing)합니다. 고객의 페이싱(Pacing)을 적절하게 잘하게 되면 고객이 코치에게 페이싱(Pacing)하게 됩니다. 이때 코치는 리딩(Reading)을 합니다.

2) 입으로 하는 경청

고객이 자신의 기분이나 생각을 편하게 이야기할 수 있는 환경이 만들어지고 나면 "그리고", "그래서?"라며 고객의 이야기를 촉구하는 맞장구를 쳐줍니다. 이야기를 하다보면 생각지도 못한 방향으로 이야기가 전개되기도 하고, 코치는 고객의 이야기를 미리 짐작하거나 자신의 생각과 내면의 목소리가 올라오거나, 본인의 궁금함을 질문으로 이어갈 수 있습니다. 이러한 경험을 통해서 서로가 학습할 수 있는 기회를 만들어 갑니다.

또래코칭에서 경청이 중요한 것은 "나는 무조건 네 편이야"를 고객이 느끼고 알게 하는 것입니다. 고객의 기분과 생각, 상황을 이해하고 있음을 표현하고 고객의 입장에서 공감하면서 듣는 것이 중요합니다.

3) FRIENDSHIP을 위한 경청

고객이 이야기하는 중요한 것은 말로 반복해서 들려주고 정확히 듣고 있다는 것을 느끼게 해줍니다. 그리고 처음부터 끝까지 일관된 태도로 내용에 집중하여 듣게 되면 고객은 **"신뢰할 수 있는 사람"**이라고 또래코치를 인식하게 됩니다.

또래코치는 판단과 비판을 하지 않고, 고객의 긍정적 의도와 탁월함을 의식적으로 듣고 존중하며 초점을 맞춥니다. 고객이 말로 표현하지 못하는 것을 또래코치가 거울이 되어 마음의 소리를 듣고 피드백으로 이어질 때 고객은 FRIENDSHIP을 알게 되고 또래코칭의 효과를 경험하게 됩니다.

2. 코칭의 경청 단계

코칭에서 경청이라고 하는 것은 상대방의 이야기에 집중해서 듣는 적극적 경청에서 시작합니다. 모든 오감을 활용하여 다양한 정보를 듣고 의식까지 상대에게 맞추어 상대방의 관점에서 이해할 수 있고, 직관을 통해 새로운 생각과 느낌을 나눌 수 있는 단계까지를 말합니다.

1. 적극적 경청

적극적 경청 기술은 습관적으로 코치가 몸으로 체득해야 하는 가장 기본적인 기술입니다. 코치는 눈 맞추기, 반응하기, 정리하기 기술이 경청할 때 몸에서 자연스럽게 나오도록 훈련을 해야 합니다.

1) 눈 맞추기(Eye Contacting)

상대방에게 시선을 집중하고 표정과 상태의 변화를 관찰합니다. 상대방의 눈을 부드럽게 바라보며, 내가 상대방의 이야기를 들을 준비가 되어 있음을 보여줍니다.

① 눈 맞추기 방법

- 표정 관찰하기
  상대의 눈을 뚫어지게 보는 것은 상대방에게 거부감을 줄 수 있습니다. 상대의 얼굴 전체를 보면서 표정을 관찰한다는 느낌으로 봅니다.
- 부드러운 눈빛
  도전적이고 날카로운 눈빛으로 상대방을 바라본다면 비호감을 살 수 있습니다. 편안한 생각을 통해 자신의 눈빛을 부드럽게 조절하여 바라봅니다.

실습 "눈 맞추기" 1

1) 3인 1조(A, B, C)로 구성합니다.
2) A는 코치, B는 고객, C는 관찰자 역할을 합니다.
3) 코치는 고객과 눈을 맞춥니다.
4) 고객은 코치에게 "최근에 가장 재미있었던 일"에 대해 3분간 이야기합니다.
5) 코치는 듣다가 관찰자의 신호에 따라 듣는 방법을 바꾸어서 듣습니다.
6) 코치, 고객, 관찰자 입장에서 각각 어떤 생각과 느낌이 들었는지 기록하고 나누어 봅니다.
7) 역할을 바꾸어서 실습을 진행합니다.

코치의 듣기	다른 일 하면서 듣기	눈을 맞추면서 듣기
코치		
고객		
관찰자		

☑ 경청을 할 때 눈을 맞추는 것에 대하여 아래 질문에 자신의 생각을 적어보세요.

✓ 눈을 맞추는 이유는 무엇입니까?

✓ 눈을 맞추는 대화와 그렇지 않은 대화의 차이는 무엇입니까?

실습 "눈 맞추기" 2

1) 3인 1조(A, B, C)로 구성합니다.
2) A는 코치, B는 고객, C는 관찰자 역할을 합니다.
3) 코치는 고객과 눈을 맞춥니다.
4) 코치는 눈을 맞추면서 상대방에 대하여 아래 예시 중 한 가지를 선택하고, 그 생각과 느낌을 떠올린 다음 고객의 눈을 바라봅니다.
5) 고객은 코치의 눈빛을 보고 어떤 느낌이 드는지 감지하고 이야기를 해줍니다.
6) 관찰자도 코치의 눈빛을 보고 어떤 느낌이 드는지 감지하고 이야기를 해줍니다.
7) 느낌에 차이가 많이 나는 경우, 다시 시도해 봅니다.
8) 고객과 관찰자는 코치의 무엇이 그런 느낌을 갖게 했는지 이야기를 나눕니다.

생각과 느낌(코치)	관찰과 느낌(고객/관찰자)
당신을 사랑합니다,	
당신에게 호기심이 생겨요.	
당신을 싫어합니다.	
당신을 수용합니다.	
당신에게 도전합니다.	
당신이 편해요.	
당신이 부담스러워요.	
당신과 있으니까 따분해요.	
당신과 있으니까 즐거워요.	

2) 반응하기(Reacting)

반응하기는 상대방의 이야기에 대해 코치가 적절한 방법으로 반응함으로써 대화에 대한 호기심과 에너지를 끌어올리는 기술입니다. 대화에서 적절한 반응을 보여줄 때 이야기하는 사람이 더 말하고 싶어지며, 대화에 몰입할 수 있게 됩니다.

"와우! 브라보, 환상적이에요."
"아... 진짜! 대~박."
"네, 그렇군요. 그래요. 맞아요."

① 반응하기 방법

- 고객이 끄덕이면서 듣습니다.
- 미소를 짓고 듣습니다.
- 상대방의 이야기에 따라 눈으로 반응합니다.
- 상대방의 말에 맞장구를 쳐줍니다.(그랬구나, 저런, 응, 맞아.)
- 상대방의 말에 얼굴 표정으로 반응합니다.
- 호기심에 따라 물어봅니다.(그래서?, 그다음에는?)
- 몸의 자세와 제스처를 사용하여 반응합니다.(손, 팔, 박수)

실습 **"반응하기"**

1) 3인 1조(A, B, C)로 구성합니다.
2) A는 코치, B는 고객, C는 관찰자 역할을 합니다.
3) 코치는 고객과 눈을 맞춥니다.
4) 고객은 "최근에 가장 짜릿했던 경험"에 대해 이야기를 합니다.
5) 코치는 관찰자의 지시에 따라 눈과 입과 표정과 몸을 사용하여 반응을 다르게 합니다.
6) 코치, 고객, 관찰자 입장에서 각각 어떤 느낌과 생각이 드는지 기록합니다.
7) 고객과 관찰자는 코치의 반응하기에 대하여 피드백을 해줍니다.
8) 역할을 바꾸어 실습을 진행합니다.

코치의 듣는 방법	코치	고객	관찰자
눈 맞추고 조용히 듣기			
입으로 반응하기			
표정으로 반응하기			
몸으로 반응하기			

✓ 실습을 통해 새롭게 인식되거나 알게 된 것, 정리된 생각을 나눕니다.

3) 정리하기(Back Tracking)

정리하기 기술은 상대방이 이야기한 내용에서 키워드를 다시 진술해 주고 이야기를 정리해서 요약해 주는 기술입니다. 정리하기 기술은 고객으로 하여금 자신의 이야기를 잘 경청하고 있다는 것을 확인해 주는 동시에 코치가 고객의 말에 집중할 수 있도록 도와주는 기술입니다.

"그래서 ○○하단 말이군요."
"○○했다고요?"
"정리하면 ○○해서 ○○했단 말이네요."

① 정리하기 방법

- 키워드
  대화의 내용 중에서 키워드를 찾아 말을 해줍니다.
  예) "오늘 산에 다녀 왔어요." ➔ "산에?"

- 끝말
  말의 끝말을 따라 해줍니다.
  예) "뱀을 만나서 깜짝 놀랐어요." ➔ "놀랐구나!"

- 요약 확인
  이야기의 내용을 요약해서 정리해 줍니다.
  예) "산에 가서 큰일 날뻔했네."

정리하기를 할 때 상대방이 계속 이야기를 하고 있으면 중간에 말을 끊는 것 같아서 언제 정리하기를 해야 할지 타이밍을 잡기 어려워할 수 있습니다.

정리하기는 상대의 말을 끊는 것이 아니라 잘 듣고 있음을 확인하는 것이므로 상대가 말하는 도중에 언제든지 들어가도 좋습니다.

실습 "정리하기"

1) 3인 1조(A, B, C)로 구성합니다.
2) A는 코치, B는 고객, C는 관찰자 역할을 합니다.
3) 코치는 고객과 눈을 맞춥니다.
4) 고객은 "최근에 성취했던 경험"에 대해 이야기를 합니다.
5) 코치는 이야기를 들으면서 키워드와 끝말 따라 하기를 실습합니다.
6) 따라 하기가 익숙해졌다고 느끼면, 요약하기를 실습합니다.
7) 코치, 고객, 관찰자 입장에서 각각 어떤 느낌과 생각이 드는지 기록합니다.
8) 고객과 관찰자는 코치의 정리하기에 대하여 피드백을 해줍니다.
9) 역할을 바꾸어서 실습을 진행합니다.

코치의 듣는 방법	코치	고객	관찰자
눈 맞추고 조용히 듣기			
키워드와 끝말 따라 하기			
듣고 요약해 주기			

✓ 실습을 통해서 새롭게 인식되거나 알게 된 것, 정리된 생각을 나눕니다.

실습 **"적극적 경청 종합"**

1) 3인 1조(A, B, C)로 구성합니다.
2) A는 코치, B는 고객, C는 관찰자 역할을 합니다.
3) 고객은 최근에 함께했던 사람과 즐거웠던 일/삶에서 성공했던 경험/최근에 가장 감동받았던 것을 이야기합니다.
4) 코치는 눈 맞추기, 반응하기, 정리하기를 하면서 경청합니다.
5) 관찰자는 코치와 고객의 대화를 지켜보고 3분이 되면 대화를 종료시킵니다.
6) 실습에서 어떤 느낌이 들고 평소 다른 대화와 어떻게 다른지 기록합니다.
7) 역할을 바꾸어서 실습을 진행합니다.

구분	느낌	다른 대화와 차이점
코치		
고객		
관찰자		

✓ 실습을 통해서 새롭게 인식되거나 알게 된 것, 정리된 생각을 나눕니다.

2. 의식적 경청

코치는 경청을 하면서 의식적으로 고객이 말하는 것에서 4가지를 찾아서 듣고, 고객에게 말해줄 수 있는 능력을 갖추어야 합니다.

감정, 사실, 탁월성, 의도, 이 4가지를 듣기 위해 코치는 스스로 4개의 메모리를 나누어 가지고 있다고 생각하고 고객의 이야기를 경청합니다. 코칭을 배우면서 일상적으로 만나는 사람들과의 대화에서 의식적 경청을 연습합니다.

의식적 경청은 코치가 고객의 이야기에서 감정, 사실, 탁월성, 의도를 파악하고, 고객에게 말해주어, 고객이 자신을 의식적으로 알아차리도록 돕는 기술입니다.

1) 감정 경청(Emotion)

- 코치는 대화하는 상대가 현재 어떤 감정 상태인지를 감각적으로 감지하고 그것을 거울처럼 비추어 주는 기술이 필요합니다.
- 상대방의 감정에 공감을 하면서 깊이 휘말리지 않고 중립적인 자세를 유지하는 것이 중요합니다.
- 주의할 점은 상대방의 감정이 아니라 자신의 감정이 올라와서 상대방의 감정을 제대로 읽어주지 못하는 것입니다. 그럴 경우 오히려 라포(rapport)[3]가 깨질 수 있으므로, 자신의 감정이 아니라 상대방의 감정을 그대로 수용하는 것이 필요합니다.
- 감정을 추측하는 것이 아니라, 지금 느껴지는 것을 나누는 것입니다.

"지금 OOO한 감정이 느껴집니다." "얼마나 힘드셨어요?" "정말 즐거우셨나 봐요." "고객님의 행복한 느낌이 저에게도 전해집니다." "많이 외로우셨군요."

- 관찰한 바에 대한 느낌을 표현합니다.
- 생각과 느낌을 구별하여 느낌을 표현하도록 합니다.

---

3) 사람과 사람 사이에 생기는 상호 신뢰 관계를 말하는 심리학 용어이다.

실습

다음 내용에서 느낌과 생각을 구분해 보세요.

이곳은 너무 불친절해.	느낌/생각	실제 감정
나는 너의 행동이 도무지 이해가 안 돼.	느낌/생각	
나는 지금 혼자 있으니까 너무 홀가분해.	느낌/생각	
나는 너에게 무시당한 느낌이야.	느낌/생각	
네가 그 사람을 오해하고 있다는 느낌이 들어.	느낌/생각	
사람들이 나를 함부로 대하는 느낌이에요.	느낌/생각	
이곳에 와서 쉬고 있으니까 너무 행복해.	느낌/생각	
배신당한 느낌이야.	느낌/생각	
혼자 있을 때는 너무 불안해요.	느낌/생각	
우리가 그 사람에게 이용당한 느낌이야.	느낌/생각	
궁지에 몰린 느낌이에요.	느낌/생각	
그 이야기를 들으니 울화가 치밀어 오르는군요.	느낌/생각	

❖ 감정 단어

코치가 감정 경청을 잘하기 위해서는 감정 키워드를 자유롭게 구사할 필요가 있습니다. 긍정적인 느낌의 감정 키워드는 물론 부정적인 느낌의 감정 키워드를 숙지하고 어휘력을 키우는 훈련이 도움이 됩니다.

긍정적 느낌의 감정 단어	
감사/ 감동/ 감탄	가슴 뭉클한/ 감격스러운/ 경이로운/ 놀라운/ 신기한/ 가슴 찡한
고양된/ 흥분된	날아갈 것 같은/ 들뜬/ 가슴 벅찬/ 설레는/ 신나는/ 야릇한/ 우쭐한/ 짜릿한/ 통쾌한/ 환희에 찬/ 황홀한/ 흥분되는/ 전율하는
사랑스러운/ 자비심	다정한/ 따뜻한/ 마음이 끌리는/ 부드러운/ 사랑스러운/ 애틋한/ 푸근한/ 친근한/ 온화한
안도감/ 차분한/ 평화로운	평온한/ 평화로운/ 가라앉은/ 고요한/ 긴장이 풀린/ 마음이 놓이는/ 맑은/ 편안한/ 안정된/ 진정된/ 차분한/ 충만한/ 침착한/ 한가로운/ 평정된
즐거움/ 만족/ 행복	기분 좋은/ 기쁜/ 만족스러운/ 상쾌한/ 유쾌한/ 재미있는/ 즐거운/ 충족된/ 행복한/ 흐뭇한/ 흡족한/ 흥겨운
활력/ 회복	활기가 넘치는/ 의욕이 넘치는/ 기운이 나는/ 발랄한/ 밝은/ 상쾌한 / 생기 있는/ 신선한/ 쾌활한/ 고무된
자부심/ 자신감	당당한/ 뿌듯한/ 의기양양한/ 자랑스러운/ 자신 있는/ 자신만만한/ 확고한
열중/ 몰입	도취한/ 매료된/ 무아지경인/ 열렬한/ 열심인/ 열중하는/ 재미있는/ 집중하는 / 궁금한/ 홀린
기대/ 흥미	흥미로운/ 희망적인/ 기대하는/ 낙관하는

부정적 느낌의 감정 단어	
걱정/ 두려움/ 불안	걱정스러운/ 겁나는/ 겁먹은/ 긴장되는/ 두려운/ 떨리는/ 무서운/ 조급한/ 조마조마한/ 조심스러운/ 초조한
고민/ 압박감	심란한/ 답답한/ 성가신/ 짜증스러운/ 부담스러운/ 난감한/ 거슬리는/ 귀찮은
고통/ 상처/ 충격	외로운/ 괴로운/ 성가신/ 속상한/ 짜증스러운/ 부담스러운/ 난감한/ 거슬리는/ 귀찮은
냉담	냉랭한/ 단절된/ 멍한/ 몽롱한/ 무감각한/ 시큰둥한/ 얼이 빠진
당황/ 수치심/ 죄책감	겸연쩍은/ 곤혹스러운/ 난처한/ 당황한/ 미안한/ 민망한/ 부끄러운/ 수줍은/ 수치스러운/ 쑥스러운/ 창피한
분노/ 화	화난/ 분한/ 울화가 치미는/ 열 받은/ 신경질 나는/ 짜증 나는/ 약 오른/ 노여운/ 격양된
불안정감/ 혼란/ 의혹	개운치 않은/ 동요되는/ 불안한/ 망설이는/ 미심쩍은/ 불편한/ 산만한/ 생소한/ 아리송한/ 어리둥절한/ 얼떨떨한/ 의아한/ 찜찜한
슬픔/ 절망/ 무기력	슬픈/ 암담한/ 우울한/ 기운 없는/ 눈시울이 뜨거워지는/ 막막한/ 무기력한/ 상심한/ 서글픈/ 서러운/ 위축된/ 침울한/ 힘 빠진
부러운/ 간절함	간절한/ 부러운/ 안달하는/ 애타는/ 절실한/ 조급한
불만족/ 좌절/ 서운	섭섭한/ 야속한/ 서운한/ 실망스러운/ 고까운/ 기분 상한/ 낙담한/ 뚱한/ 망연자실한/ 불만스러운/ 불쾌한/ 시무룩한

실습 **"감정 경청"**

1) 5명씩 팀을 구성합니다.
2) 감정 카드를 팀별로 준비합니다.
3) 순서를 정하고 돌아가면서 최근에 감정적 변화가 있었던 일을 떠올리면서 이야기합니다.
4) 다른 사람들은 현재 이야기하는 사람을 관찰하면서 어떤 감정이 느껴지는지 경청하고, 이야기 중간중간 그 감정에 맞는 감정 카드를 꺼냅니다.
5) 감정에 몰입한 사람은 자신이 느낀 감정과 가장 가까운 키워드를 찾은 사람이 누구인지 알려줍니다.
6) 이야기한 사람이 느끼는 감정과 가장 가까운 감정을 맞춘 사람은 관찰하면서 무엇을 통해 그런 감정을 느꼈는지 팀원들과 이야기를 나눕니다.

✓ 실습을 통해서 새롭게 인식되거나 알게 된 것, 정리된 생각을 적습니다.

감정 카드

감격스러운	놀라운	가슴 찡한	가슴 벅찬	신나는
짜릿한	황홀한	흥분되는	따뜻한	부드러운
사랑스러운	애틋한	온화한	평온한	편안한
차분한	충만한	침착한	만족스러운	상쾌한
재미있는	즐거운	행복한	흡족한	활기찬
상쾌한	고무된	당당한	자신만만한	확고한
매료된	열중하는	궁금한	흥미로운	기대하는
걱정스러운	긴장되는	두려운	불안한	조급한
조마조마한	답답한	짜증스러운	부담스러운	외로운
비참한	억울한	처량한	기막힌	황당한
냉랭한	시큰둥한	난처한	미안한	수줍은
창피한	화난	열받은	망설이는	산만한
어리둥절한	찜찜한	슬픈	우울한	막막한
상심한	서러운	위축된	힘 빠진	무기력한
간절한	안달하는	절실한	섭섭한	실망스러운

2) 사실 경청(Fact)

- 사람들은 생각을 일반화(Generalization), 생략(Deletion), 왜곡(Distorted)하여 자신이 보고 싶은 것, 듣고 싶은 것, 느끼고 싶은 것만 느끼면서 형성합니다.
- 사실 경청은 사람들의 생각에서 일반화, 생략, 왜곡된 것에 적절한 반응으로 도전하여 고객의 지각을 확장하도록 돕는 기술입니다.
- 코치는 고객으로 하여금 무엇이 사실이고 무엇이 생각인지를 구분하여 자신의 제한된 내적 인지 체계에 대한 인식을 돕습니다.

① 일반화

그 사람이 가지고 있는 패러다임을 보여줍니다.
대응법은 직관을 사용합니다.

② 생략

원하는 것만 선택적으로 듣고 봅니다.
대응법은 생략된 정보를 수집하여 확인합니다.

③ 왜곡

제한된 신념과 관련합니다.
대응법은 신념 변화입니다.

실습 "사실 경청" 1

다음 내용은 사실인가요? 판단인가요?

너는 너무 말이 많아.	사실/ 판단
그는 어제 회의 시간에 한마디도 하지 않았다.	사실/ 판단
우리 부장님은 나를 못마땅하게 생각해요.	사실/ 판단
당신이 이렇게 하는 것은 우리를 무시하는 거예요.	사실/ 판단
당신은 도대체 표정이 없어요.	사실/ 판단
그것은 학생답지 않은 행동이에요.	사실/ 판단
너는 어째서 그렇게 공부를 못하니?	사실/ 판단
네 꼴 좀 봐라. 그게 사람의 몰골이냐?	사실/ 판단
너를 보면 내가 미쳐버릴 것 같아.	사실/ 판단
우리 남편은 정말 마음이 너그러워요.	사실/ 판단
나는 지난주에 책을 한 권 읽었다.	사실/ 판단

실습 "사실 경청" 2

- 일반화, 생략, 왜곡된 생각에 대해 코치는 적절한 도전적인 질문을 통해 관점과 의식의 변화를 도와줄 수 있습니다.
- 다음 내용에서 일반화, 생략, 왜곡된 것을 찾아서 도전하는 질문을 만들어 봅니다.

예시	도전 질문	일반화/생략/왜곡
나는 두려워요.		
그가 나를 곤경에 빠트렸어요.		
그가 일을 다 망쳤어요.		
남자들은 다 늑대야.		
엄마는 나를 미워해.		
남편은 나를 더 이상 사랑하지 않아요.		
아무도 나를 좋아하지 않아요.		
나는 그것을 할 수 없어요.		
나는 일을 해야 해요.		
엄마가 나를 무시해요.		
당신 때문에 내가 슬퍼.		
이렇게 하는 것이 옳은 방법이야.		

3) **탁월성 경청**(Greatness)

코치는 고객과의 대화에서 탁월성을 발견하고 고객이 그것을 스스로 인식할 수 있도록 도와줍니다. 코치가 고객의 탁월성을 발견하기 위해서는 다음과 같은 의식과 태도가 필요합니다.

① **탁월성 경청 방법**

- 항상 사람의 온전함을 의식합니다.
- 문제를 보지 말고 가능성을 봅니다.
- 강점과 단점, 행동과 생각, 감정과 의도에서 탁월성을 발견합니다.
- 스스로 탁월성을 인식하고 확장하도록 도와줍니다.

탁월성 키워드

감각적	낙관적	모험적	설득력	용기	자유	직관적	카리스마
감사	낙천적	목표지향적	섬세함	우호적	재치	진실	쾌활함
감성적	낭만적	민첩함	성실	유연함	적극적	진취적	탁월함
강인함	논리적	믿음	솔직함	유쾌함	적응력	집념	탐구심
강직함	도덕적	밝음	순수	융통성	전문성	집중력	통찰력
개방적	도움	배려	신뢰	의리	절제	착함	평안
결단력	도전 의식	부드러움	신중함	의지력	정의로움	창의적	평정심
겸손	독립적	분별력	안정적	이성적	정직	아름다움	평화
공정함	따뜻함	분석적	여유로움	이해력	정확함	책임감	포용력
균형	리더십	사교적	열정적	이해심	조화로움	총명함	헌신
긍정적	명랑함	사랑	영성	인내	존경	추진력	협력
기쁨	명석함	사려 깊음	예술적	자비	주도적	충성	호기심
꼼꼼함	명확함	생동감	온유함	자신감	즐거움	친절	활력
끈기	모범적	생명력	완벽함	자연스러움	지혜	친화력	희망적

실습 "탁월성 경청" 1

사례)

우리 부서의 김 부장은 직원들을 혹사시키는 사람으로 유명하다. 주로 퇴근 시간이 다 되었을 때 회의를 시작해서 일을 나누어 주고 그날까지 다 완료하라고 지시한다. 본인은 기러기 아빠라고 퇴근 후 집에 가려 하지 않고 일이 없을 때는 애꿎은 부하 직원들을 술자리로 불러낸다. 늦게까지 야근을 하거나 술자리를 마친 다음날도 아침 출근 시간을 지켜야 해서 직원들의 불만이 이만저만이 아니다. 지시한 일에 조금이라도 허점이 있으면 불호령이 떨어지기 때문에 부하직원들은 항상 긴장감을 늦출 수가 없다.

✓ 위 사례를 읽고 김 부장은 어떤 성향의 사람인지 느낌과 생각을 적어보세요.

✓ 탁월성 키워드를 보고 다시 적어보세요.

실습 "탁월성 경청" 2

사례)

학교를 마치고, 바로 학원에 갔다 온 민준이에게 엄마가 학원에서 공부 잘했냐고 물었더니 그렇다고 대답합니다. 다음 날 학원 선생님에게서 전화가 와서 어제 민준이가 학원에 오지 않았고, 요즘 결석하는 날이 많다고 합니다. 집으로 온 민준이에게 엄마는 어제 뭐 했냐고 물었더니 계속 학원에 있었다고 거짓말을 합니다. 선생님에게 전화 온 것을 말하고 혼내 주려고 했더니, 잘못했다는 말도 없이 화를 내고는 밖으로 나가버립니다.

✓ 위 사례를 읽고 민준이는 어떤 성향의 아이인지 느낌과 생각을 적어보세요. 그리고 함께 나누어 봅니다.

____

____

____

____

____

✓ 탁월성 키워드를 보고 다시 적어보세요.

____

____

____

____

____

실습 **"탁월성 경청" 3**

다음 내용에서 탁월성 키워드를 찾아서 적어보세요.
팀별로 어떤 탁월성 키워드가 발견되었는지 나누어 봅니다.

내용	탁월성 키워드
지하철 문이 닫힐 때 급하게 뛰어 들어온 청년	
그러면 위험하다고 나무라는 아주머니	
경로석에서 임산부에게 자리를 양보하는 할아버지	
그 옆에서 방끗 웃으면서 친구와 이야기하고 있는 아가씨	
지하철 안에서 물건을 팔기 위해 사람들에게 설명하고 있는 이동 상인	
그 물건을 사는 할머니	
이동 상인에게 조용히 하라고 말하는 아저씨	
그 와중에 앉아서 열심히 책을 보는 학생	

실습 "탁월성 경청" 4

- 팀별로 '내가 이해하기 힘든 행동'의 사례를 만들어 보세요.
- 각 사례에 대하여 탁월성 키워드를 찾아서 적어보세요.
- 팀별로 어떤 사례와 어떤 탁월성 키워드가 발견되었는지 이야기를 나누어 봅니다.

사례 내용	탁월성 키워드

실습 "탁월성 경청" 5

- 적극적 경청 실습을 통해 코치가 고객의 행복했던 경험과 힘들었던 경험에 대한 이야기를 들으면서 발견한 탁월성 키워드를 최대한 많이 작성해 봅니다.
- 어떤 부분에서 그것을 발견했는지 고객에게 이야기해 줍니다.
- 고객은 그 이야기를 듣고 어떤 느낌인지 코치에게 이야기해 줍니다.

이름	탁월성 키워드

✓ 실습을 통해서 새롭게 인식되거나 알게 된 것, 정리된 생각을 적습니다.

4) 의도 경청(Purpose)

코치는 경청을 통해서 고객이 진짜로 원하는 것이 무엇인지를 듣고, 고객이 자신의 긍정적인 의도를 스스로 인지할 수 있도록 도와주어야 합니다. 고객의 모든 말과 행동에는 긍정적인 의도가 있습니다.

의도 경청은 고객의 기대, 요구, 신념 이면에 있는 진짜 원하는 것을 찾는 것으로 고객 내면적 갈등을 통합하고 의식을 확장하도록 도와주어야 합니다.

① 의도 경청 방법

- 고객님이 진짜로 원하는 것은 ○○○○이었군요.
- 결국 이것을 이루기 위해서 달려오셨군요.
- 당신의 좋은 의도는 그들을 돕고 싶었던 거였네요.
- 사실은 그분과 좋은 관계를 맺고 싶으신 건가요?
- 정말 하고 싶은 것은 아름다운 사회를 만들고 싶으신 거네요.
- 오랫동안 건강을 유지하고 싶으신 거군요.

실습 "의도 경청" 1

다음에서 표면적 의도인 기대/욕구/신념과 진짜 의도는 무엇인지 찾아서 작성해 봅니다.

내용	기대/욕구/신념	진짜 의도
조용히 해주었으면 좋겠네요.		
우리 다시 만나지 말자.		
공공장소에서 떠들면 어떻게 해요?		
그만 쉬고 싶어!		
사람을 봤으면 인사를 해야지!		
이 일을 아직까지 하고 있는 거야?		
너 누구한테 눈을 부릅뜨고 쳐다보는 거니?		
먹고는 싶은데...		
오늘 하루 종일 시달렸단 말이에요.		
난 아무래도 능력이 없나 봐!		

실습 **"의식적 경청 종합"**

다음 내용에서 대화하는 사람의 감정/사실/탁월성/의도를 찾아서 적어봅니다.

내용	감정	사실	탁월성	의도
이런 식으로 거칠게 행동하는 것은 참을 수 없죠. 사람이 최소한의 예의가 있어야죠.				
그 사람과는 더 이상 같이 있고 싶지 않아요. 우린 만나기만 하면 싸우죠. 저도 참을 만큼 참았고, 더 이상은 못 참겠어요.				
제가 인사를 하는데 저를 완전히 무시하고 지나가는 거예요. 나 참! 어이가 없어서.				
지금은 아무것도 하고 싶지 않아요. 시험 때문에 괴롭단 말이에요.				
어떡하죠? 그 사람이 저를 가만두지 않을 텐데.... 그 사람을 위해서 거짓말을 했지만, 하지 말았어야 했어요.				

실습 "의식적 경청 종합"

1) 3인 1조(A, B, C)로 구성합니다.
2) 코치, 고객, 관찰자로 역할을 나누어 진행합니다.
3) 고객은 "지금까지 가장 힘들었지만 배움이 있었던 일"에 대해 이야기합니다.
4) 코치는 적극적 경청기술을 사용하면서 감정/사실/탁월성/의도 경청을 합니다.
5) 관찰자는 코치와 고객의 대화를 지켜보고 3분이 되면 대화를 종료하고 대화에 대한 피드백을 합니다.
6) 실습에서 느낀 점과 평소 다른 대화와 어떻게 다른지 기록합니다.
7) 코치는 경청을 방해하는 것과 경청에 도움이 되는 것이 무엇인지 기록합니다.
8) 역할을 바꾸어서 실습을 진행합니다.

구분	느낀 점	다른 대화와 차이점
코치		
고객		
관찰자		

실습 "의식적 경청 종합" (동영상)

드라마 동영상을 보면서 등장인물의 대화 속에서 사실/감정/탁월성/의도를 찾아보세요.

구분	동영상 1	동영상 2	동영상 3
감정			
사실			
탁월성			
의도			

✓ 실습을 통해서 새롭게 인식되거나 알게 된 것, 정리된 생각을 적습니다.

3. 경청의 종류

경청을 하는 주체는 코치입니다. 코치는 고객의 말에서 경청의 내용과 주제를 파악합니다. 코치는 경청 과정에서 경청의 중심을 옮겨가는 훈련을 해야 합니다. 훈련할수록 경청의 중심이 나에서 고객으로 그리고 코칭으로 옮겨갑니다.

1) 나 중심 경청

나 중심 경청은 말하고 싶은 충동과 욕구를 드러내어 상대보다 훨씬 더 많은 말을 하는 것입니다. 직장에서 상사가 경청의 중요성을 인식하고 경청을 하지만, 직원의 말에 대하여 자신의 생각이나 경험을 바탕으로 해석하려는 경향을 보이는 것입니다. 상사가 직원의 실수 혹은 실패에 대한 경멸, 직원의 좋지 않은 감정에 대한 서운함, 분노 등을 갖는다면 나 중심 경청을 하는 것입니다. 상사가 직원의 상황이나 감정을 고려하지 않고 자신의 입장에서 생각하고 상대를 판단하는 것은 나 중심 경청 즉 자기중심 듣기입니다. 이는 코칭 과정에서 경청이라고 할 수 없습니다.

무시하기, 경청을 가장하기, 선택적 경청, 상대의 허점 찾기, 딴짓하기, 자신의 할 말 준비 등, 판단하거나 자신의 의도로 듣는 것은 '나 중심 경청'입니다.

☑ '나 중심 경청의 사례입니다.

나 중심 경청	
팀장	"지난 주간 계약은 어떻게 되었습니까?"
직원	"드디어 계약을 했습니다."
팀장	"잘됐군! 그동안 고생하던 일을 해결했으니 시원하겠네! 그렇지 않아도 내심 불안했거든! 나도 큰 계약을 하나 했지.... 제법 큰 계약이었어! 아주 쉽게 되더라고. 고객이 나를 인정해 주고, 나에게 앞으로도 관계를 지속하자는 거야. 아주 기분이 좋았지!"
직원	"네~(머쓱하게 상사만 바라보고 있다.)"

자기중심듣기 실습

1) 2인 1조(A, B)로 구성합니다.
2) A는 자신이 행복했던 순간에 대해 말합니다.
3) B는 자기중심 듣기를 합니다.(위에 예시한 각각의 방법을 사용해 봅니다.)
4) A와 B는 상호 간 느낌을 나눕니다.
5) A와 B는 순서를 바꾸어 위와 같이 진행합니다.

2) 상대 중심 경청

듣는 사람이 상대의 입장에서 들어주는 것을 말합니다. 듣는 사람이 상사라면 직원의 성공을 진심으로 축하하고 실수에 대하여 안타까워하며 직원의 감정을 공유하는 것입니다. 상사는 직원의 있는 그대로의 모습을 봅니다. 중립적인 생각을 유지하며 직원의 감정을 중요시하고 직원의 자존감을 부여하려고 하는 것입니다. 이것을 상대 중심 경청이라고 합니다. 상대방을 존중하여 상대의 호흡, 억양, 자세 등에 맞추어 반응하고 상대와 교감하면서 듣습니다.

- 눈 맞추기: 상대방의 얼굴과 눈을 바라봅니다.
- 따라 하기: 상대방의 자세와 동작을 따라 합니다.
- 보조 맞추기: 상대방의 호흡, 억양, 말의 속도에 맞춥니다.
- 반복·요약하기: 상대방의 말을 반복하고, 요약합니다.

☑ 상대 중심 경청의 사례입니다.

	상대 중심 경청
팀장	"지난주에 좋은 일이 있었나?"
직원	"예! 계약을 성사시켰습니다."
팀장	"(호기심 어린 표정으로) 정말 축하하네! "어떻게 된 일인지 자세히 좀 말해 주게~"
직원	"(신나게) 아주 힘들었습니다. 거래처 김 사장님이 어찌나 깐깐하시던지요. 계약을 할 듯 할 듯하다가 뒤로 미루고, 조건 달고, 이유를 따지는 통에 스트레스를 많이 받았습니다. 그래도 제가 누굽니까? 그래서 김 사장님이 좋아할 만한 일을 찾았죠! 제품에 대해 정확히 설명해 주고, 김 사장님이 이 제품을 사용하시면 뭐가 좋은지, 앞으로 분명히 성공할 거라는 것과 제가 할 수 있는 최선을 다했습니다. 그랬더니 제 정성에 감동했는지 그렇게 깐깐하던 분이 순순히 계약서에 사인을 하시지 뭐예요! 사인을 하는 순간 날아갈 것 같았습니다."
팀장	"듣는 내가 기분이 좋군!"

상대중심적경청 실습

1) 2인 1조(A, B)로 구성합니다.
2) A는 자신의 성공 경험을 말하고, B는 상대 중심적 경청을 합니다.
   (눈 맞추기/따라 하기/보조 맞추기/반복·요약하기를 의도적으로 실시합니다.)
3) A와 B는 순서를 바꾸어 진행하고 상호 간에 느낌을 나눕니다.

3) 코칭 중심 경청

코칭 중심 경청은 상대 중심 경청에서 더 나아가 상대의 통찰력과 미래에 이어질 멋진 일을 기대하게 하는 경청을 말합니다.

코치가 고객에게 희망을 주고 격려를 하는 것으로 고객 역시 자신의 삶과 업무에서 새로운 통찰력이 생긴 것에 대해 스스로 대견하게 생각합니다. 그리고 자신의 능력과 역량을 확인하고 미래에 대한 진전과 희망을 확신하는 단계로 나아가게 하는 경청입니다. 코칭 과정의 목적이 고객의 성장과 발전이므로 경청의 초점을 코칭 과정의 결과에 두는 것입니다. 이것을 결과 중심적 경청, 미래 중심적 경청, 주제 중심적 경청 혹은 가치 중심적 경청이라고 합니다.

코치 중심: 일반인들 수준, 신뢰와 성공 없음
고객 중심: 신뢰, 성공 가능성이 있음
코칭 과정 중심: 미래, 통찰력, 성공 확신

나 중심 경청은 신뢰의 폭을 좁히며 코칭 결과를 거의 기대하기 어렵습니다. 상대 중심 경청은 신뢰의 폭이 넓어지는 것이며 코칭 결과에 대한 긍정적 기대감이 있으나 결과를 예상하기는 어렵습니다. 아직 코칭 결과 자체를 염두에 두고 있지 못하기 때문입니다. 코칭 중심 경청은 코치와 고객 사이의 공통적인 이슈가 있으므로 신뢰의 정도가 더 넓고 깊으며 결과도 좋을 것이라고 예상됩니다.

☑ 코칭 중심 경청 사례입니다.

코칭 중심 경청	
팀장	"지난주 김 사장님과 계약한 것에 대해 들어보니 앞으로도 상당한 실적을 나올 것 같이 느껴지는군!"
직원	"(머리를 긁적이며) 별로예요. 사실 그동안 별로 잘한 것도 없었는데, 지난주에는 운이 좋았던 겁니다. 앞으로도 잘될 거라는 생각이 안 들어요."
팀장	"난 성공은 과거의 경험 속에 있다고 생각해. 지난주에 성공한 경험을 잘 분석해서 활용한다면 다음 주에도 계약을 성사시킬 수 있을 거라고 생각해. 혹시 지난주에 특별히 느낀 것 중에서 이번 주에 만날 고객에게 적용할 건 없을까?"
직원	"(골똘히 생각하며) 아, 그렇군요! 김 사장님이 좋아하실 만한 일을 찾았고, 끈질기게 물고 늘어졌던 것처럼 이번 주에도 고객이 좋아할 만한 것을 먼저 찾고 고객에게 진실한 성의를 보여줘야겠습니다."
팀장	"중요한 원리를 찾아냈군! 그래 이번 주 고객의 장점이 무엇인가? 또 그에게 진심과 성의를 보여주는 방법은 무엇이라고 생각하는가?"

4) 공감적 경청

베스킨라빈스에서 16년간 사장이었던 로버트 허드첵은 고객에게 관심을 갖고 공감하는 대화를 잘하기로 유명합니다. 그가 만나는 사람들은 "그 많은 아이스크림 중에 어떤 걸 가장 좋아하세요?"라고 그에게 질문을 합니다. 그때마다 상대에게 같은 질문으로 했습니다. "당신은 어떤 아이스크림을 가장 좋아하세요?"라고, 그리고 상대방이 특정 아이스크림을 말하면 "나도 그것을 가장 좋아합니다."라고 했습니다. 이는 상대에게 관심을 두고 그들의 의견을 적극적으로 공감하는 것으로 그를 만나는 사람들은 누구나 기분이 좋아졌다고 합니다. 상대방의 패러다임 속으로 들어가서 공감해 주는 것을 진정한 경청이라고 할 수 있습니다.

공감 대화는 나와 너를 연결하고 우리로 이어져 공동체로 들어가는 과정입니다.

☑ 공감적 경청 방법

번호	내 용
1	말하지 말라. 말하면 당신은 들을 수 없다.
2	말하는 사람을 편하게 해주라.
3	당신이 듣고자 한다는 것을 상대에게 보여주라.
4	주의를 산만하게 하는 것을 없애라.
5	말하는 사람에게 감정을 이입하라.
6	인내심을 발휘하라.
7	노여움을 진정시켜라.
8	논쟁이나 비판에 여유 있는 태도를 유지하라.
9	질문을 던져라.
10	말하는 것을 중지하라.

[참조] Keith Davis의 저서 "Human Relations at Work"에서 경청을 위한 10계명

❖ 더 높은 경청 역량

- 자신의 감정과 의도를 듣는다.
- 자신의 탁월함을 인정, 칭찬한다.
- 자기 내면의 화를 처리한다.
- 자기 내면의 인정하고 싶지 않은 그림자를 인정한다.
- 자기 내면의 그림자를 포용한다.

First, Save yourself!
자신을 먼저 경청하고 인정, 칭찬, 격려, 사랑하자!

실습 "공감적 경청"

1) 2인 1조(A, B)로 구성합니다.
2) A는 자신의 열정에 대해서 이야기합니다.
3) B는 공감적 경청을 합니다.
4) A와 B는 순서를 바꾸어 위와 같이 진행하고 상호 간에 느낌을 나눕니다.

____

____

____

❖ 경청 마무리

- 경청은 사랑의 특징이기도 합니다.
- 사랑하는 사람은 아주 사소한 움직임에도 반응할 수 있습니다.
- 심지어 사랑하는 이가 아프면 자신도 아프고, 평소에는 귓등으로도 안 듣던 음악을 그가 좋아한다는 이유만으로 듣기 시작합니다.
- 경청은 단순한 코칭 기술이 아닌 사랑의 표현이자 사랑의 기술입니다.
- 경청은 보이지 않는 메시지까지 듣는 것입니다.

실습 문제

여자 친구나 자기 아내가 "자기 나 얼마나 사랑해?"라고 물을 때 어떻게 대답을 해야 할까요?

정답:

____

____

※ 정답을 알고 있는 당신은 충분히 또래코치입니다.
정답을 모르면 당신의 또래코치가 되어 드립니다.

4-2. 질문

"지금 나의 모습은 내가 나에게 던진 질문의 답이다."

1. 강력한 질문

안전한 환경과 내용의 맥락에 맞는 코칭 질문으로 새로운 사고와 행동을 이끌고, 다음 대화를 촉진하는 열정 질문, 고객을 판단하지 않고 고객의 존재를 일깨우는 탁월성·가치·신념 등을 노출시키는 노출 질문과 호기심 질문, 고객이 생각을 정리하도록 하는 명료한 질문, 기존사고의 틀을 깨는 관점 전환 질문, 구체적인 실행계획과 아이디어를 도출하는 창의성 질문과 실행 가능한 질문, 문제가 해결된 상태를 상상하는 기적 질문, 수치화하는 척도 질문, 연결된 관계의 관계 질문, 극복을 위한 대처 질문, 결과에 대한 점검 질문 등이 있습니다.

❖ 질문의 개념

코칭적 질문은 단순한 의사소통의 차원을 넘어 강력한 힘을 갖고 있습니다.

질문한 내용에 대해 깊이 생각하게 함으로써 고객 스스로 정확한 문제의 답을 찾게 합니다. 질문은 코치와 고객이 함께하고, 고객 스스로 자신을 성장시킬 수 있는 에너지와 행동계획을 세울 수 있는 동기를 부여합니다.

❖ 질문이 중요한 이유

- 필요하거나 특별한 정보를 얻을 수 있습니다.
- 각별한 대인관계를 형성합니다.
- 다른 사람들을 설득하고 자극합니다.
- 좀 더 창의적으로 생각합니다.
- 생활의 중요한 변화를 가져옵니다.

❖ 좋은 질문이란 무엇인가?

- 구체적이고 본질적인 질문입니다.
- 머릿속을 정리해 주는 질문입니다.
- 현재와 과거를 연결하는 질문입니다.
- 회사의 운명을 결정할 단 하나의 질문입니다.

❖ Choice Map

"내가 원하는 것이 뭘까?"
"뭐가 문제지?"
"지금 할 수 있는 것은 무엇일까", "무엇이 최선일까?"
"누구 책임인 거지?", "왜 하지 않은 거야?"
"어떻게 하면 될까", "어떤 것이 가능한 것일까?"
"뭐가 잘못된 거야?", "나는 왜 되는 게 없을까?", "사는 것이 왜 이렇게 힘들까?"

❖ 질문이 삶을 바꾼다

- 원하는 것이 이루어지지 않았을 때, 질문에 따라 삶의 방향이 달라집니다.
- 코치는 고객의 삶이 긍정적인 방향으로 전환되는 질문을 스스로에게 하도록 돕는 역할을 합니다.

"나는 누구인가?"
"이 일을 통해 배운 것은 무엇인가?"
"그것으로 인해 오히려 잘된 것은 무엇인가?"
"이 일의 근본적인 목적은 무엇인가?"
"이것은 어떤 가치가 있는가?"
"궁극적으로 원하는 것은 무엇인가?"
"그 과정을 통해서 무엇을 배울 것인가?"

생각해 보기

✓ 나에게 강력한 질문은 어떤 질문인가요? 내 삶을 이끄는 질문은 무엇인가요?

✓ 코칭에서 질문이 중요한 이유를 자신의 언어로 설명해 보세요.

2. 코칭 질문의 효과

❖ 질문의 효과

- 질문은 내면의 답을 이끌어 문제해결의 가능성을 도출할 수 있습니다.
- 질문은 외적인 것에서 자신의 내면을 탐색하도록 도움을 줍니다.
- 질문은 우리의 뇌를 깨워 생각하게 합니다.

❖ 코칭 질문의 효과

- 존재 노출: 가치, 욕구, 의도, 스타일 등이 드러납니다.
- 열정 일으키기: 내면의 열정과 에너지를 끌어냅니다.
- 호기심 유발: 자신의 존재와 코칭 대화에 대한 호기심이 유발됩니다.
- 힘과 가능성 끌어내기: 잠재된 힘과 가능성을 끌어냅니다.
- 새 관점, 새 인식: 사건과 사람에 대한 새 관점, 새 인식을 통해 의식이 확장됩니다.
- 행동 촉진: 행동이 촉진되고, 실행 가능성을 최대한 끌어냅니다.

❖ 질문의 7가지 힘

- 질문을 하면 O아 나온다.
- 질문은 OO을 자극한다.
- 질문을 하면 OO를 얻는다.
- 질문을 하면 OO가 된다.
- 질문은 OO을 열게 한다.
- 질문은 O를 기울이게 한다.
- 질문에 답하면 스스로 OO이 된다.

〈출처: 질문의 힘: 도로시 리즈〉

생각해 보기

✓ 자신이 생각하는 질문의 힘은 무엇인가요?

✓ 좋은 질문은 어떤 특징을 가지고 있을까요?

✓ 내가 받은 질문 중 가장 효과적인 질문은 어떤 질문이 있었나요? 생각해 보고 어떤 상황에서 그 질문을 받게 되었는지 나누어 보고 작성해 봅니다.

3. 효과적인 코칭 질문

- 코칭에서 고객의 깊은 생각을 꺼내도록 질문을 효과적으로 하려면 어떻게 할 수 있을까요?
- 초보 코치가 극복해야 할 효과적인 질문을 알아봅니다.
- SMART, 기적 질문, 척도 질문

1) 질문은 간결하게 합니다.

질문이 복잡한 문장으로 되어 있다면, 고객이 혼란스럽고 질문을 이해하기 어려워합니다. 코치가 고객이 이해하지 못했을 것이라는 생각에 질문에 대해 부연 설명을 하는 것보다 질문을 명료하게 하는 것이 좋습니다.

2) 질문은 한 번에 하나씩 합니다.

한 번에 여러 가지를 묶어서 질문을 하면, 질문의 효과도 떨어지고 답변도 대충하게 됩니다. 물어보고 싶은 것이 많아도 질문을 잘라서 하나씩 하는 것이 좋습니다. 이때 고객이 자신의 생각에 집중하고 통찰이 일어납니다.

3) 대답을 기다립니다.

코치가 질문을 하고 나서, 고객이 대답을 하지 못할 때 답답함을 느낄 수 있습니다. 이때 코치가 기다리지 못하고 다른 질문을 한다거나, 질문에 대한 부연 설명을 하는 것은 좋지 않습니다. 좋은 질문일수록 생각할 시간이 필요합니다. 고객이 생각에 빠진 그 침묵의 시간을 즐깁니다.

4) 질문을 기다립니다.

코치가 고객의 대답을 들었을 때 즉시 나오는 질문은 표면적인 궁금증에서 나오는 경우가 많습니다. 보다 심도 있는 질문을 하기 위해서 코치는 경청을 통해 코치 내면에서 올라오는 호기심이 만드는 질문을 하는 연습이 필요합니다. 그러기 위해서는 고객의 대답을 듣고 어떤 질문이 올라오는지 기다렸다가 질문을 해봅니다.

❖ 성공적인 목표를 위한 질문(SMART)

꿈을 바다 저편의 원하는 목적지라고 한다면, 목표는 그곳까지 다리를 놓기 위해 먼저 세우는 교각이고, 계획은 그 위에 놓이는 다리 상판과 같다고 할 수 있습니다. 꿈을 이루기 위해 목표를 세울 때는 단계적으로 세우고 계획을 세울 때는 가까운 목표에 집중하여 구체적으로 할 첫 행동과 시기를 결정합니다.

꿈은 구체적이고 단계적으로 나누어 시기를 잡으면 목표가 되고, 목표를 위한 행동의 우선순위와 시간을 잡으면 계획이 되고, 그 계획을 실행에 옮기면 꿈을 이루게 됩니다. 꿈을 정하고 목표를 정하고 그 사이의 계획은 가까운 목표에 집중합니다.

- 구체적이고(Specific)
- 측정 가능하며(Measurable)
- 행동 지향적이며(Action-oriented)
- 현실을 반영하는(Realistic)
- 시간 및 자원이 반영된(Time-limited) 질문을 말합니다.

〈SMART 질문 예시〉
- 당신이 진정으로 원하는 것은 무엇인가요?
- 그 목표를 좀 더 구체적으로 표현해 주시겠어요?
- 그것이 당신에게 어떤 의미인가요? 얼마나 중요한가요?
- 목표를 달성하기 위한 구체적인 방법은 무엇인가요?
- 그것이 달성될 가능성은 몇 %입니까?
- 무엇을 보고 목표가 달성되었다는 것을 알 수 있나요?
- 당신의 어떤 행동이 변하면 목표가 달성되었다는 것을 알 수 있나요?
- 현재 그것을 위하여 무엇을 하고 있나요?
- 현재 자신의 위치는 어디인가요?
- 언제까지 목표를 달성하면 만족하시겠어요?

실습

1) 2인 1조(A, B)로 구성합니다. 먼저 A는 코치, B는 고객이 됩니다.
2) A가 SMART 질문의 예를 사용합니다.
3) 한 번은 예문을 보고, 다음에는 예문을 보지 않고 질문을 합니다.
4) A, B가 역할을 바꾸어 진행하고, 느낌을 나누어 봅니다.

❖ 실습 "SMART" 질문 1

아래 목표를 SMART 목표로 바꾸어 보세요.

목표	SMART 목표				
	S	M	A	R	T
건강을 위해 운동을 한다.					
여행을 한다.					
부자가 된다.					
요리사가 된다.					
다이어트를 한다.					
취직을 한다.					

❖ 실습 "SMART" 질문 2

나의 SMART 목표 만들기

자신이 올해 실현할 수 있는 목표 5개를 만들고 SMART 목표로 다시 바꾸어 봅니다.

목표	SMART 목표				
올해의 5가지 목표	S	M	A	R	T
1.					
2.					
3.					
4.					
5.					

❖ 기적 질문

문제는 그대로 두고, 문제와 분리하여 문제가 해결된 상태를 상상하도록 하는 것입니다. 고객이 과거와 현재의 문제에서 벗어나 만족스러운 삶을 살 수 있는 미래에서 봤을 때 원하는 것을 구체화하고 명료화하여 코칭의 목표를 구체적으로 끌어내는 질문입니다. 기적 질문은 삶을 제한하는 한계를 벗어나 궁극적으로 원하는 삶이 무엇인지를 찾을 수 있도록 도와줍니다. 일상의 삶을 짓누르는 짐을 벗어버릴 때, 사람은 자유로움과 에너지를 얻게 됩니다. 그리고 자신이 삶에서 진짜 원하는 것과 소중한 것이 무엇인지를 깨닫게 됩니다.

❖ 기적 질문의 원리

무의식에서 진짜 원하는 것을 가로막고 있는 많은 제약 조건들을 기적이라는 가정을 통해 제거해, 내면에서 갈망하는 진짜 원하는 것으로 접근하게 해줍니다. 그래서 독립적인 질문이 아니라 기적 질문을 한 후에 연속된 일련의 질문을 통해서 기적의 증거를 찾고, 고객이 스스로 자신의 자원을 찾기 위해 질문을 이어 나가야 합니다.

- 기적이 일어났다는 것을 어떻게 알 수 있을까요?
- 무엇이 달라져 있을까요? 고객님이 그것을 어떻게 해내셨을까요?
- 가족, 동료, 팀, 회사, 조직, 친구 등 사이에 무엇이 달라져 있을까요?
- 고객님이 그렇게 할 때 가장 놀랄 사람은 누구일까요?
- 기적이 일어난 후 제가 파리가 되어 고객님의 거실 벽에 붙어서 관찰한다면 무엇을 보게 될까요?
- 지금 말씀하신 기적들 중에 조금이라도 이미 일어난 것이 있는지 궁금합니다.

기적 질문은 미래에 관한 질문으로 그 상황이 당연히 일어날 상황인 것처럼 가정하고 질문해야 합니다. 기적 질문은 한 번으로 끝나는 것이 아니고 고객이 만족할 미래에 대한 방향과 목표를 구체화하도록 하는 질문으로 현재 상황에서 실행할 수 있는 것에 관해서 질문을 연결해 나가는 것입니다.

❖ 기적 질문의 방법

[저와 오늘 코칭을 마치고 당신은 집으로 돌아가시겠죠. 집에 가서 아이들을 돌보고, 가족들과 저녁 식사를 하고, 그리고 하던 일을 마무리하고 잠자리에 드시겠죠. (잠시 머물러 있는다) 그런데 당신이 자는 사이에 '기적'이 일어났어요. 무슨 기적이냐면 저와 여기서 방금 전에 나누었던 일들이 모두 해결이 되어서 걱정과 불안이 사라진 상태가 된 겁니다. 왜냐하면 기적이 일어났으니까요. 그런데 잠을 자는 사이에 일어났기 때문에 기적이 일어났는지 아무도 몰라요. 당신이 잠에서 깨어났을 때 무엇을 보면 '진짜 기적이 일어났구나'하고 알 수 있을까요?]

- ✓ 내일 아침 기적이 일어난다면, 무엇을 보고 알 수 있을까요?
- ✓ 시간과 돈이 충분하다면 무엇을 하고 싶으신가요?
- ✓ 알라딘의 램프에서 지니가 나타나서 소원을 물어보면, 무엇을 이야기할까요?
- ✓ 내일 100억이 생기면 무엇을 하고 싶은가요?
- ✓ 앞으로 아무 일도 하지 않아도 평생 편안한 삶이 보장된다면 무엇을 하고 싶어질까요?

실습 **"기적 질문" 1**

1) 2인 1조(A, B)로 구성합니다. 먼저 A는 코치, B는 고객이 됩니다.
2) A가 기적 질문을 하고 B는 답을 합니다.
3) A, B가 역할을 바꾸어 진행하고, 느낌을 나누어 봅니다.

구분	기적 질문 1
코치	"원하는 일이 기적처럼 이루어진다면 어떤 기적이었으면 좋겠습니까?" "그것이 당신에게 중요한 이유는 무엇일까요?" "두 번째 기적이 일어난다면 어떤 기적이었으면 좋겠습니까?" "그것이 당신에게 어떤 의미인가요?" "둘 중 하나를 선택한다면?"

실습 "기적 질문" 2

1) 2인 1조(A, B)로 구성합니다. 먼저 A는 코치, B는 고객이 됩니다.
2) A가 기적 질문을 하고 B는 답을 합니다.
3) A, B가 역할을 바꾸어 진행하고, 느낌을 나누어 봅니다.

구분	기적 질문 2
코치	"오늘 집에 가서 자는 동안 그 문제가 기적처럼 해결되었다면 자고 일어나서 무엇을 봤을 때 해결되었다는 것을 알 수 있을까요?" "그 상태가 10점이라면, 지금은 몇 점 정도일까요?" "1점 더 올리기 위해 무엇이 필요할까요? "

실습 "기적 질문" 3

1) 2인 1조(A, B)로 구성합니다. 먼저 A는 코치, B는 고객이 됩니다.
2) A가 기적 질문을 하고 B는 답을 합니다.
3) A, B가 역할을 바꾸어 진행하고, 느낌을 나누어 봅니다.

구분	기적 질문 3
코치	"요즘 해결하고 싶거나 이루고 싶은 것이 있다면?" "오늘 집에 가서 자는 동안 그 문제가 기적처럼 해결되었다면, 자고 일어나서 무엇을 봤을 때 해결되었다는 것을 알 수 있을까요?" "그렇게 되면 또 어떤 좋은 일들이 생길까요?" "주변 사람들이 뭐라고 말해줄까요?" "그때 기분이 어떨까요?" "그 상태가 10점이라면 지금은 몇 점 정도일까요?" "1점 정도 더 올리기 위해 생각해 볼 수 있는 방법이 있다면 무엇일까요?" "또 어떤 것이 있을까요?" "하나 더 생각해 볼까요?" "지금 이야기한 것 중 먼저 시도해 보고 싶은 것은 무엇인가요?"

❖ 척도 질문

척도 질문은 해결중심치료(Solution Focused Therapy)에서 개발된 질문 기법입니다. 해결중심치료는 한국인 김인수와 남편 스트브 드 쉐이저(Steve de Shaser)가 만든 심리치료기법입니다. 이는 코치들이 유용하게 사용하는 강력한 질문 기법으로 추상적인 개념을 숫자로 구체화합니다. 언어적 표현은 물리적으로 측정 가능하지 않기 때문에 코치가 고객의 상태를 수치화하면 현재 상태나 원하는 상태를 파악하는 데 용이합니다.

❖ 척도 질문의 방법

척도 질문은 여러 단계로 이루어진 일련의 질문으로 표준적인 척도 질문은 다음의 단계로 이루어집니다.

1단계: 설명하기

- ✓ 1부터 10까지 숫자로 물어보겠습니다.
- ✓ 10점은 당신이 원하는 것이 모두 이루어진 상태입니다.
- ✓ 1점은 아직 아무것도 이루어지지 않은 상태입니다.

2단계: 현재 상태 확인

- ✓ 1점과 10점 사이에서 당신은 현재 몇 점에 있나요?

3단계: 지지대 확인

이미 존재하고 고객에게 도움이 된 것들을 질문합니다. 그리고 고객을 격려하고 고객이 도움을 받은 것에 대한 생생한 설명을 들을 때까지 자세한 정보를 요청합니다.

- ✓ 1점에서 현재 점수가 되기까지 어떤 노력을 해 오셨나요?
- ✓ 무엇이 도움이 되었나요?
- ✓ 어떤 방법이 효과적이었나요?
- ✓ 어떻게 그렇게 할 수 있었나요?
- ✓ 그 밖에 무엇이 도움이 되었나요?
- ✓ 또 있다면 무엇이 있을까요?(반복 질문)

4단계: 과거 성공 경험 확인

과거에 성공했던 경험을 질문합니다. 그리고 고객이 그 상황에서 무엇을 했는지에 대한 생생한 설명이 있을 때까지 정말 궁금하다는 듯한 호기심 어린 눈으로 질문을 합니다.

✓ 최근에 가장 높은 점수는 언제였나요?
✓ 그때는 무엇이 달랐나요?
✓ 그때는 무엇을 다르게 행동했나요?
✓ 당신이 무엇을 하셨기에 좋았던 건가요?

5단계: 시각화하기

한 단계 더 높아질 때 어떤 상황이 될지를 고객에게 생생하게 설명하도록 합니다.

✓ 한 단계 1점이 더 올라가면 어떤 모습일까요?
✓ 한 단계 더 높은 수준에 도달하게 된 것을 어떻게 알 수 있을까요?
✓ 그러면 무엇이 달라질까요?
✓ 그러면 당신은 무엇을 할 수 있을까요?

6단계: 나아가기

고객이 한 걸음 더 나아갈 수 있도록 질문합니다.
✓ 우리가 나누는 이야기가 도움이 되었나요?
✓ 특히 어떤 것이 도움이 되었을까요?
✓ 그 도움이 된 것을 어떻게 한 걸음 더 나아가는 데 활용할 수 있을까요?
✓ 그 단계는 무엇일까요?
✓ 어떤 상황에서 그런 조치를 할 수 있을까요?

주의: 한 단계씩 올라가면서 점진적으로 사고가 확산하고 최소단위의 행동 변화가 이루어짐으로써 성공이 하나씩 쌓여 큰 성공을 하고 목적지까지 갈 수 있기 때문에 원하는 상태인 10까지 도달하는 방법을 목적지에 대한 단계별 목표와 계획을 실행할 수 있는 방법까지 고객이 발견하게 하는 질문입니다

실습 **"척도 질문"**

1) 2인 1조(A, B)로 구성합니다. 먼저 A는 코치, B는 고객이 됩니다.
2) A가 척도 질문을 하고 B는 답을 합니다.
3) A, B가 역할을 바꾸어 진행하고, 느낌을 나누어 봅니다.

구분	척도 질문
코치	"1점과 10점 사이에서 당신은 현재 몇 점에 있나요?" "1점에서 현재 점수가 되기까지 어떤 노력을 해 오셨나요?" "무엇이 도움이 되었나요? 어떤 방법이 효과적이었나요?" "어떻게 그렇게 할 수 있었나요?" "그 밖에 뭐가 도움이 되었나요?" "또 있다면 무엇일까요?(반복 질문) " "최근에 가장 높은 점수는 언제였나요?" "그때는 무엇이 달랐나요?" "그때는 무엇을 다르게 행동했나요?" "당신이 무엇을 하셨기에 좋았던 건가요?" "한 단계 1점이 더 올라가면 어떤 모습일까요?" "한 단계 더 높은 수준에 도달하게 된 것을 어떻게 알 수 있을까요?" "그러면 무엇이 달라질까요?" "그러면 당신은 무엇을 할 수 있을까요?" "우리가 나누는 이야기가 도움이 되었나요?" "특히 어떤 것이 도움이 되었을까요?" "그 도움이 된 것을 어떻게 한 걸음 더 나아가는 데 활용할 수 있을까요?" "그 단계는 어떤 것일까요?" "어떤 상황에서 그런 조치를 할 수 있을까요?"

4. 코칭 질문의 유형

긍정형 질문(Positive): 가능성, 긍정성, 에너지 고취
개방형 질문(Open): 확장, 미래형, 한계 극복
중립형 질문(Neutral): 객관적, 관점의 전환, 탐색

1) 긍정형 질문

긍정형 질문은 고객으로 하여금 긍정적 의식이 강화되고 에너지가 올라가도록 돕는 질문입니다. 긍정적 질문을 통해 고객은 저항이 없어지고 실행력이 강화됩니다.

- 상황을 긍정적으로 볼 수 있도록 도와주는 질문입니다.
- 부정 질문이 아닌 긍정적인 의미를 포함한 질문입니다.
  - ✓ 할 수 있는 방법이 있다면 무엇입니까?
  - ✓ 어떻게 하면 더 잘할 수 있을까요?
  - ✓ 어떻게 하면 일이 순조롭게 진행될까요?
  - ✓ 어떤 멋진 계획이 있을까요?

부정 질문	긍정 질문
"오늘 기분 나쁘니?"	"오늘 무슨 일 있니?"
• 부정적 감정을 이끎.	• 자신의 감정을 표현하도록 함.

긍정 질문은 행동을 이끄는 질문이고, 긍정형 단어가 포함된 질문입니다.
감정에 활력을 부여하여 구체적인 행동을 할 수 있도록 에너지를 고취하게 합니다.

실습 **"긍정형 질문"**

2인 1조로 구성합니다.

다음 내용을 질문으로 바꾸어 적어보고 파트너와 나누어 봅니다.

내용	긍정형 질문
새로운 가능성을 찾는 질문	
"할 일이 태산이야." "일이 엉망진창이 되었어." "요즘 몸이 너무 안 좋아요." "일을 어찌해야 할지를 모르겠어요." "일이 감당이 안 되네요."	
주어진 상황에서 긍정적인 면을 찾는 질문	
"나는 너무 무능력해." "실패하고 말았어요." "실패할까 봐 걱정이에요." "결국 실패했어요."	
칭찬, 인정, 지지, 격려 등 에너지를 올려주는 질문	
"나는 내세울 게 없어요." "일을 겨우 힘들게 끝냈네요." "이 정도는 누구나 할 수 있죠." "일 해봐야 누가 알아주는 것도 아니고."	

2) 개방형 질문 : 잠재력을 이끄는 질문

개방형 질문은 고객으로 하여금 생각을 열어주고 깊은 생각을 하도록 해줍니다. 개방형 질문을 통해 고객의 잠재된 능력을 깨워주고 가능성을 확산시켜 줍니다.

- 깊이 생각을 해야만 대답을 할 수 있는 질문입니다.
- 잠재되어 있는 능력을 일깨워 주고 확산적 사고를 줄 수 있는 질문입니다.
  - ✓ 당신은 앞으로 어떤 일을 하고 싶습니까?
  - ✓ 당신은 회사에서 어떤 일을 할 때 즐겁습니까?
  - ✓ 지금 상황이 어떻게 달라지길 바라나요?

닫힌 질문	개방형 질문
"숙제 많다더니 숙제했어, 안 했어?"	"그 많은 숙제를 어떻게 해결했어?" "어떤 상황이 되면 좋을까요?" "소중하게 여기는 것은 무엇인가?"
• 코치에게 의존이 생김.	• 스스로 계획하고 행동하게 함.

응답이 열려있는 질문으로 고객의 관점, 의견, 사고, 감정까지 끌어내어 촉진 관계를 형성합니다. 고객의 의식을 확장하고 강점을 확대합니다.

실습 **"개방형 질문"**

2인 1조로 구성합니다.

다음 내용을 개방형 질문으로 바꾸어 적어보고 파트너와 나누어 봅니다.

내용	열린 질문
선택의 폭이 넓고, 생각을 확장해 주는 질문	
"잘 될까?" "이 정도면 됐냐?"	
미래형으로 변화하기 원하는 쪽으로 생각을 발전해 주는 질문	
"무엇이 문제야?" "앞날이 걱정이야." "이 일이 앞을 가로막는군요." "사람들이 싫어졌어요."	
장애요인을 넘어서서 생각을 열어주고 한계를 극복하도록 해주는 질문	
"문제가 심각해요." "나는 능력이 없어요." "나는 가진 것이 없어요." "일을 끝낼 자신이 없어요."	

3) 중립형 질문

중립형 질문은 고객으로 하여금 한쪽으로 치우치지 않고 균형감이 있는 생각을 하도록 도와줍니다. 중립형 질문을 통해 다양한 관점에서 생각해 보고 객관적으로 볼 수 있게 해 줍니다.

실습 **"중립형 질문"**

2인 1조로 구성합니다.
다음 내용을 중립형 질문으로 바꾸어 적어보고 파트너와 나누어 봅니다.

내용	열린 질문
한쪽으로 치우치지 않게 중립적이고 객관적인 언어를 사용	
"그동안 시간만 낭비했어!" "그 일로 크게 피해를 봤죠." "생각만 해도 끔찍해요."	
다른 관점에서 생각해 볼 수 있도록 사람, 시간, 공간을 활용	
"그 사람은 나를 싫어해요." "더 이상은 방법이 없어요." "그 사람은 나를 괴롭혀요." "여기서 포기하고 싶어요."	
객관적인 사실을 탐색하는 질문	
"일이 엉망이 되어 버렸어요." "이것이 없으면 살 수가 없어요." "나는 불행한 사람이에요."	

실습 **"코칭 질문 변환"**

2인 1조로 구성합니다.
다음 내용의 일반적인 질문을 코칭 질문으로 변환해 보고, 파트너와 교환해 봅니다.

일반적 질문	코칭 변환 질문
부정적 질문	긍정적 질문 (가능성, 긍정형, 에너지 고취)
"하기 싫은 것은 무엇인가요?" "부족한 것은 무엇인가요?" "실패한 이유가 무엇인가요?" "앞으로 걱정되는 점은 무엇인가요?"	
폐쇄적/과거형 질문	개방적 질문(열린, 미래형, 한계 극복)
"휴가 때 놀러 갈까?" "과학자가 되고 싶니?" "의사가 되고 싶니?" "꿈이 뭐니?" "누구 책임이죠?" "지금까지 무엇을 해봤어요?" "할 수 있는 게 어디까지야?"	
일방적/ 추궁형 질문	중립적 질문(중립형, 관점 전환, 탐색)
"지금까지 무엇을 한 건가요?" "왜 그랬어요?" "일을 왜 이렇게 엉망으로 한 건가요?" "이 일을 어쩌죠?" "왜 불필요한 일에 시간을 낭비하나요?"	

실습 **"긍정형/ 개방형/ 중립형 질문"**

1) 3인 1조(A, B, C)로 구성합니다.
2) 코치와 고객, 관찰자로 역할을 나눕니다.
3) 고객은 코치와 마주 보고 "불쾌하거나 실망했던 일"에 대해 이야기를 합니다.
4) 고객은 대화할 때, 스스로 부정적이고 싫은 것이 많으며 과거에 집착하고 편협한 생각에 사로잡혀 질책과 비난을 하는 사람의 입장에서 대화를 합니다.
5) 코치는 질문을 통해 고객의 생각이 긍정적/개방적/중립적으로 전환되도록 대화를 진행합니다.
6) 대화가 끝난 후 고객과 코치, 관찰자는 대화의 과정에서 긍정적/개방적/중립적인 질문의 포인트를 찾아 피드백을 나눕니다.
7) 역할을 바꾸어서 진행하고 느낌을 나누어 봅니다.

5. 코칭 질문의 형식

- 코칭 질문을 긍정형/개방형/중립형으로 하기 위해 코칭 질문의 형식을 연습합니다.
- 질문을 긍정형/개방형/중립형으로 하기 위해서는 가급적 Why를 쓰지 않는 것이 좋습니다.
- Why 대신에 If, How, What을 사용하면 질문이 확장되고 중립적이 될 수 있습니다.

<table>
<tr><th>형식</th><th>질문 종류</th><th>질문 효과</th></tr>
<tr><td rowspan="2">If</td><td>가정법 질문</td><td>가능성 확장, 긍정적</td></tr>
<tr><td colspan="2">“~라면 ~ 할까요?”
“만약 한다면 어떨까요?”</td></tr>
<tr><td rowspan="2">How</td><td>‘어떻게’ 질문</td><td>긍정적 전환, 가능성 확장, 미래형</td></tr>
<tr><td colspan="2">“어떻게 하면 ~할까요?”
“어떻게 하면 해결될까요?”</td></tr>
<tr><td rowspan="2">What</td><td>‘무엇이’ 질문</td><td>개방적, 중립적, 긍정적</td></tr>
<tr><td colspan="2">“해결하려면 무엇을 하면 좋을까요?”
“원하는 것이 무엇입니까?”</td></tr>
<tr><td rowspan="2">However</td><td>‘그럼에도 불구하고’ 질문</td><td>개방적, 가능성, 긍정적 전환</td></tr>
<tr><td colspan="2">“그럼에도 불구하고 좋은 방법은 무엇인가요?”
“그럼에도 불구하고 할 수 있는 것은 무엇인가요?”</td></tr>
<tr><td rowspan="2">What If</td><td>관점 전환 질문</td><td>중립적 관점 전환, 탐색형</td></tr>
<tr><td colspan="2">“만약 ~라면 어떻게 하시겠어요?”
“만약 ~이 해결되면 어떨까요?”</td></tr>
<tr><td rowspan="2">What makes</td><td>중립적 탐색 질문</td><td>중립적, 탐색형</td></tr>
<tr><td colspan="2">“무엇이 이런 결과를 만들었나요?”
“무엇이 그것을 하게 만들었을 거라고 생각하나요?”</td></tr>
</table>

❖ 코칭 질문 형식 효과

- If/How/What을 사용한 코칭 질문은 아래와 같은 효과가 있습니다.
  다음 내용을 숙지하세요.

종류	효과	질문
If 가정법	가능성 긍정적	• 꿈이 있다면, 어떤 꿈이 있을까요? • 돈과 시간이 충분하다면, 앞으로 무엇을 하고 싶으세요? • 이 문제가 깨끗이 해결된다면, 어떤 모습일까요? • 1%의 가능성이 있다면, 어떤 방법이 있을까요?
How 어떻게	긍정적 가능성 미래형	• 어떻게 해야 할까요? • 어떻게 하면 일을 잘 수습할 수 있을까요? • 어떻게 하면 앞으로 제시간에 올 수 있을까요? • 어떻게 하면 대화의 문을 자연스럽게 열 수 있을까요?
What 무엇이	개방적 중립적 긍정적	• 무엇을 하면 좋을까? • 이 일을 위해 무엇이 필요할까? • 오히려 잘된 것은 무엇일까? • 무엇이 이렇게 만들었을까?
However 그럼에도 불구하고	개방적 가능성 긍정적	• 그럼에도 불구하고 시도해 볼 수 있는 방법이 있다면? • 그럼에도 불구하고 다시 생각해 본다면 어떻게 볼 수 있을까요?
What If 관점 전환	중립적 관점 전환 탐색형	• 만약 그 사람이라면 당신을 어떻게 생각할까요? • 그 사람의 입장에서 당신의 말을 어떻게 느낄 수 있을까요? • 먼 미래에 이 일을 다시 생각해 본다면 어떻게 볼 수 있을까요?
What makes 중립적 탐색	중립적 탐색형	• 무엇이 숙제를 하는 데 방해가 되었을까? • 무엇이 화가 나게 만들었을까? • 무엇이 이 일이 잘되는 데 걸림돌이 되었을까? • 무엇이 새로운 생각을 하게 만들었을까?

6. 강력한 질문과 실습

1) 정보 질문

코칭은 기본적으로 고객에 대한 정보가 있어야 시작이 됩니다. 여기서 말하는 정보는 나이가 몇 살인지, 직원 수는 몇 명인지, 거주지는 어디인지 등 이런 피상적인 정보를 말하는 것이 아닙니다. 물론 이런 정보들도 필요하면 질문을 할 수 있겠지만, 정보 질문이라고 할 때 그것이 의미하는 것은 고객이 처한 상황이나 그것과 관련된 정황, 그것과 관련된 고객의 생각이나 고객이 가지고 있는 가치관 등 핵심을 파악하는 데 도움이 되는 질문을 말합니다.

✓ "이 회사에 입사한 동기는 무엇인가요?"
✓ "아내가 그렇게 말할 때 당신은 주로 어떤 반응을 보이나요?"
✓ "당신이 생각하는 성공은 어떤 것인가요?"
✓ "주변에 마음을 터놓고 이야기할 사람은 누가 있나요?"

실습

1) 2인 1조(A, B)로 구성합니다. 먼저 A는 코치, B는 고객이 됩니다.
2) 정보 질문의 예문을 만들어 보고 A가 먼저 만든 질문을 합니다.
3) A, B가 순서를 바꾸어 질문을 합니다.

2) 핵심 질문

정보 질문을 통해서 고객이 이야기한 내용을 듣다 보면 고객이 처음에 가지고 온 코칭 주제와 관련해서 문제의 핵심이라고 여겨지는 부분이 보입니다.

고객으로 하여금 문제의 핵심을 바로 대면해서 그것을 깊이 생각해 보도록 하는데, 이때의 질문이 바로 핵심 질문입니다.

핵심 가치 질문은 삶의 방향을 이끄는 질문으로 자신의 근본적인 삶의 의미와 가치를 삶의 중심에 두고 방향을 찾을 수 있도록 합니다.

- ✓ "정말 하고 싶은 게 무엇입니까?"
- ✓ "여보, 도대체 무슨 생각 하고 있어요?"
- ✓ "이 상황에서 당신은 당신의 가치관과 맞게 행동하고 있다고 생각하나요?"
- ✓ "이 상황에서 누가 가장 유익을 얻겠습니까?"

실습

1) 2인 1조(A, B)로 구성합니다. 먼저 A는 코치, B는 고객이 됩니다.
2) 핵심 가치 질문의 예문을 만들어 보고 A가 먼저 만든 질문을 합니다.
3) A, B가 순서를 바꾸어 질문을 합니다.

3) 관점 질문

핵심 질문이 문제의 핵심을 정면에서 생각해 보게 하는 질문이라면 관점 질문은 문제를 전혀 다른 각도에서 생각해 보도록 하는 질문입니다. 예를 들어 입장을 바꾸어 보거나 시점을 바꾸어 보거나, 반대의 개념에서 접근해 보거나 특별한 상황을 가정해서 생각해 보는 것입니다.

문제를 다른 관점에서 생각해 보도록 하는 질문이 관점 질문입니다.

- ✓ "이 문제가 고통이 아니라 성장의 기회라고 한다면, 이것은 당신에게 어떤 의미가 있을까요?"
- ✓ "당신이 담당부장이라면 이 상황을 어떻게 처리하겠습니까?"
- ✓ "이대로 간다면 5년 후에는 당신의 삶이 어떻게 되어 있을까요?"
- ✓ "지금 이 상황에서 만일 당신이 피해자가 아니라 가해자라면 상대방은 어떤 피해를 입었을까요?"

실습

1) 2인 1조(A, B)로 구성합니다. 먼저 A는 코치, B는 고객이 됩니다.
2) 관점 질문의 예문을 만들어 보고 A가 먼저 만든 질문을 합니다.
3) A, B가 순서를 바꾸어 질문을 합니다.

4) 행동 질문

행동 질문은 크게 두 부분으로 나누어집니다.

첫째는 행동에 대한 책임을 생각해 보는 질문입니다. 고객으로 하여금 자신의 행동이 끼친 영향을 돌아보게 하는 질문입니다.

둘째는 사전 행동을 계획하게 하는 질문입니다. 다른 말로 하면 삶의 변화를 위해 구체적이고 행동을 촉구하는 질문을 말합니다.

- ✓ "당신의 행동이 그 문제의 발생에 어떻게 영향을 미쳤을까요?"
- ✓ "관계를 개선하기 위해 어떤 노력을 하고 있을까요?"
- ✓ "이 상황을 더 좋게 하기 위해 당신이 할 수 있는 것은 무엇인가요?"
- ✓ "A씨와의 계약을 성사시키기 위해 당신이 준비해야 할 것은 무엇인가요?"

실습

1) 2인 1조(A, B)로 구성합니다. 먼저 A는 코치, B는 고객이 됩니다.
2) 행동 질문의 예문을 만들어 보고 A가 먼저 만든 질문을 합니다.
3) A, B가 순서를 바꾸어 질문을 합니다.

5) 공감 질문

감정추정:
- ✓ 기분(감정)이 ~한 것 같은데, 그런가요?(맞나요? 또는 어떠세요?)
- ✓ 서운하셨던 것 같은데, 맞나요?

욕구추정:
- ✓ ~을 원하신 것 같은데, 그런가요?(맞나요? 또는 어떠세요?)
- ✓ 좀 더 배려해 주기를 원하신 것 같은데, 어떠세요?

감정과 욕구:
- ✓ 기분(감정)이 ~한 것 같은데, ~ 때문인가요?(~가 잘 안되어서 그러신가요?)
- ✓ 답답하신 것 같은데, 생각대로 일이 잘 안 풀려서 그러신가요?

욕구와 감정:
- ✓ ~을 원했는데 잘 (안) 돼서 (기분이) ~하신가요?(하시겠네요)
- ✓ 마음을 이해해 주기를 바랐는데 잘 안 돼서 섭섭하시겠네요. 어떠세요?

실습

조별로 위의 질문의 유형을 활용하여 다음 문장을 질문으로 전환해 보세요.

문장	질문 만들기
1. 요즘 애들은 예의가 없다.	
2. 그것은 당연하다.	
3. 사람이 지겹다.	
4. 그들은 나를 이해하지 못한다.	
5. 그들의 결정이 유감스럽다.	
6. 그것이 좋겠다.	
7. 그 일은 할 수 없다.	
8. 그는 나를 불안하게 한다.	
9. 연습에 왕도가 없다.	
10. 그것은 너무 비싸다.	

4-3. 피드백

피드백(Feed back)은 말 그대로 고객의 성장을 위해서 고객에게 그가 한 말이나 행동에 대해 반응이나 의견을 되돌려 주는 것을 말합니다. 피드백은 자신을 성찰할 수 있는 기회를 주는 것입니다.

피드백을 생각할 때 우리가 저지르는 한 가지 실수가 있습니다. 그것은 피드백을 잘못된 것을 지적하는 것이라 생각하는 것입니다. 피드백은 결코 예리하게 분석해서 잘못된 것을 지적하는 것이 아닙니다. 그것은 피드백이 아닙니다. 그것은 비난입니다. 비난을 받으면 상대방은 마음에 상처를 입게 됩니다. 그리고 절망하거나 좌절하기까지 합니다. 그리고 관계가 깨질 수 있습니다.

피드백의 목적은 어디까지나 '상대방의 성장'에 있습니다. 상대방이 자신의 삶을 성찰해 보게 함으로써 자신의 삶을 더 나은 방향으로 성장하도록 돕는 것입니다. 상대방이 성장하도록 도우려면 그가 한 말이나 행동에 대해 잘한 점과 잘못한 점을 균형 있게 말해주어야 합니다. 그래야 잘한 것은 더욱 개발시키고, 잘못한 것은 개선해 나갈 수 있습니다. 한마디로 건설적인 피드백을 해주어야 하는 것입니다.

1. 피드백의 개념

피드백의 어원은 전자공학 용어로 '출력신호의 일부를 이전 단계의 입력으로 돌려보내는 것'을 의미합니다. 어떤 시스템에서 출력신호의 일부가 입력으로 다시 들어가서 시스템의 동적인 행동을 변화시키는 과정의 총체를 의미합니다.

- 어떤 행동의 결과가 처음 목적에 부합되는 것인가를 확인하여, 그 정보를 행위의 원천으로 되돌려 보내어 적절한 상태가 되도록 수정을 가하는 일로, 교육적 의미는 학습 결과를 평가하고 그것을 학습 지도 방법에 효과적으로 반영하는 것입니다.
- 상대방이 피드백을 통해 실망하거나 의욕이 떨어진다면 잘못된 피드백입니다.
- 의욕을 떨어뜨리는 피드백은 상대의 잘못된 점을 정확하게 지적하려고 하기 때문입니다.
- 잘못된 점을 짚어 주는 것은 필요하지만 그것을 통해 상대방의 에너지를 높여주기 위해 코치는 피드백 기술을 이해하고 있어야 합니다.

2. 피드백의 원리

피드백은 긍정적 피드백으로 시작합니다. 피드백을 받아들일 수 있는 상태를 먼저 만들어 주기 위해서는 긍정적 피드백으로 마음의 문을 열고, 발전적 피드백과 교정적 피드백으로 진행을 합니다.

1) 적시에 구체적으로 한다

'적시에'란 적절한 시기를 말합니다. 피드백하기에 적절한 시기는 언제일까요? 그것은 상대방의 말이나 행동이 끝났을 때입니다. 혹은 상대방이 피드백을 요청했을 때입니다. 자신의 말과 행동을 기억하고 있는 상태에서 요청한 피드백은 긍정적인 피드백으로 먼저 진행을 합니다.

'구체적'이란 구체적인 내용을 언급합니다. 우리는 주변에서 '좋았어요', '괜찮았어요', '별로였어요' 등 밀튼 언어의 피드백을 주로 듣습니다. 이런 피드백은 발전적이지 않습니다. 피드백을 할 때는 내 느낌이나 생각을 말하기 이전에 그렇게 느끼고 생각하게 된 구체적인 상황을 언급해 주어야 합니다. 그래야 상대방이 발전하거나 교정해 나갈 수 있습니다. 구체적으로 해야 상대방이 성장할 수 있습니다.

피드백	내용
나 중심 피드백	"이봐, 김 대리! 오늘 자네 프레젠테이션은 왜 그렇게 두서없이 길었나! 뭐가 핵심인지 알 수가 없잖은가! 자넨 학교 다닐 때 프레젠테이션도 안 배웠나? 프레젠테이션을 할 때 핵심을 부각해야 하는 거야, 핵심! 말이야! 수정해서 다시 내일 발표하도록 하게!"
상대 중심 피드백	"이봐, 김 대리! 오늘 자네 프레젠테이션은 좀 길었네, 그 내용을 도표화해서 한 화면에 담아냈다면 좋았을 텐데.... 참석자들이 일목요연하게 이해할 수 있었을 거야..., 그 많은 내용을 여러 화면에 그냥 나열해서 발표를 하니까 핵심이 드러나지 않고, 길게 느껴졌네."

2) 긍정적인 개선으로 한다

피드백을 할 때 우리가 한 가지 기억해야 할 것은 어떤 사람도 절대적으로 틀린 경우는 없다는 것입니다. 내가 틀렸다고 생각하는 것을 상대는 잘했다고 볼 수도 있습니다. 그래서 피드백을 할 때는 먼저 잘한 점을 칭찬해 줄 수 있는 긍정적인 면을 먼저 이야기합니다.

사람들은 누구나 어떤 상황에서도 그 당시 최선의 선택과 최고의 성과를 이루고 싶어 합니다. 그래서 피드백에서도 누구나 어떤 상황에서도 격려받고 인정받고 싶어 합니다. 그러므로 먼저 긍정을 해줌으로써 상대방은 지지받고 격려받는다는 것을 느끼게 해주어야 합니다. 그리고 긍정을 할 때는 구체적인 내용에 초점을 맞추어서 합니다.

피드백	내용
나 중심 피드백	"이봐, 김 대리, 자네 오늘 발표에서 타 회사의 매출을 비교 분석 한 것을 상품에 비유를 들었는데, 그냥 말로만 하니까 너무 밋밋했네. 기왕이면 이미지나 동영상을 좀 사용해 보지 그랬어! 이해도 쉽고, 기억하기도 좋고 말이야. 자네는 아이디어는 좋은데, 마지막 한 방을 날리는 게 없는 게 늘 아쉬워,"
상대 중심 피드백	"이봐, 김 대리, 자네 오늘 발표에서 타 회사의 매출을 비교 분석 한 것을 상품에 비유를 들었는데, 그거 정말 좋았네. 자네 비유는 나로 하여금 삶의 균형에 대해 다시 한번 돌아보게 해주었어! 나는 김 대리가 그렇게 생활 속에서 실제적인 비유를 들 때마다 많은 통찰력을 얻네. 그리고 다음에 또 비유를 들게 되거든 그때는 그 비유에 맞는 이미지나 동영상을 준비해 보게! 그러면 좀 더 확실하게 각인이 될 걸세!"

3) 그런데와 그리고

피드백은 상대방이 한 말이나 행동에 대해 평가를 하는 것입니다. 그렇기 때문에 피드백을 할 때 앞에서 긍정적인 언어로 진행하고 나서 "그런데~" 하고 말을 이어가면 앞에서 한 긍정적 피드백은 사라지고 그런데 이후의 피드백만 마음에 담게 됩니다.

피드백을 할 때는 접속사에 유의해야 합니다. 왜냐하면 '그런데'라는 접속사는 역접 접속사로, 앞에서 한 긍정적 피드백은 형식적으로 인식하고, 진짜는 이제부터 시작하는 거라는 것으로 받아들이게 됩니다. 그래서 피드백을 할 때는 '그리고'인 순접 접속사를 사용하는 것이 좋습니다. 물론 일방적인 대화에서는 얼마든지 '그런데', '그러나', '그렇지만' 등 역접 접속사를 사용할 수 있습니다. 그러나 피드백에서는 상대의 성장을 돕기 위한 것으로 방향을 돌리는 역접 접속사는 적절하지 않습니다. 이러한 이유로 '그리고'라는 순접 접속사를 사용합니다.

순접 접속사는 긍정으로 나가던 방향을 그대로 유지한다는 의미입니다. 다시 말해서 긍정한 후에 "그리고 ~"라고 피드백을 하게 되면, '그 긍정에 덧붙여서 더 발전을 하려면 ~'이라는 메시지를 전하게 됩니다. 그렇게 되면 긍정 후에 오는 개선 사항을 더욱 적극적으로 받아들이게 됩니다. 성장은 그 지점에서 오는 것입니다.

피드백	내용
나 중심 피드백	"당신, 오늘 모처럼 청소를 해주어서 고마웠어요. 그런데 청소할 때 사용하던 물건은 그대로 있네요. 그리고 쓰고 난 것은 다시 제자리로 갖다 놓으면 좋겠어요."
상대 중심 피드백	"당신, 오늘 모처럼 청소를 해주어서 고마웠어요. 당신이 청소하는 모습에서 저에 대한 배려가 느껴져서 좋았어요. 그리고 혹시 다음에 청소할 때는 사용했던 물건을 다시 제자리에 놓으면 더 좋을 것 같아요."

4) 개선은 미래형으로

코칭은 고객의 발전적인 미래를 위한 것으로 개선이 요구될 때는 과거 지향적인 지적과 비난을 지양하고 미래 지향적인 방향으로 피드백을 합니다.

피드백	내용
나 중심 피드백	"와~ 우리 민준이가 숙제를 다 했구나! 이제 보니 아주 제법인걸! 지난주에는 엄마가 숙제하라고 해야만 했었는데, 네가 스스로 할 일을 하는 것을 보니까 엄마가 다 뿌듯하다. 그런데, 앞으로는 숙제를 할 때 참고서를 보고 하는 것보다는 네 스스로 문제를 풀면 더 좋을 것 같다."
상대 중심 피드백	"와~ 우리 민준이가 숙제를 다 했구나! 이제 보니 아주 제법인걸! 네가 스스로 네 할 일을 하는 것을 보니까 엄마가 다 뿌듯하다. 그리고 다음에 숙제를 할 때는 네가 먼저 문제를 풀어본 다음에 참고서로 확인하면 더 좋을 것 같아."

3. 코칭 피드백 방법

코치로서 고객에게 하는 피드백 과정

- 사람보다는 행동에 초점을 맞춥니다.
- 단순한 평가, 비난, 비판이 되지 않도록 중립 언어로 표현합니다.
- 현재의 행동과 바라는 행동의 갭을 확인할 수 있도록 합니다.
- 신뢰하는 환경에서 간결한 질문이나 문장을 사용합니다.
- 관찰 가능한 행동에 기초합니다.
- 성과 개선에서 잘못이 아닌 부족한 부분에 초점을 맞춥니다.
- 결과보다 과정에 대한 부분을 중요하게 다룹니다.

고객이 코치에게 하는 피드백 과정

- 긍정적이고 생산적인 피드백을 합니다.
- 가능한 한 구체적으로 피드백을 합니다.
- 코치의 질문을 메모하여 그 내용을 바탕으로 피드백을 합니다.
- 코칭 과정에서 발견된 변화와 생각과 느낌을 이야기합니다.
- 코칭의 과정에서 느낀 감정, 에너지, 의식 변화를 기준으로 피드백을 합니다.

실습

1) 2인 1조(A, B)로 구성합니다. 먼저 A는 코치, B는 고객이 됩니다.
2) A가 먼저 누군가를 도와주었던 경험이나 성취했던 경험을 이야기합니다.
3) B는 A의 이야기를 듣고 4가지 피드백의 원리를 적용하여 피드백합니다.
4) 그런 다음 A와 B가 순서를 바꾸어 진행합니다.(내가 보는 관점에서) 그리고 서로 느낌을 나눕니다.

4. 피드백의 효과

- 행동의 변화를 통해 자신의 본질과 가까워질 수 있습니다.
- 추구하는 목표와 변화를 가속시키고 자기 신뢰를 고취시키며 발전적 행동을 지속하도록 고무시킵니다.
- 자신이 하고 있는 행동과 바라는 행동의 차이를 확인할 수 있습니다.
- 이미 잘한 행동과 성과를 더 잘할 수 있도록 촉진합니다.

☑ 지금까지 지내면서 상대가 내가 잘되라고 가르치거나 지적해서 해준 말이 상처가 되었던 말을 적어보세요. 그 말이 어떻게 바뀌면 행동이 변화될 수 있었을지를 생각하고 피드백을 합니다.

대상	상처가 된 피드백

5. 피드백의 종류

1) 긍정적 피드백

- 잘한 점에 대해 구체적인 사실을 발견하여 칭찬합니다.
- 상대방의 긍정적 의도를 찾아 줍니다.
- 형식적인 칭찬은 효과가 적습니다.
- 인간에 대한 의식을 유념하여 상대의 긍정성을 경청합니다.
- 그 사람의 탁월한 점, 장점을 정확히 찾아서 피드백합니다.

2) 발전적 피드백

- 상대에게 더 발전되고 다양한 방안을 제시하는 피드백입니다.
- 구체적인 사실을 언급하고 개선할 부분에 대한 개선안을 제시합니다.
- '이렇게 한 것을 이렇게 해보면 어떨까?' 하고 방향을 제시합니다.
- 관점을 바꿔서 대안을 찾아봅니다.
- '이렇게 본 것을 저런 관점에서 보면 어떨까?' 하고 관점 전환을 제시합니다.

3) 교정적 피드백

- 발견된 사실과 행동에 대하여 객관적으로 진술합니다.
- 그것에 대한 생각과 느낌을 분명하게 전달합니다.
- 변화되기를 원하는 것에 대해 확실하게 요청합니다.
- 긍정적 언어를 사용하며, 부정적 단어 사용을 주의합니다.
- 전문가가 아니면 사용하지 않는 것이 바람직합니다.

※ 긍정적 피드백의 공식

- Action(행동): 사람 자체가 아닌 구체적인 행동을 지적한다.
- Impact(영향): 그 행동이 미치는 영향을 표현한다.
- Desired outcome(바람직한 결과): 바라는 행동에 대해 구체적으로 말한다.

4) 샌드위치 피드백

피드백을 할 때 꼭 기억해야 할 것이 샌드위치 피드백 기술입니다. 위아래 빵 사이를 각종 내용물로 채운 샌드위치처럼 피드백의 시작과 마무리를 긍정적인 피드백으로 하는 것을 말합니다.

① 칭찬 먼저 말하기(긍정적 피드백)

- 잘한 점, 좋은 점, 장점을 먼저 말해줍니다.
- 관찰한 것을 사실 중심으로 합니다.

② 개선할 점과 요청을 말하기(발전적/교정적 피드백)

- 개선해야 할 점을 사실과 대안 중심으로 말합니다.
- 교정적 피드백을 객관적으로 신중하게 합니다.
- 요청한 것은 분명하게 전달합니다.

③ 칭찬으로 마무리(긍정적 피드백)

- 그럼에도 불구하고 상대방의 탁월한 점을 찾아서 말해줍니다.

5) 코칭 피드백

코칭 피드백은 실제 코칭을 관찰하고 이에 대한 의견을 나타내는 것입니다. 코칭 피드백을 통해 피드백을 받는 사람과 제공하는 사람 모두 코칭 역량을 강화하고 보완하는 기회를 갖게 됩니다. 따라서 코칭 피드백에 대한 훈련이 필요합니다.

자신과 코치의 코칭실습에 대한 피드백을 함으로써 코칭 역량과 기술이 향상됩니다.

	내용
코칭 피드백 작성 기준	• 잘한 부분과 보완이 필요한 부분을 구체적이고 명확하게 제시합니다.
	• 코칭 철학의 이해를 바탕으로 코칭 관계를 형성합니다.
	• 코칭 기본 스킬을 효과적으로 사용합니다.
	• 코칭 프로세스를 자연스럽게 진행합니다.
	• 코칭 핵심 역량을 적절히 활용하고 코치 윤리를 준수합니다.

실습 **"샌드위치 피드백"**

1) 2인 1조(A, B)로 구성합니다. 먼저 A는 코치, B는 고객이 됩니다.
2) A가 먼저 누군가를 도와주었던 경험이나 성취했던 경험을 이야기합니다.
3) B는 A의 이야기를 듣고 샌드위치 피드백을 합니다.
4) 그런 다음 A와 B가 순서를 바꾸어 진행합니다.(내가 보는 관점에서)
   그리고 느낌을 나눕니다.

___

___

___

___

___

6) 실행 피드백

실행 피드백은 고객이 코칭에서 실행을 약속한 내용에 대해 코치와 고객이 상호책임을 가지고 배움과 성찰을 통해 지속적이거나 새로운 시도를 하도록 에너지를 올리는 과정입니다. 코치는 고객의 실행에 대한 상호책임을 위해 실행에 대한 확인과 그에 대한 인정과 지지, 격려를 아끼지 않습니다.

결과보다 과정에서 배움을 얻는 것이 중요하고 고객이 새로운 도전을 통해 성장할 수 있도록 자신과 세상에 대한 알아차림이 일어나도록 돕습니다.

실행 피드백에서 코치는 절대적으로 긍정적, 개방적, 중립적인 태도를 유지하고 피드백에서 실망, 비난, 질책의 느낌이 없도록 합니다.

❖ 실행 피드백 질문

"진행해 보니 어떠셨나요?"
"그런 시도를 한 것만으로도 대단한 겁니다."
"다음엔 더 잘할 수 있을 겁니다."
"이 일을 통해서 자신에 대해 새롭게 발견한 것이 있다면 무엇인가요?"
"그 과정을 통해 어떤 배움을 얻게 되었나요?"
"무엇이 그것을 잘할 수 있게 해주었나요?"
"무엇이 그것을 어렵게 만들었나요?"
"더 잘하기 위해 어떤 것을 준비하는 것이 좋을까요?"
"무엇을 새롭게 해보고 싶어졌나요?"

실습 **"실행 피드백"**

1) 2인 1조(A, B)로 구성합니다. 먼저 A는 코치, B는 고객이 됩니다.
2) 코치와 고객으로 역할을 나누고, 고객은 코치와 마주 보고 대화를 합니다.
3) 코치는 고객이 전 세션에서 한 가지 실행 약속을 잡은 것으로 가정하고 그 결과에 대해 코치가 질문하고 피드백을 진행합니다.
4) 고객은 실행 약속을 잘 이행한 것으로 가정하여 대화를 진행합니다.
5) 역할을 바꾸어 진행하고 느낌을 나눕니다.

7) 미실행에 대한 피드백

고객이 약속한 행동을 실행하지 못했을 때, 코치는 고객에게 중립적이고 긍정적인 피드백을 해줍니다.

미실행에 대하여 코치가 판단이나 실망, 질책을 하지 않도록 주의합니다.

미실행에 대하여 코치는 다음의 관점에서 다시 피드백을 합니다. 무엇이 행동을 하는 데 어렵게 만들었는지를 중립적으로 찾아보고, 실행 가능성을 높이는 행동 설계를 합니다.

행동 변화의 동기를 먼저 확인하고 동기가 분명한 경우에는 어떤 요소들이 행동을 어렵게 하는지 확인하고 장애요인을 제거하도록 돕습니다.

※ 미실행 피드백 질문

"진행해 보니 어떠셨나요?"
"무엇이 실행하는 데 어렵게 만들었을까요?"
"현재 하고 싶다는 생각은 몇 점 정도 되는 것 같으세요?"
"이 방법 이외에 다른 방법을 생각해 보고 싶으신가요?"
"행동에 방해가 되는 것은 무엇인가요?"
"어떤 환경을 만들면 좀 더 쉽게 할 수 있을까요?"
"이것을 하기 위해 그만두어야 할 것이 있다면 무엇이 있을까요?"
"바꾸어야 할 습관은 무엇인가요?"

❖ 호감을 주는 맞장구 피드백

- 사실 피드백

중요한 포인트를 되풀이해 줍니다. 이는 상대방이 '내 말을 놓치지 않고 있구나' 하는 신뢰감을 심어줍니다.

- 감정 피드백

상대방의 감정을 듣는 사람의 입장에서 이야기해 주면 상대방은 자신의 마음을 이해해 주고 있다는 것으로 친근감을 갖습니다.

실습 **"미실행 피드백"**

1) 2인 1조(A, B)로 구성합니다. 먼저 A는 코치, B는 고객이 됩니다.
2) 코치와 고객으로 역할을 나누고, 고객은 코치와 마주 보고 대화를 합니다.
3) 코치는 고객이 전 세션에서 한 가지 실행 약속을 잡은 것으로 가정하고 그 결과에 대해 코치가 질문하고 피드백을 진행합니다.
4) 고객은 미실행한 경우를 가정하여 대화를 진행합니다.
5) 역할을 바꾸어 진행하고 느낌을 나눕니다.

4-4. 또래코치는 S.E.A.

변화와 성장을 위해 FRIENDSHIP 또래코치는 파트너인 또래 친구에게 S.E.A를 제공합니다. S.E.A는 지지(Support)와 격려(Encouragement), 그리고 상호책임(Accountability)을 말합니다.

S.E.A는 성장과 행동 변화를 경험하고자 하는 사람들이 또래코칭의 현장에서 제공받게 됩니다. 또래코치는 또래 친구의 삶의 변화에 동참하는 코치로 또래 친구의 큰 변화를 위해 응원하고 지켜봐 줄 친구입니다. 코칭의 성공을 위한 가장 좋은 방법은 또래코치가 되어 S.E.A를 제공하는 것입니다.

❖ S.E.A 인정과 수용

다른 사람을 인정하고 감사하며, 다른 사람을 정말 탁월한 사람으로 보기 위해서 자신을 발견하는 것이 필요합니다. 다른 사람의 지지와 격려를 기쁘게 받아들일 수 있을 때 타인에 대한 진정한 상호책임이 가능해집니다.

- 실제적이고 구체적인 행동을 할 수 있도록 격려하고 지지할 때 상호책임으로 결과를 만들어 낼 수 있습니다.
- 지지하고 격려하는 것은 결과보다 과정에 초점을 맞추며, 노력하고, 기여하고, 학습한 것을 점검하는 상호책임으로 이어질 수 있습니다.
- 고객의 존재를 있는 그대로 인정하는 것도 S.E.A입니다.

실습

사례	S 지지	E 격려	A 상호책임
엄마, 1등 하고 싶어요.			
엄마, 공부를 열심히 했는데도 성적이 많이 떨어졌어요.			

❖ S.E.A의 힘

- 코칭은 강력한 실천을 목표로 합니다.
- 실천하려면 에너지가 필요합니다.
- 코칭받는 사람을 위한 에너지 충전 기술입니다.

❖ S.E.A의 효과

작은 성공이라도 이에 대한 지지와 격려와 상호책임을 인정하면 자존감과 유능감을 형성합니다.
결과뿐만 아니라 과정에서의 노력에 대한 S.E.A.를 제공할 때, 작은 일에도 최선을 다할 뿐만 아니라 도전하고자 하는 근성을 갖게 됩니다.
인간관계를 강화해 줍니다.

❖ S.E.A.의 코칭 접근법

- 코칭받는 사람에게 초점을 맞춥니다.
- 시기적절하게 진심으로 제공합니다.
- 구체적인 기여, 학습, 행동을 명확히 합니다.
- 개인적으로 기여한 것과 감정을 명확히 합니다.
- 대화의 긴장을 풀어주기 위해 사용합니다.
- 의도나 동기에 초점을 맞추어 사용합니다.
- 진심으로 느끼도록 구체적으로 합니다.

❖ S.E.A.의 방법

또래코치는 코칭 이후에 지속적으로 고객의 계획 실행에 대해 관심을 유지합니다.
고객이 코칭의 목표를 달성할 수 있도록 또래코치는 지원과 격려를 지속하고 상호책임을 제공합니다.
계획한 대로 잘 실천하고 있다면 지지적 피드백을 통해 실천을 강화할 수 있도록 하고 실천에 문제가 있다면 중립적 피드백을 할 수도 있습니다.
실행을 촉진하기 위해 지원할 부분이 있는지 질문하고 필요하면 정보를 제공합니다.
고객이 성공 경험을 가질 수 있도록 지원합니다.

❖ S.E.A.의 주요 질문

✓ 계획한 것은 잘 실행하고 있나요?
✓ 실행에 어려움이 있다면 무엇인가요?
✓ 도와줄 것은 무엇이 있을까요?
✓ 실행에 어떤 장애가 있었나요?
✓ 무엇을 수정해 보고 싶은가요?
✓ 실행을 잘하기 위해 필요한 것은 무엇인가요?

생각해 보기

✓ S.E.A.를 제공받았던 상황을 생각해 보고, 당신의 삶에 어떤 변화가 있었는지 경험을 나누어 봅니다.

✓ S.E.A.를 제공받았을 때와 제공받지 않았을 때의 경험을 나누고, 그 차이를 비교해 봅니다.

✓ 코칭에서 S.E.A.가 중요한 이유는 무엇일까요?

✓ 당신만의 S.E.A. 노하우가 있다면 무엇인가요?

✓ 나는 어떤 상황에서 S.E.A.를 받고 싶은가요?

✓ S.E.A.는 자신에게 어떤 영향을 주었나요?

❖ S.E.A. 활용하기

언제?	무엇을?	어떻게?
위험을 무릅쓰고 도전할 때 새로운 시도와 노력을 할 때 어떤 것을 실행했을 때 어려움을 만났거나 에너지가 필요할 때 고객이 원하는 것을 얻거나 이루었을 때 매력적이라고 생각되는 것을 입거나 가졌을 때 관계 형성을 위해 필요할 때	강점, 자질, 탁월함, 새로운 모습, 성장, 긍정적 행동, 자신이 생각했을 때 긍정적인, 매력적인, 인상 깊은, 감동적인 어떤 것	고객의 자질을 발견함. 어떤 식으로 나타나는지를 이해하여 말로써 표현. 칭찬보다 더 진정성이 요구됨. 자신이 동의되는 것을 발견하고 그것에 대해 즉흥적으로 언급.

실습

1) 2인 1조(A, B)로 구성합니다.
2) A는 B에게 자신의 탁월성에 대해 경험을 바탕으로 이야기합니다.
3) B는 위에서 학습한 내용에 따라 S.E.A를 제공합니다.
4) A, B 역할을 바꾸어 실습을 하고 각자의 느낌을 나누어 봅니다.

4-5. 또래코치의 감각의 민감성

❖ 감각적 경청(민감성 개발)

오감을 활용하여 상대방의 말 이외의 다양한 의사소통 표현을 듣는 상태를 말합니다. BMIR을 자연스럽게 이용하고 고객의 스타일과 감정 상태를 느끼고 유연하게 코칭을 진행합니다.

1. 내적 상태의 행동표현(BMIR)

- BMIR(Behavioral Manifestation of Internal Representation)은 고객의 내적 상태의 행동표현을 말합니다.
- 사람이 내적으로 경험하는 생각이나 감정과 같은 내적 변화의 증상은 의식 밖에서 외부 표정이나 자세로 나타나게 됩니다.
- 사람들은 불안하거나 불쾌하면 얼굴의 색깔이 바뀌고, 얼굴 근육의 움직임과 크기가 달라지며, 말의 속도와 톤이 달라지고, 눈의 움직임도 달라집니다.
- 이런 변화는 그 사람의 내적 경험과 상태를 나타내는 것으로 이런 징후를 미세단서(BMIR)라고 합니다.
- 사람의 경험은 시각, 청각, 촉각, 후각, 미각과 같은 감각 채널을 통해 외부의 정보를 받아들이고, 그것을 내적으로 진행시켜 자신의 외부와 신호를 교환합니다. 이것이 행동으로 나타나 다른 사람과의 관계를 형성하게 하고 그것이 지속되면서 사람의 생각과 감정과 신념과 태도로 발전하게 됩니다.
- 이러한 감각 채널을 거시적, 미시적으로 나누어 볼 때, 미시적으로 사람이 의식하지 못하는 의식 외적 자율신경의 활동으로 나타나는 신호가 BMIR입니다.
- 코치는 고객의 BMIR을 관찰하는 과정을 통해 고객이 표현하는 언어보다 순수한 내적 정보를 접하고 그것을 통해 고객을 깊게 이해할 수 있게 되고, 고객이 의식하지 못하는 부분을 고객에게 보여줌으로써 고객이 자신을 더 잘 이해할 수 있게 도와줄 수 있습니다.
- BMIR에는 자세/호흡/음성/얼굴색/제스처/눈동자/표정/빈사 등이 있습니다.

실습 "BMIR 관찰"

1. 2인 1조(A, B)로 구성합니다. A는 코치, B는 고객을 합니다.
2. 고객이 행복했던 때와 불행했던 때의 상반되는 상황에 대하여 기억을 떠올립니다.
3. 코치는 BMIR을 관찰하고 기록합니다.
4. 코치가 고객에게 질문을 하고, 고객은 코치에게 대략적인 대답만 합니다.
5. 코치는 두 가지 상황에 대해 고객이 어떤 내적 상태를 나타내는지 관찰한 느낌을 나눕니다.

구분	행복했던 상황	불행했던 상황
몸의 자세		
호흡의 횟수나 세기		
음성의 크기와 템포		
얼굴색		
동작/제스처		
눈동자 움직임		
얼굴 표정		
빈사		

2. BAGEL Model

BAGEL Model은 사람의 핵심 행동 단서로 그 사람의 내적 과정을 확인하기 위한 수단입니다.

1) 신체 자세(Body Posture)

사람은 보통 깊은 생각을 할 때, 규칙적이고 습관적인 자세를 취합니다. 이런 자세는 그 사람이 사용하는 표상체계를 훨씬 더 많이 나타낼 수 있습니다.

- 시각적: 머리를 뒤로 기대고, 어깨는 위로 올리거나 둥글게 하며, 얕은 숨을 쉽니다.
- 청각적: 몸은 앞으로 기대고, 머리를 세우고, 어깨를 뒤로하고 팔장을 낍니다.
- 신체 감각적: 머리와 어깨를 아래로 숙이고, 깊은숨을 쉽니다.

2) 접근 단서(Accessing Cues)

사람들이 생각하고 있을 때 그들은 특정 형태의 표상을 다음과 같이 여러 가지 방식으로 암시하거나 유발합니다. 호흡 속도, 얼굴 표정, 목소리 톤, 템포 등이 있습니다.

- 시각적: 흉식호흡, 높고 낮은 숨, 곁눈질을 하고, 음고가 높고 빠른 템포로 말이 빠릅니다.
- 청각적: 중간호흡, 눈살을 찌푸리고, 리듬과 음의 고저가 있는 톤으로 목소리를 냅니다.
- 신체 감각적: 복식호흡, 깊은 숨소리, 그리고 느린 속도의 목소리를 냅니다.

3) 몸짓(Gestures)

사람들은 그들이 생각하는 데 사용하고 있는 감각기관을 가리킬 목적으로 보통 만지거나 지적하거나 몸짓을 사용합니다.

- 시각적: 눈을 만지거나 가리키고, 눈높이보다 위쪽에서 몸짓을 합니다.
- 청각적: 귀 근처를 지적하거나 몸짓을 하고 입이나 턱을 만집니다.
- 신체 감각적: 가슴이나 배 부분을 만지고 목 아래쪽에서 몸짓을 합니다.

4) 눈동자 움직임(Eye Movement)

자율적이고 무의식적인 눈동자 움직임은 보통 표상체계 중의 하나에 접근하는 것을 가리키는 특별한 사고 과정을 동반합니다.

- 시각적: 위쪽 또는 초점이 흐려집니다.
- 청각적: 중간 또는 아래로 향합니다.
- 신체 감각적: 아래 또는 왼쪽 아래로 향합니다.

5) 언어 패턴(Language Patterns)

언어분석의 기본방법은 특정한 신경학적 표상체계나 세부 감각 양식인 하위양식을 나타내는 빈사 같은 언어 패턴을 탐색하는 것입니다.

사물이 지니고 있는 성질이나 행동을 유발하는 동사, 형용사, 부사와 같은 단어들이 무의식 수준에서 선택되어 서술어로 표현됩니다. 그것은 무의식 구조 속에 잠재해 있던 것이 표현되는 것입니다.

- 시각적: 보다, 밝다, 시야, 그림, 빛을 가져오다, 보여주다
- 청각적: 소리, 듣다, 큰소리, 말, 시끄럽다, 종이 울리다
- 신체 감각적: 느끼다, 단단하다, 무거운, 거칠다, 잡다, 접촉하다, 움직이다

3. 관찰하기(Calibration)

고객의 눈동자 움직임, 얼굴 표정, 목소리 톤, 말의 속도, 몸의 움직임, 에너지 등을 관찰합니다.

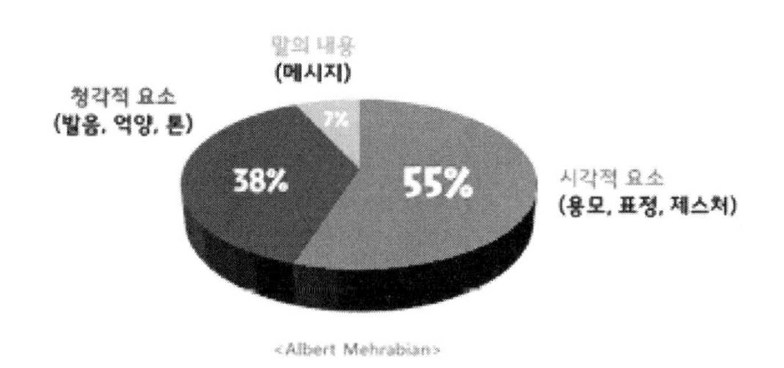

<Albert Mehrabian>

미국의 심리학자 앨버트 메리비언(Alber Mehrabian)은 1971년에 실험연구로 메리비언 법칙이라는 이론을 만들었습니다. 그 내용은 호의적인 단어 3개, 혐오적인 단어 3개, 중립적인 단어 3개를 감정을 담아서 녹음을 하고, 호의적인 표정, 혐오적인 표정, 중립적

인 표정의 사진을 준비하여, 녹음한 것과 사진을 실험 대상자에게 제시하여 대상자에게 어떤 메시지가 전달되는지 살펴보는 것입니다. 가령 호의적인 단어를 혐오감을 나타내는 어조로 듣게 하고 중립적인 사진을 보여주는 상황을 연출하고, 이런 상황에서 말, 청각, 시각에서 모순된 정보를 주었을 때 어느 것을 우선시해서 판단하는지 실험을 했습니다. 그 결과 언어 정보 7%, 청각 정보 38%, 시각 정보 55%로 7-38-55 법칙인 메라비언의 법칙이 탄생하였습니다.

결론은 말의 의미와 모순된 태도에서 메시지를 보내면 사람들은 말 그 자체보다 시각 정보나 청각 정보에 의존해서 상대의 감정을 파악한다는 것입니다. 예로 차갑고 무서운 표정과 냉담한 말투로 "사랑해"라고 하면 상대가 어떻게 받아들일까요? 고백을 받은 상대는 "지금 장난해" 아니면, "지금 싸우자는 거야"라고 할까요? 아니면 황홀해 할까요? 메라이언의 법칙은 의사소통에서 상대가 표현하는 언어보다 순수한 내적 정보인 비언어적 요소를 통해 상대를 더 잘 이해하게 된다는 것입니다.

1) 안구 접근 단서(Eye Accessing Cues)

신체 생리 반응 중 눈의 반응은 감정을 가장 잘 나타내는 지표가 됩니다. 안구 접근 단서는 눈동자의 움직임의 패턴이 사람이 생각하고 대화할 때 작용하는 내적 상태를 나타내는 중요한 지표가 된다는 것을 발견하여 모델로 정립한 것입니다. 감각 양식이란 내적 표상을 구성하면서 정보처리를 하는 과정을 알기 위한 단서입니다.

눈동자가 위를 쳐다볼 때 상상합니다.
좌우로 눈동자를 보는 경우에는 소리를 기억, 구성합니다.
눈을 아래로 깔고 왼쪽을 보면 느낌에 접근하는 것입니다.
눈을 아래로 깔고 오른쪽을 보는 경우 내적 대화를 하는 것입니다.

눈동자 접근단서(Eye Accessing Cues)

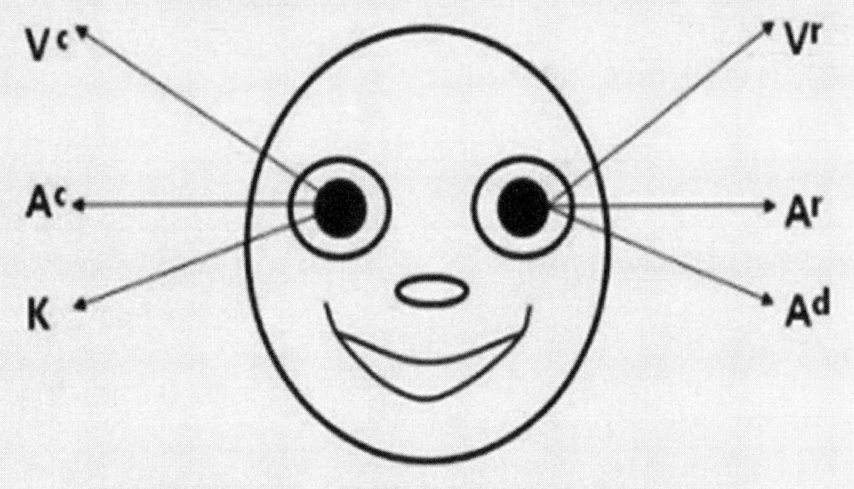

나에게 보이는 상대방의 눈 모습을 중심으로

➢C구성(Constructed)	➢R회상(Remembered)
 Vc 구성시각 Visual Constructed	 Vr 회상시각 Visual Remembered
 Ac 구성청각 Auditory Constructed	 Ar 회상청각 Auditory Remembered
 K 신체감각 Kinesthetic(feelings)	 Ad 내부언어 Auditory Digital

실습 "안구 접근 단서"

1) 3인 1조(A, B, C)로 구성합니다.
2) A는 코치, B는 고객, C는 관찰자로 역할을 나누어 진행합니다.
3) 코치는 질문하고 고객은 대답을 하며, 관찰자는 고객이 어떤 감각을 사용하는지 관찰하고 기록합니다.
4) 역할을 바꾸어서 실습을 진행합니다.

내용	눈의 위치	사용 감각
지금 입고 있는 속옷의 색깔은?		
당신의 전화벨 소리는?		
최근에 가장 기분 나빴던 적은 언제인가요?		
최근에 다녀온 여행 장소는?		
가장 역겨운 냄새는?		
추운 겨울에 하루 종일 밖에서 떨고 있는 기분은?		
애완동물을 산다면 무엇을 사고 싶은가요?		
경찰차와 소방차 사이렌 소리가 섞이면 어떤 소리가 날까요?		
모기가 내는 소리와 벌이 내는 소리의 차이를 알 수 있나요?		
좋아하는 그림은 어떤 것이 있나요?		
산타클로스 할아버지가 남산타워 끝에서 수영복만 입고 있다면?		

4. 선호 표상 체계 찾기

☑ 다음 문항을 읽고 그 내용이 자신에게 해당하는 강도에 따라 1-4점을 빈칸에 써넣으세요. 가장 약한 것이 1점입니다.

1. 내가 중요한 결정을 내릴 때

___직관적인 느낌
___남이 하는 말
___전체적인 일의 모습과 조화
___면밀한 검토와 연구

2. 다른 사람과 토론을 할 때 가장 영향을 많이 미치는 것은?

___상대방의 목소리 톤
___상대방의 견해를 볼 수 있거나 볼 수 없을 때
___상대방의 토론에 대한 논리
___상대방과의 감정의 접촉

3. 내가 평소와 다른 심리상태가 될 때 알리는 신호는?

___옷차림새나 화장으로
___내가 나누는 감정 표현으로
___내가 선택하는 언어로
___내 음성의 톤으로

4. 내가 가장 편안해하는 것은?

___음질 좋은 음악을 듣기
___관심 있는 주제와 관련하여 지적인 것을 생각하기
___편안한 가구를 고르기
___색상이 조화를 이루는 디자인을 고르기

5. 나를 가장 잘 나타내는 것은?

___나는 주위의 소음에 민감하다.
___나는 새로운 자료를 분석할 때 논리를 따진다.
___나는 옷의 촉감을 느끼는 데 민감하다.
___나는 실내장식이나 가구 배치에 민감하다.

6. 남이 나를 가장 잘 알려면 다음과 같이 하는 것이 좋다.
___내가 느끼는 것을 경험하기
___나의 관점과 같이 보기
___내가 하는 말과 표현을 주의 깊게 들어주기
___내가 말하는 것의 논리와 의미에 관심을 갖기

7. 내가 좋아하는 것은?
___남이 말하는 것을 듣기
___계획을 세울 때 전체 그림을 먼저 그려보기
___정보나 자료가 있을 때 논리적 체계를 세우고 정리하기
___사람을 처음 만날 때 그에 대한 느낌을 중시하기

8. 내가 잘하는 것은?
___눈으로 보고 확인하기 전에는 잘 믿지 않는 것
___상대가 애절한 목소리로 부탁하면 거절하지 못하는 것
___옳다고 느껴지면 이유를 따지지 않고 받아들이는 것
___논리에 맞고 합리적이면 받아들이는 것

9. 스트레스를 받으면 나는
___음악을 듣는다.
___스트레스 원인을 생각하며 책을 읽거나 사색한다.
___편안히 누워서 휴식을 취한다.
___경치 좋은 배경의 영화나 그림을 본다.

10. 나는 처음 보는 사람이라도 다음과 같은 식으로 기억해 낼 수 있다.
___얼굴 인상이나 옷차림새
___목소리
___그 사람에 대한 느낌
___그 사람의 직업이나 하는 일

☑ 1-10번까지의 4항목(V, A, K, D)의 점수를 세로로 옮겨 넣습니다.

1		2		3		4		5		6		7		8		9		10	
	K		A		V		A		A		K		A		V		A		V
	A		V		K		D		D		V		V		A		D		A
	V		D		D		K		K		A		D		K		K		K
	D		K		A		V		V		D		K		D		V		D

☑ 번호마다 4항목의 점수를 각각 기입하고 항목마다 세로로 합산하여 총점을 냅니다.

	V	A	K	D
1				
2				
3				
4				
5				
6				
7				
8				
9				
10				
합계				

V+A+K+D = 100

40				
30				
20				
10				
	V	A	K	D

☑ 선호감각 그래프

1) 선호 표상별 특징

(Visual) 시각을 선호하는 사람
깔끔하며 정리 정돈을 잘함, 그림이나 모습·외모를 주로 봄,
어떻게 보이는지에 대해서 관심, 말보다는 문서나 시각자료를 좋아함, 미술, 그래픽,
건축, 인테리어, 패션,
'보기 좋은 떡이 먹기도 좋다.'

(Auditory) 청각을 선호하는 사람
독백을 많이 함, 소리나 음악에 민감하고 잘 기억함, 수다스러움, 귀가 얇음,
소음을 싫어함, 문서보다는 말을 좋아함, 음악, 악기, 방송연예 등
'말 한마디로 천 냥 빚'

(Kinesthetic) 촉감을 선호하는 사람
스킨십 선호, 사람들과 가까이에서 얘기하는 경향, 직감·영감이 발달, 감정적이며
스트레스 잘 받음, 느낌에 강하고 감정 기복이 심함, 운동기능 발달, 산만하거나
차분하지 않음, 스포츠 댄스, 방송연예, 행동이나 접촉을 통한 기억

(Auditory Digital) 내부언어를 선호하는 사람
사색과 사고 논리, 분석, 절차 순서, 계열, 이치, 독백, 우유부단, 단어, 용어를
중심으로 언어에 민감, 성실하고 일관성이 있음, 실수가 적음, 정서적으로 둔감,
나 홀로 취미, 철학, 언어, 법률, 재무, 기획

(Calibration) 반응계측, 초점 맞추기
사람들과 온전히 조화를 이루기 위한 기초 정보를 얻는 과정으로 대화상대와
상호작용에서 반응을 계측하는 것

실습 **"감각적 (민감성) 경청 종합"**

1) 3인 1조(A, B, C)로 구성합니다.
2) 순서를 정하고 실습을 진행합니다.
3) 이야기하는 사람은 자신의 행복했던 때, 또는 불행했던 때의 상황에 대하여 이야기를 합니다.
4) 듣는 사람은 이야기를 감각적으로 경청하면서 듣고, 이야기가 끝나면 아래 양식에 기록을 합니다.
5) BMIR뿐 아니라 고객의 선호감각과 감정 상태 그리고 에너지 상태를 느껴지는 대로 기록하고 대화에 대한 느낌을 기록합니다.
6) 대화 중 느껴지는 감정 상태는 바로 화자에게 말해줍니다.

구분		1	2
BMIR 관찰	자세		
	호흡		
	음성		
	얼굴색		
	제스처		
	눈동자		
	빈사		
선호감각			
감정 상태			
에너지 상태			
대화의 느낌			

5. 메타 프로그래밍(Meta Programming)

T/A 자신과 가까운 곳에 체크해 주세요.		
1	일을 할 때 위험 요소가 있는지 잘 살펴본다.	A
	목표를 정하고 도전하는 것을 선호한다.	T
2	사고나 비상시 대책을 계획한다.	A
	도전과 목표에 대한 계획을 한다.	T
3	상황이 나빠질 것을 미리 대비하고 일을 해야 편하다.	A
	도전 과정에서 일어나는 문제는 경험으로 생각한다.	T
4	위험 요소를 제거하거나 예방하는 방향으로 움직인다.	A
	목표와 성공을 향해 움직인다.	T
5	페널티나 문제에 예민하다.	A
	성공과 인센티브에 관심이 있다.	T
6	어떤 제안을 받으면 위험 요소가 자동적으로 체크된다.	A
	도전할 것들이 눈에 들어온다.	T
7	거절당할지 모른다는 생각에 쉽게 행동하지 못한다.	A
	열 번 찍어 안 넘어 가는 나무가 없다고 생각한다.	T
8	대비하고 배제해야 할 것과 품질관리에 능숙하다.	A
	우선적으로 해야할 것과 성취하고 달성하는 일에 에너지가 생긴다.	T
9	"~ 못 하면 추가 근무를 해야 한다"라고 말한다.	A
	"~ 다음에 더 잘합시다"라고 말한다.	T
	합계	T( ), A( )

B/S 자신과 가까운 곳에 체크해 주세요.		
1	말을 하면 점점 고조된다.	B
	말을 하면 차분해진다.	S
2	세부적인 것보다는 방향과 큰 그림이 더 중요하다.	B
	세부사항을 잘 챙기고 개략적인 것을 잘 못 본다.	S
3	구체적인 사실에 근거해서 결정을 내린다.	B
	일의 취지나 의미를 보고 결정한다.	S
4	일이 생기면 세부적인 설명을 듣거나 말해야 편해진다.	B
	세부적인 사실보다는 결론만 듣거나 말하는 게 편하다.	S
5	상황은 항상 변하기 때문에 이럴 수도 있고 저럴 수도 있다.	B
	가급적 세부적인 계획을 세워 대비해야 한다.	S
6	즉흥적으로 여행을 떠날 수 있다.	B
	여행 계획은 완벽할수록 좋다.	S
7	일반적인 원리와 방향성에 관심이 많다.	B
	디테일을 살리는 데 관심이 많다.	S
8	일에 대한 목적과 방향을 이해하면 움직일 수 있다.	B
	세부사항에 대한 매뉴얼이 주어지지 않으면 불안하다.	S
9	"개략적으로 정리하면 ~이 됩니다."라고 말한다.	B
	"더 자세한 상세사항을 설명드리겠습니다."라고 말한다.	S
	합계	B( ), S( )

	I/E 자신과 가까운 곳에 체크해 주세요.	
1	누가 뭐래도 나만의 기준을 가지고 흔들리지 않는다.	I
	다른 사람들의 의견을 물어보고 참조해서 선택하고 결정한다.	E
2	자부심이 강하여 때때로 고집이 세다는 말을 듣는다.	I
	내 생각보단 다양한 의견을 참고해서 결정하는 것이 좋다.	E
3	타인의 피드백은 참고일 뿐이다.	I
	타인에게 조언을 구하기를 좋아하고 고마워한다.	E
4	나 스스로가 설득되어야 움직인다.	I
	내가 이해되지 않더라도 다양한 의견을 따르는 것이 좋다.	E
5	평안 감사도 내가 하기 싫으면 안 한다.	I
	하기 싫어도 모두가 추천하면 직을 맡는다.	E
6	직관을 믿는 편이다.	I
	다른 사람들의 의견이나 외부의 증거들을 모아서 결정한다.	E
7	겉으로는 표현 안 할지라도 자신만만하다.	I
	겉으론 안 그런 척해도 사실 자신감이 부족하다.	E
8	모든 사람이 하는 일이라도 내게 필요 없으면 안 한다.	I
	내가 하고 싶은 게 있어도 사람들이 좋다는 것을 선택한다.	E
9	“당신이 결정하세요. 결정은 당신에게 달려 있어요.”라고 말한다.	I
	“그(중요한 사람)가 뭐라고 하는지 기다려 봅시다.”라고 말한다.	E
	합계	I( ), E( )

	D/M 자신과 가까운 곳에 체크해 주세요.	
1	사람들이 머리를 기르면 나는 자르고 싶다.	D
	짧은 머리가 유행하면 나도 짧은 머리를 한다.	M
2	변화보다는 안정을 선호한다.	D
	실행하지 않더라도 달라지고 변화하는 것을 선호한다.	M
3	내가 알고 있는 것과 일치하는 것을 확인하면서 즐거워한다.	D
	내가 알고 있던 것과 다른 것을 보면 즐거워진다.	M
4	"아니요"라고 말하고 토론하고 논쟁하기를 좋아한다.	D
	대체로 "네"라고 말하면서 대화한다.	M
5	혁신적이고 파격적인 것을 좋아하고 추구한다.	D
	점진적이고 안정적이며 꾸준한 성장을 추구한다.	M
6	다른 사람들이 놓친 것, 빠진 것들을 잘 찾아낸다.	D
	다른 사람들처럼 하고 조화롭기를 추구한다.	M
7	다른 것과 어떻게 동일하고 조화로운지를 설명한다.	D
	어떻게 다르고 차별되는지를 강조해서 설명한다.	M
8	다른 사람의 논리를 반박하며 토론하기를 즐긴다.	D
	논쟁을 피하려고 노력한다.	M
9	"~게 해주시겠어요?"라고 말한다.	D
	"~게 해주시면 안 될까요?"라고 말한다.	M
	합계	I( ), E( )

1) 메타프로그램 프로파일

나의 Meta Programing		
Toward (　)점	동기방향 T/A	Away from (　)점
Big chunk (　)점	정보크기 B/S	Small chunk (　)점
Internal (　) 점	판단기준 I/E	External (　)점
Difference (　)점	비교양식 D/M	Mach (　)점

Toward-Away from 동기방향	Internal-External 판단기준
• Toward는 관심이 자신의 목표를 향하여 그것을 성취하는 것에 동기가 생깁니다. • Away from은 목표 성취보다는 피하고 싶은 문제를 생각할 때 동기가 생깁니다.	• Internal은 자신이 정한 내적 기준을 따르며 스스로 판단하고 결정을 내립니다. • External은 타인들의 기준을 따르며 결정을 내릴 때에는 다른 사람의 의견이나 방향 제시를 필요로 합니다.
Big chunk-Small chunk 정보크기	**Differene-Mach 비교방식**
• Small chunk는 세부적인 것에 관심을 쏟으며 부분에 대하여 이해되어야 전체를 볼 수 있습니다. • Big chunk는 전체를 보는 것이 편하고 익숙하며, 세부적인 것에는 관심이 부족합니다.	• Differene는 비교를 하면서 다른 점을 잘 찾아냅니다. • Machsms는 비교를 하면서 닮은 점을 잘 찾아냅니다.

2) 유형별 특징

동기방향 T/A	
목적 지향형(Towards)	문제 회피형(Away from)
• 목표를 달성하기 위해 동기가 유발되며 문제를 인식하는 데 힘이 든다. • 원하고 좋아하는 것을 향해 움직인다. • 인센티브와 회유에 가장 잘 반응한다. • 그들이 원하는 것을 이야기한다. • 목적과 목표를 설정한다. • 성공에 의해 동기가 유발된다. • 문제를 소홀히 하거나 과소평가한다. • 긍정적 언어를 사용한다. • 목적, 우선사항, 성취하기, 달성하기에 대해 말한다. • 대처방안: "이 일이 성공하면 top이 됩니다.", "다음 주에 20% 더 목표를 상향 조정 하여 나아갑니다."	• 잘못되어 가고 있거나, 잘못되어 갈지도 모르는 것에 초점을 두고 이를 위해 동기가 유발된다. • 원치 않는 것이나 좋아하지 않는 것을 회피한다. • 부정적 결과들로 쉽게 미칠 지경이다. • 원하지 않는 것을 남에게 이야기한다. • 불의의 사태에 대해 긴급 계획을 세운다. • 위협을 피하기 위해 동기가 유발된다. • 부정적 언어를 사용한다. • 잘못을 찾는 것에 탁월하고, 품질관리, 증거해석 같은 직업에서 일은 잘한다. • 대처방안: "이 일을 끝내면 남은 일은 하지 않고 돌아가도 좋아요.", "목표를 달성하지 못한다면 계속 야근을 해야 됩니다."

정보크기 B/S	
큰 그림 정보 일반화(Big chunk)	상세정보 구체화(Small chunk)
• 전체적으로 큰 그림을 선호, 단기간 동안 세부사항을 다룰 수 있다. • 광범위한 각도의 관점을 사용하는 것으로 생각할 수 있다. • 일반원리를 선호한다. • 적절한 곳에 부분들을 놓기 전에 먼저 전체적인 그림을 필요로 한다. • 세부적인 것에 흥미가 없다. • 핵심 포인트에 집중한다. • 추상적 사례를 활용한다. 단계별 절차를 지각하고 끝까지 따르는 것에 어려움이 있다. • 대략적으로 빨리 처리한다. • 일반론적으로 말하며, 프로젝트나 과업의 전체적 방향에 집중하고, 과업의 부분들이 어떻게 함께 어울리는지를 이해하는 것이 더 쉽다. • 보통 전체적인 개념이나 아이디어로 확신하고 요약하는 경향이 있다. • 표현방식: 개요, 큰 그림, 무질서 일반적인 진술 • 대처방안: "이게 전체적으로 무슨 뜻일까?" • 상사가 전체형이면 "간결하게 정리하면"	• 세부사항과 순서를 선호하고, 개략적인 것을 못 본다. • 현미경 렌즈를 사용한다고 생각될 수 있다. • 세부사항에 관심이 있다. • 구체적 사실에 근거해서 결정을 내리기 전에 먼저 세부사항을 원한다. • 더 많은 정보를 다룰 때 처리할 시간이 필요하다. • 각 요소들의 관점에서 과업을 지각하는 경향이 있다. • 세부사항에 사로잡혀 있기 때문에 과업의 전체 목적을 종종 놓칠 수 있다. • 부분들이 어떻게 작용되는지 알면 더 큰 그림을 고려할 것이다. • 표현방식: 세부사항, 순서, 정확 • 대처방안: 1분기 성장률, 17%, 상사가 상세형이면 세부사항을 모두 이야기한다.

판단기준 I/E	
내적 자기참조(Internal)	외적 타인참조(External)
• 자신의 내적 기준에 근거하여 결정한다. • 자신의 기준, 평가, 판단에 의존한다. 정당성의 근원, 증거는 내면에서 나온다. • 자부심이 강하며 고집이 세고, 오만하기도 하다, • 피드백을 무시하는 경향이 있다. • 리더십 자질이 있고 자신만만하다. • 자신의 주관적 기준에 근거해서 일을 결정하고 평가한다. • 스스로 동기 유발을 제공한다. • 자신의 경험을 통해 확신이 들 때 끌린다. • 표현방식: 마음으로, 자신의 감정 사용, 통제, 결정을 내리는 것에 만족한다. 책임지고, 해결책을 찾는다. • 대처방안: 단어의 어구는 개인적인 것: "당신이 결정해요.", "내가 추천하고 싶은 곳은", "이제 이런 식으로 하면 됩니다."	• 내가 잘하고 있는지 외부의 피드백을 받는다. • 외부적 입력에 의존한다. • 자신의 견해를 발달시키기 위해 외부의 피드백과 기준을 사용한다. • 정당성을 외부의 인정에서 찾는다. • 타인의 의견에 흔들린다. • 자신감이 부족하다. • 타인의 평가와 판단에 의존하여 자신의 일을 자주 물어본다. • 권위의 근원 증거는 외부자료에서 찾는다. • 타인의 신념에 부합하는지 그들의 이야기에 의존한다. • 다른 사람의 반응에 기초하여 결론을 이끄는 경향이 있다. • 표현방식: 통제, 피드백, 지시 등 다른 사람이 먼저 솔선하기를 기다린다. •대처방안: 자신이 아닌 다른 사람에 관한: "엄마는 내가 할 줄 모른다고 생각해.", "당신이 추천하는 곳을 갈까요?" "선생님이 지시를 기다려요."

비교방식 D/M	
불일치형(Difference)	일치형(Match)
• 사람들은 그들의 지식과 다른 것 또는 조화되지 않는 것을 인식한다. 그들은 끊임없이 맹렬하게 변화하고 싶어 한다. • 불일치, 일이 어떻게 맞지 않는지와 조화되지 않는지를 알아차린다. • 어떻게 일이 완전히 다른지 강조한다. • 빠뜨린 것을 찾는다. • "아니요"에서 "예"로 이동 • 이해하기 위해서 자료를 순서대로 맞춰 놓지 않는다. • 갈등과 논쟁을 포용한다. • 표현방식: 여러 가지 일과 사람에 대해서 '아니요'로 시작, 자신과 다른 특수성을 찾는다. • 대처방안: 부탁할 때 "~해 주시면 안 될까요?"라고 제안한다.	• 이미 알고 있는 것에 조화되는 것을 찾는다. 사람들은 그들이 세상에 똑같이 있기를 바란다. • 무엇이 빠져 있는가와 반대로 무엇이 있는가를 찾는다. • 공통으로 가진 것과 어떻게 어울리는지를 찾는다. • 충동과 논쟁을 피한다. • 협동적 접근, 조화, "예"로 시작 • 비슷한 것 인식, 안정성, 점진적 변화를 선호한다. • 표현방식: 일과 사람에서 자신과 유사점을 찾는다. • 대처방안: 부탁할 때 "~해 주시겠습니까?"라고 제안한다.

5 장

또래코칭 대화 프로세스(Process)

5-1. 또래코칭 대화

1. 코칭 대화의 핵심

코치가 코칭을 진행하는 현장에서 전체 과정을 충분히 인식하며 진행하고 있는 단계를 알아차리고 유지할 수 있다는 점은 코칭 대화 프로세스의 구조적인 힘입니다.

1) 성과의 극대화입니다.

코칭은 무엇보다도 성과에 초점을 맞춥니다. 그것이 고객이 코치를 찾는 이유이기 때문입니다. 지금보다 더 많은 이익, 더 효율적인 시간 관리, 더 나은 관계, 더 만족스러운 생활, 더 분명한 미래를 얻기 위해 고객은 돈과 시간을 코치에게 투자합니다. 고객은 코칭을 통해 자신이 하고 있는 일이나 관계 그리고 삶에 있어서 극대화된 성과를 원하고 있습니다.

2) 잠재능력의 발견입니다.

모든 사람은 저마다 탁월한 능력과 가능성을 지니고 있습니다. 이것은 지금 현재 발휘하고 있는 것 이상의 능력과 가능성입니다. 한마디로 잠재능력인 것입니다. 그래서 그것을 발견해서 갈고 닦기만 하면 고객은 이 세상 그 어디에서도 찾을 수 없는 자신만의 엄청난 자원을 갖게 됩니다. 그래서 코칭은 고객이 가진 가능성과 그가 지닌 잠재능력에 초점을 맞춥니다.

3) 새로운 관점의 제시입니다.

코칭을 할 수 있는 가장 중요한 요소는 바로 고객이 상황을 새로운 각도로 바라보도록 해 주는 것입니다. 즉 코칭은 고객이 자신의 문제를 새로운 관점으로 볼 수 있도록 하는 것입니다. 다시 말해서 코칭은 고객이 자신의 문제를 새로운 관점과 새로운 각도로 바라보고 새로운 방법으로 접근해서 새로운 해답을 찾도록 해주는 것입니다. 그렇게 함으로써 고객이 미래를 향해 나아가도록 도와주는 것입니다.

고객은 고객 자신의 삶의 전문가입니다. 고객은 자신의 삶의 주인이요, 전문가인 것만큼 자신의 삶에 대한 해답도 고객 자신이 가지고 있습니다. 여기서 문제는 해답은 고객이 가지고 있는데 그것을 보지는 못한다는 것입니다. 해답을 보려면 다른 관점과 각도로 바라보아야 합니다. 새로운 관점을 가져야 합니다. 그러면 답이 보입니다. 답이 보이면 스스로 삶의 문제들을 해결해 나갈 수 있습니다.

4) 인간관계의 기술입니다.

관계는 삶을 이루는 기초입니다. 코칭도 관계를 통해서 이루어집니다. 코치가 고객을 존중하고 고객이 코치를 신뢰하는 관계, 그런 관계 속에서 이루어지는 깊이 있는 대화, 그것이 고객의 삶을 변화와 성장으로 이끌어 갑니다.

코치와 고객의 관계는 상담자와 내담자, 선생과 학생, 전문가와 비전문가와 같은 일방적 관계가 아니라, 삶의 목표를 향해 함께 여행을 떠나는 동반자적 관계입니다. 다시 말해서 코치와 고객은 수직적 관계가 아닌 수평적 관계입니다. 그런 대등한 파트너 관계를 통해 고객은 코치로부터 인간관계에서 어떻게 상대방과 관계를 하고, 어떻게 대화를 이끌어 가고, 어떻게 영향을 끼치는지 배우게 됩니다. 결과적으로 코칭은 관계를 성숙하게 숙성시키는 스킬인 것입니다.

5) 변화와 성장입니다.

코칭이 지향하는 것은 단순히 문제해결이나 잠재력의 발견이 아닙니다. 그것도 중요하기는 하지만 궁극적인 지향점은 따로 있습니다. 코칭이 궁극적으로 지향하는 것은 바로 변화와 성장입니다.

스트레스에 대처하고, 현명한 선택을 하고, 효과적으로 일을 처리하는 것을 넘어서 자신의 존재를 발견하고, 인생과 직업의 초점과 방향을 잡고, 비전을 세우고, 주도적으로 미래를 향해 나아가며, 삶의 기술과 힘을 기르고, 삶의 도전에 잘 대처하고, 변화 속에서도 자신감을 잃지 않고 앞으로 나아가도록 하는 데 초점을 맞춥니다.

이처럼 코칭은 성과의 극대화를 기대하며 시작되지만, 결국은 변화와 성장을 경험함으로써 해결이 됩니다. 그것이 바로 코칭의 목적입니다.

2. 또래코칭 대화 프로세스(Process)

코칭을 진행하기 위한 전체 과정인 코칭 대화 프로세스를 충분히 숙지하고 훈련하여 익숙해지면 코칭의 효과에 영향을 미치게 됩니다.

코칭 과정에서 고객의 현재 상태, 코칭에서 논의할 이슈와 자신의 목표, 기대, 생활방식, 가치관, 느낌, 관계 등에 대해 편안하게 이야기를 할 수 있는 환경조성을 먼저 합니다. 그리고 코치가 고객에게 진심으로 관심을 갖고 있다는 것을 질문을 통해 고객에게 전달합니다. 코칭에서 무엇을 원하고 무엇을 성취하려고 하는지, 현재 상태를 확인할 수 있고, 더 나아가서는 고객이 코칭을 받을 준비가 되어 있는지도 파악할 수 있습니다.

코칭 대화는 시작할 때 고객의 에너지를 먼저 올려놓고 에너지가 올라간 상태에서 코칭이 진행되어, 의식이 전환되고 새로운 생각과 방법을 찾아내 실행 의지가 확실해지는 상승된 에너지를 가지고 마무리되도록 하는 과정입니다. 코칭 대화는 고객의 이슈에 따라 다양한 코칭 대화 기법을 사용하여 코칭을 진행하고, 코칭이 끝날 때 피드백(Feed back)을 통해 고객이 코칭을 통해 새롭게 인식하고 발견한 것을 정리하고 또래코치는 피드백을 포함한 S.E.A.로 마무리를 합니다.

1) 관계를 만들어가는 코칭 질문

- Family: 가족에 대한 질문
- Occupation: 일에 대한 질문
- Recreation: 여가 활동에 대한 질문
- Motivation: 관심을 가지고 있는 것에 대한 질문

관계를 만들어가는 질문을 할 때 먼저 미소 짓고, 인사 나누고 대화하고 칭찬하면 바람직한 코칭의 관계를 형성하게 됩니다.

2) 코칭 현장의 코칭 프로세스(Process)

	내 용
또래코칭프로세스	• 코칭 대화를 진행하는 도중에 알게 된 코칭 고객의 비밀을 철저하게 준수해야 하며, 이것은 코치의 직업윤리 가운데 가장 핵심적인 요소입니다.
	• 코칭 대화 프로세스는 단계별 질문을 충분히 연습하고 훈련합니다.
	• 유능한 코치가 되고 싶다면, 창의적인 질문을 많이 개발하는 것이 바람직합니다.
	• 코칭 고객이 큰 그림 속에서 현재 상황을 점검하도록 목표와 현실 사이의 차이를 자유롭게 오가며 코칭을 진행합니다.
	• 코칭 고객이 코칭을 진행하면서 실행한 것과 알게 된 것, 배운 것을 인정해 줍니다.
	• 코치 자신의 코칭 진행 계획에 초점을 맞추되, 코칭 대화 프로세스 전개 도중에 고객에게 방향 전환이 일어나면, 언제라도 코치의 태도와 행동을 조정할 수 있어야 합니다.
	• 코칭 고객이 결정을 내리고 자신을 계발할 수 있는 능력을 키워줍니다.
	• 코칭 고객 스스로 정한 목표를 이루기 위한 행동을 취할 것을 분명하게 요청합니다.
	• 코칭 고객이 결정한 것을 당장 실행하도록 돕습니다.
	• 코칭 고객 스스로 정한 목표를 이루기 위한 행동을 취할 것을 분명하게 요청합니다.
	• 코칭 고객의 말과 행동이 일치하지 않을 때, 단호하지만 긍적으로 사실을 지적하되 서로 신뢰할 때에 한정해서 그렇게 합니다.
	• 코칭 고객의 성장과 미래 성장 가능성을 칭찬해 줍니다.

3. 코칭으로 떠나는 여행

연구실에서 논문과 연구 관련 책에 묻혀 사는 빨간 머리 샘은 더는 이렇게 살 수 없다고 생각하고 더 나은 삶을 향해 여행을 떠나기로 했습니다. 이 여행은 빨간 머리 샘의 더 행복한 삶을 향한 여행입니다. 여행을 떠난다고 할 때 먼저 떠오르는 것은 무엇인가요? 바로 목적지입니다. 빨간 머리 샘은 어디를 갈 것인지, 목적지를 정하지 못하고 있습니다. 그래서 여행 정보지를 보고, 검색을 해서 한 번도 가보지 않은 거제도를 선택했습니다. 여행의 목적지인 거제도를 가기 위해서 빨간 머리 샘은 무엇을 해야 할까요?
목적지, 그것을 우리는 "목표(Goal)"라고 부릅니다.

그리고 목적지인 거제도를 간다고 했는데 구체적으로 거제도 어디를 갈 것인가? 바람의 언덕을 갈 것인가? 모래성을 갈 것인가? 정확한 목적지가 결정되지 않았습니다. 목적지가 결정이 되었다고 여행이 이루어질 수 있을까요? 아닙니다. 어디서 출발할 것인지, 현재 위치와 현 상황을 파악해야 합니다.

이것을 우리는 "현실(Reality)"이라고 부릅니다. 거제도를 가기 위해서는 어디서 출발할 것인가요? 서울인가요? 전주인가요? 대전인가요? 그리고 현재 가진 돈은 얼마인가요? 숙박을 할 것인지, 당일 코스로 갔다 올 것인지? 이런 현재의 여건에 따라 여행의 방법은 달라질 수밖에 없습니다.

목적지가 결정되고, 현재 위치가 파악되었다면 이제 남은 것은 어떻게 갈 것인가입니다. 다시 말해서 여행 방법을 결정해야 합니다.

이것을 우리는 "해결 방법(Option)"이라고 합니다. 일단 서울에서 거제도를 가기 위한 방법은 여러 가지가 있습니다. KTX, 비행기, 고속버스, 자가용, 자전거, 도보 등 선택할 수 있는 방법은 다양합니다.

여행 방법들을 생각해 보았다면 이제 그중에서 하나를 선택해야 합니다.

이것을 우리는 "실행 의지(Will)"라고 부릅니다. 현재 상황에서 최선의 방법을 선택하여 최고의 효율을 낼 수 있는 방법을 선택하여 실행하는 것이 중요합니다.

빨간 머리 샘은 과연 여행을 갔다 올 수 있을까요?

실습

1) 2인 1조(A, B)로 구성을 합니다.
2) 먼저 A는 코치, B는 고객이 됩니다.
3) GROW 모델을 활용하여 빨간 머리 샘이 거제도 여행을 갈 수 있도록 질문을 만들어 보고 코칭을 해봅니다.
4) A와 B가 순서를 바꾸어 진행하고 느낌을 나누어 봅니다.

5-2. 라포(Rapport)

라포(Rapport)란 원래 프랑스어로 '다리를 놓다'라는 의미로 인간관계에서 서로 밀접한 공통점을 갖고 있다는 느낌이 들게 하는 능력을 말합니다. 즉 나와 너의 공통적인 요소를 찾아서 맞추는 것입니다.

그 요소는

Body: 상대방과 몸을 맞추고 몸의 메시지를 읽습니다.

Mood: 상대방의 감정, 분위기 등에 보조를 맞춥니다.

Word: 상대방과 동일한 음량, 음조, 고저, 억양, 속도, 엑센트(Accent)에 호흡을 맞춥니다.

1. 맞추기-Pacing

맞추기는 상대방의 페이스에 코치가 맞추어 주는 기술입니다. 함께 걸을 때 코치가 자기보다 너무 빨리 걷거나 너무 느리게 걸으면 계속 같이 가기가 힘들 수 있습니다. 코치는 고객의 페이스를 경청하여 알아채고 그것에 맞추어 줌으로써 고객이 코치를 편안하게 느낄 수 있게 해줍니다.

1) 맞추기 방법

- 상대방의 말하기 속도를 맞춥니다.
- 상대방 목소리의 톤을 맞춥니다.
- 상대방의 표정을 관찰하고 같은 표정을 따라서 합니다.
- 상대방의 몸동작과 자세를 따라서 합니다.
- 상대방의 말을 같은 수준으로 맞장구쳐 줍니다.

2) 코치의 맞추기 훈련

- 평소에 다른 사람과 걸음걸이를 맞추는 훈련을 합니다.
- 다른 사람의 표정과 동작을 따라서 훈련을 합니다.

2. 맞추기(Pacing)의 종류

Pacing은 어린아이가 엄마의 손을 잡고 이끌고 갈 때, 아이의 발걸음에 맞추어 걸어가는 것과 같습니다. 아이가 원하는 곳으로 함께 가는 동안에 아이가 무엇을 원하는지 아이의 언어적, 비언적인 상태를 파악하여, 알아주고, 표현해 주면서 편하고 즐거운 상태를 만들어 갑니다.

1) 일치시키기(Matching)

- 고객과 같은 방향을 보는 관점에서 동작과 자세를 일치시키는 방식입니다.
- 상대방이 오른손 하면 나도 오른손
- 동급 유목화(Same Chunk Size)

(예시 1)
"오늘 날씨가 좋군요." ➔ "맞아요, 오늘 아주 좋은 날씨네요."

(예시 2)
"철수는 착하고 공부를 잘하는 아이예요."
➔ "그래요. 철수는 착하고 공부도 잘하죠."

2) 거울 반응하기(Mirroring)

- 고객과 마주 보는 관점에서 동작과 자세를 일치시키는 방식입니다.
- 상대방이 오른손 하면 나는 왼손
- 고객이 아무렇지 않게 느끼는 행동에 대해서 의미를 부여하고 무의식적으로 미세한 생리적 동화가 일어나는 즉각적인 방법입니다.

3) 교차 거울 반응하기(Cross-Over Mirroring)

- 고객과 서로 다른 신체 부위나 수단을 사용하여 맞추기를 하는 것입니다.
- 상대방이 다리를 흔들면 나는 손을 흔듭니다.

실습 "일치시키기(Matching)"

1) 2인 1조(A, B)로 구성합니다. 코치와 고객으로 역할을 나눕니다.
2) 코치는 고객과 마주 보고, 고객은 "최근에 즐거웠던 일"에 대해 제스처를 하면서 이야기를 합니다.
3) 코치는 고객의 이야기에 대해 자세와 동작을 Matching하면서 동급 유목화에 맞게 반응과 정리하기를 진행합니다.
4) 서로 역할을 바꾸어 진행합니다.
5) 고객과 코치는 대화를 통해 느껴지는 느낌과 생각을 기록하고 이야기를 나눕니다.

✓ 실습을 통해서 새롭게 인식되거나 알게 된 것, 정리된 생각을 적습니다.

실습 "거울 반응하기(Mirroring)"

1) 2인 1조(A, B)로 구성합니다. 코치와 고객으로 역할을 나눕니다.
2) 고객은 코치를 보면서 자연스럽게 움직이면서 여러 가지 동작을 합니다.
3) 코치는 고객의 동작과 BMIR을 관찰하면서 Mirroring을 합니다.(10분)
4) 코치와 고객이 10분간 Mirroring을 끝낸 다음 상대방에 대해 느낌이 어떻게 달라졌는지 느껴봅니다.
5) 두 사람이 마주 보고 고객은 "최근에 가장 충격을 받은 경험"을 마음속으로 생각합니다.
6) 코치는 고객을 관찰하면서 느껴지는 느낌과 이미지를 떠오르는 대로 이야기합니다.

✓ 실습을 통해서 새롭게 인식되거나 알게 된 것, 정리된 생각을 적습니다.

3. 이끌기(Leading)

이끌기(Leading)는 바람직한 방향으로 고객의 행동을 안내하는 것을 말합니다. 맞추기(Pacing)가 성공적으로 잘 이루어진 후에 진행할 수 있는 과정입니다. 문제가 파악되고 고객의 세상 모델과 경험 구조가 명확하게 드러나면 변화를 위한 전략을 선택할 수 있고, 이 때 이끌기(Leading)와 같은 기술을 사용할 수 있습니다.

이끌기의 첫 단계는 Pacing 패턴을 전환시키는 것입니다. Pacing이 바뀌면 패턴이 Leading으로 바뀌게 됩니다. 목표하는 방향으로 이끄는 단계의 Leading이 잘 이루어지는 것은 Pacing이 얼마나 잘 이루어 졌는지에 달려 있습니다.

❖ 이끌기의 방향 ➔

현재 상태	바람직한 상태
불안한 모습	안정된 모습
부정적인 생각	긍정적인 생각
고착되어 몰입된 상태	분리되어 관조하는 상태

1) **상향 유목화**(Chunk-Up)

긍정적인 패턴을 더 강화하여 에너지를 올리는 방법입니다.

예시 1)

"오늘 날씨가 좋군요."

➔ "좋기만 한가요? 당장 뛰어나가고 싶은 화창한 날씨네요."

2) **하향 유목화**(Chunk-Down)

부정적인 패턴을 약화시키고 에너지를 전환시키는 방법입니다.

예시 2)

"오늘 기분이 엉망이에요."

➔ 감정은 마음먹기에 달려있죠."

실습 "상향 유목화(Chunk Up)"

1) 2인 1조(A, B)로 구성합니다. 코치와 고객으로 역할을 나눕니다.
2) 코치는 고객과 마주 보고 고객은 코치를 보면서 "최근에 실망스러웠던 경험"을 이야기합니다.
3) 코치는 고객의 이야기를 경청하면서 맞추기(Pacing)를 진행합니다.(5분)
4) 코치는 맞추기(Pacing)를 5분이 지나면서 고객의 이야기에 대해 상향 유목화(Chunk Up)를 이용해서 반응하기와 정리하기를 진행합니다.
5) 고객과 코치는 대화를 통해 느껴지는 느낌과 생각을 나누고 기록합니다.

✓ 실습을 통해서 새롭게 인식되거나 알게 된 것, 정리된 생각을 적습니다.

4. Rapport 촉진

고객과의 친밀감을 형성하고 고객이 코치와 함께 자신의 이야기를 할 수 있다는 믿음을 가질 수 있도록 준비합니다. 판단, 편견, 선입견을 내려놓고 고객의 감정, 욕구, 의도, 사실을 경청합니다. 고객의 행동유형, 속도, 사고방식, 실수조차도 있는 그대로 인정하고 포용합니다. 고객과 함께 춤을 추는 마음으로 준비합니다.

1) Rapport 단계 주요 질문

- ✓ 오늘 컨디션 어떠세요?
- ✓ 요즘 활력 있는 일을 만든다면 무엇이 있을까요?
- ✓ 본인에게 힘나게 하는 말이 있다면 무엇이 있을까요?
- ✓ 지난 한 주일 동안 칭찬받고 싶은 일이 있다면 무엇이 있을까요?
- ✓ 지난 번 코칭 이후 가장 큰 성과는 무엇인가요?

실습

1) 2인 1조(A, B)로 구성합니다.
2) 질문 예시로 코칭 대화 실습을 합니다.
3) 코치와 고객의 역할을 나누어 진행하고, 피드백을 합니다.

5-3. GROW 모델과 또래코칭

코칭 대화에서 가장 많이 쓰이는 기본 패턴은 GROW 모델입니다. 맥킨지 컨설팅에서 체계적인 프로세스로 고객과의 협업을 통해 성공적인 결과를 이끄는 도구로 활용되고 있는 GROW 모델은, 존 휘트모어(John Whitmore)의 'Coaching for performance'의 저서에 소개되어 코칭 대화 모델로 적용되고 발전해 오고 있습니다.

❖ GROW 대화 프로세스(Process) 1

GROW 대화 모델은 목표를 정하고, 현실을 점검하고, 도달 가능한 방법들을 생각해 본 후에 그중에서 하나를 선택하여 실행하는 것입니다.

코치는 코칭 대화 프로세스에 기초합니다.

G-(목표): "원하는 것이 있다면 무엇입니까?"
R-(현실): "현재 상황은 어떤가요?"
O-(해결): "해결 방법은 무엇입니까?"
W-(의지): "한 가지를 선택하면 무엇입니까?"

1. G-목표(Goal)

진짜 원하는 것은 다른 것일 수 있습니다. 진짜 문제는 다른 것일 수 있습니다. 피상적인 부분보다 내면으로 들어가서 찾습니다. 과제는 도전·성장과 관련된 것, 문제는 해결해야 하는 것입니다.

1) Goal의 대표 질문

- ✓ 어떤 주제를 다루고 싶습니까?
- ✓ 이루고 싶은 것이 있다면 무엇입니까?
- ✓ 당신이 이루고 싶은 것을 좀 더 구체적으로 말씀해 주시겠습니까?
- ✓ 이것이 이루어졌을 때, 이루어졌다는 것을 무엇을 보고 알 수 있을까요?
- ✓ 이 목표는 당신이 처한 상황에서 실현 가능한 것입니까?
- ✓ 그렇지 않다면 어떻게 하면 그 목표를 좀 더 현실적으로 만들 수 있겠습니까?
- ✓ 당신은 언제까지 이 목표를 이루기를 원합니까?
- ✓ 목표가 당신에게 중요한 이유는 무엇일까요?

내가 만드는 질문

____

____

____

____

____

2. R-현실(Reality)

고객의 성장을 가로막는 장애물 확인합니다. 고객이 현재 직면하고 있는 문제점, 어려움, 환경적 요소를 발견합니다. 현재의 위치, 상태, 수준, 단계를 파악합니다. 제한된 신념을 발견합니다.

1) Reality의 대표 질문

- ✓ 지금까지 어떤 것을 시도해 보았을까요?
- ✓ 그리고 그렇게 한 결과는 무엇일까요?
- ✓ 현재는 어떤 상황인가요?
- ✓ 현재 얼마나 많은 시간을 이것을 위해 사용하고 있나요?
- ✓ 이것이 본인에게 어떤 영향을 주게 되나요?

내가 만드는 질문

3. O-해결(Option)

활용가능한 자원을 도출합니다.
내적 자원: 노력, 능력, 강점, 지식, 경험, 기술 등이 있습니다.
외적 자원: 정보, 시간, 돈, 사람 등이 있습니다.

1) Option의 대표 질문

✓ 이 상황을 변화시키기 위해 할 수 있는 것이 있다면 무엇일까요?
✓ 이런 상황에서 다른 사람들은 어떻게 한다고 생각하나요?
✓ 이 문제를 다룰 가능한 방법 다섯 개를 제시한다면 어떤 것이 있을까요?
✓ 실패하지 않는다면 무엇을 해보겠나요?
✓ 지금까지 내놓은 대안들의 장점과 단점은 무엇인가요?
✓ 이런 대안들에 대해 실용성을 1점에서 10점까지 점수를 준다면 몇 점일까요?
✓ 그 밖에 다른 가능한 자원들은 무엇이 있을까요?

내가 만드는 질문

4. W-의지(Will)

고객의 내적 동기를 자극하여 구체적인 실행계획으로 실행을 촉구합니다. 코칭 대화는 끝나도 관계는 계속됩니다.

1) Will의 대표 질문

- ✓ 이 중에서 어떤 것을 선택하고 싶은가요?
- ✓ 그것을 언제 하시겠어요?
- ✓ 도중에 장애가 되는 요소가 있다면 무엇일까요?
- ✓ 누가 도와줄 수 있을까요?
- ✓ 당신이 이것을 꾸준히 실행하도록 누가 상호책임을 져 주면 좋을까요?

내가 만드는 질문

실습

1) 1조(A, B)로 구성합니다. 먼저 A는 코치, B는 고객이 됩니다.
2) GROW 모델의 단계별 질문을 하고 B는 코치가 쉽게 GROW 모델을 익힐 수 있도록 간단하게 대답을 하도록 합니다.
3) A와 B는 순서를 바꾸어 진행하고 느낌을 나눕니다.

❖ GROW 대화 프로세스(Process) 2

1. 1단계 Goal-목표설정

목표설정 단계는 고객이 진짜 원하는 것을 찾도록 도와주는 단계입니다.

1) Goal의 의미

- 코치의 관심사가 아닌 고객의 관심사를 따라갑니다.
- 문제를 구체화하고 진짜 문제를 파악합니다.
- 문제가 잘 해결된 상태를 그려보게 합니다.

2) 기법과 주안점

- 5Why, 기적 질문
- 진짜 원하는 것으로 표면적인 목표에서 진짜 목표를 찾습니다.

3) Goal의 포인트

고객이 편안한 마음으로 코칭을 시작할 수 있는 분위기를 조성합니다. 코치는 경청할 준비를 합니다. Goal 단계에서 가장 중요한 것은 고객이 진짜 원하는 코칭 목표를 정하는 것입니다. 코칭 목표는 코치와 고객이 서로 대화와 합의를 통해서 정합니다.

고객이 여러 개의 목표를 제시할 경우 가장 중요하고 긴급한 것을 목표로 합니다. 고객이 원하는 것을 코칭 목표로 정하는 것이 바람직하지만 경우에 따라서 고객이 자신의 목표를 잘 인식하지 못하는 경우가 있습니다. 이때 코치가 고객이 원하는 코칭 목표가 정확히 무엇인지 파악하고 이를 고객이 인식할 수 있도록 하는 것이 필요합니다. 코칭 목표가 너무 큰 경우에는 이를 작은 단위 목표로 나누어서 여러 코칭 세션으로 진행할 수 있습니다.

4) Goal의 주요 질문

- ✓ 어떤 문제를 해결하면 가장 도움이 되겠습니까?
- ✓ 어떤 상태가 되면 만족하겠습니까?
- ✓ 기적처럼 문제가 해결되었다면 무엇을 보게 될까요?
- ✓ 무엇을 듣게 될까요? 무엇을 느끼게 될까요?
- ✓ 해결되었다는(목표를 이루었다는) 것을 어떻게 알 수 있을까요?
- ✓ 어떤 파급효과가 있을까요? 그것을 통해 얻고자 하는 것은 무엇일까요?
- ✓ 당신이 이루고자 하는 목표는 무엇입니까?
- ✓ 당신이 진짜 원하는 것은 무엇입니까?
- ✓ 목표를 이루면 당신에게 무엇이 좋습니까?
- ✓ 이 목표를 통해 궁극적으로 이루려는 것은 무엇입니까?
- ✓ 이것이 당신에게 어떻게 중요합니까?

☑ 목표설정의 체크 포인트

긍정적 신호	부정적 신호
코칭 대화에 집중하고 호기심을 보입니다. 목표가 분명해지고 열정이 생깁니다.	코칭 대화에 집중하지 못하고 대화가 겉돌게 됩니다. 목표가 확실하지 않고 헤매는 느낌입니다. 열정이 나타나지 않습니다.

2. 2단계 Reality-현실 확인

현실 확인 단계는 고객이 현재 느끼고 있는 어려움에 대하여 다른 각도에서 바라고 인식하도록 돕는 단계입니다.

1) Reality의 의미

- 현재 상황을 질문하여 불편한 감정을 공감적으로 경청합니다.
- 외적 장애요인과 내적 장애요인을 함께 확인합니다.
- 현재 상황에 대한 판단이 아닌 사실을 경청합니다.
- 사고의 틀과 제한적 신념을 파악하고 다른 관점을 제시합니다.
- +와 –를 파악하고 2차 이익을 확인합니다.

2) Reality의 기법과 주안점

- 관조, 다른 관점, 수치화, 신념 찾기
- 증상은 같아도 원인은 다를 수 있습니다.
- 문제의 본질을 파악합니다.

3) Reality 포인트

객관적으로 현실을 파악하기 위해서는 코치가 구체적인 사실을 이끌어 내는 질문들을 사용해야 합니다. 자기 평가 질문이나 일반화하는 질문을 하지 않습니다. 코치는 고객이 자신의 이야기를 좀 더 많이 할 수 있도록 적극적인 경청 자세를 갖추어야 합니다. 코치는 고객이 자기방어적인 태도를 보일 수 있다는 것을 이해해야 합니다. 코치는 중립적인 태도를 유지하고 고객을 신뢰하는 모습으로 코칭을 진행해야 합니다.

이 단계에서 코칭 목표가 수정되는 경우도 발생할 수 있습니다. 이때는 수정된 목표로 다시 코칭을 진행해야 합니다. 코치는 고객이 자신의 내면과 직면할 수 있도록 질문해야 합니다.

4) Reallity 주요 질문

- ✓ 현재 상황은 어떤가요?
- ✓ 지금 상황이 지속되면 어떤 일이 벌어질까요?
- ✓ 오히려 좋은 점은 무엇인가요?
- ✓ 몇 %가 사실인가요?
- ✓ 스스로 발목 잡고 있는 것은 무엇인가요?
- ✓ 목표 상황을 10이라고 할 때 현재 상황은 얼마인가요?
- ✓ 그것에 대해 더 자세히 말씀해 주시겠어요?
- ✓ 그것에 대해 당신은 어떻게 느끼고 있나요?
- ✓ 현재 어떤 자원을 가지고 있나요?
- ✓ 당신은 현재 상황에 대해 어느 정도의 책임을 갖고 있나요?
- ✓ 이것에 대해 지금까지 해왔던 것이 있다면 뭐가 있을까요?
- ✓ 그것에 대해 다른 사람들은 어떻게 보고 있나요?
- ✓ 당신을 제외하고 이것의 영향을 받는 사람이 누구입니까?

☑ 현실 확인의 체크 포인트

긍정적 신호	부정적 신호
상황에 대한 새로운 관점을 갖게 됩니다. 문제가 명확해지고 진짜 원인을 발견합니다. 객관적으로 현실을 조망하게 됩니다.	관점이 바뀌지 않고 문제에 고립됩니다. 과거에 집착합니다. 책임을 수용하지 않고 탓을 합니다.

3. 3단계 Option-대안 탐색

대안 탐색 단계는 고객으로 하여금 다양한 해결 방법을 찾아내고 선택하도록 돕는 단계입니다.

1) Option의 의미

- 활용 가능한 자원 도출:
  정보, 시간, 돈, 사람, 경험, 강점, 기술 등

2) Option의 기법과 주안점

- Brain Storming, Mandal-art, Mind-map
- 의사결정 매트릭스(효과성, 실현 가능성, 경제성 검토)
- 다양한 아이디어를 산출합니다.
- 최종 선택은 고객이 할 수 있게 합니다.

3) Option 포인트

코치는 고객이 가능성 있는 대안들을 많이 도출할 수 있도록 격려를 계속해야 합니다. 대안을 도출하는 과정에서 핵심은 아이디어의 질이 아니라 양입니다. 실행계획은 구체적일수록 실행 가능성이 높아집니다. 고객이 실행 가능한 것과 실행 불가능한 것을 스스로 구분하게 합니다. 고객이 보유한 다양한 자원들을 검토하고 이러한 자원들을 활용할 수 있도록 격려합니다. 계획을 실행하는 데 예상되는 장애물을 예측하고 이를 극복할 수 있는 방안을 마련할 수 있도록 합니다. 고객이 원할 경우 코치는 자신의 정보를 제공할 수 있습니다.

4) Option 주요 질문

- ✓ 그럼에도 불구하고 목표를 이룰 수 있는 방법이 있다면 무엇이 있을까요?
- ✓ 문제해결을 위해 필요한 자원은 무엇입니까?
- ✓ 이와 비슷한 문제를 해결한 과거 경험이 있다면 무엇입니까?
- ✓ 성공한 자신이 지금의 자신에게 조언을 해 준다면 어떤 말을 하고 싶으신가요?
- ✓ 존경하는 사람이 조언을 해 준다면 무엇을 해주실까요?
- ✓ 도움을 받는다면 누구의 어떤 도움을 받으면 좋을까요?
- ✓ 자신의 강점을 적용해 본다면 어떻게 해볼 수 있을까요?
- ✓ 당장 시도해 볼 수 있는 가장 효과적인 것은 무엇인가요?
- ✓ 한 가지 방법을 선택한다면 어떤 것을 선택하시겠습니까?
- ✓ 무엇을 할 수 있습니까? 무엇을 하고 싶습니까?
- ✓ 그 외에 또 어떤 것을 해볼 수 있습니까?
- ✓ 시간과 예산이 더 많다면 무엇을 하겠습니까?

☑ 대안 탐색의 체크 포인트

긍정적 신호	부정적 신호
얼굴색이 밝아지고 활기가 생깁니다. 해결책이 생기고 새로운 가능성을 찾게 됩니다. 아이디어가 계속 생각납니다.	"생각이 안 난다", "방법이 없다"라는 말을 반복합니다. 안 되는 이유를 찾습니다.

4. 4단계 Will-실행

실행과 후원 환경은 고객이 선택한 대안을 실행하고 변화된 행동이 지속될 수 있도록 구체적인 계획을 만들고 환경을 설계하는 단계입니다.

1) Will의 의미

- SMART 실행목표
- SMART 실행계획
- 할 수밖에 없는 시스템 만들기
- 지속적인 지지, 격려, 점검

2) Will의 기법과 주안점

- SMART, Planning & Scheduling, 8가지 환경설계
- 환경이 행동을 만듭니다.
- 무조건 실행되는 환경을 만듭니다.

3) Will 단계 포인트

구체적 실행계획을 직접 실천할 수 있는 방안에 대해 스스로 생각하게 합니다. 실행에 필요한 도움에 대해 생각해 보고 도움을 청할 수 있게 합니다. 코치가 직접 도와줄 수 있는 일을 확인하고 지속적 지원을 약속합니다. 코칭 세션에서 고객이 마무리할 수 있도록 합니다. 코치의 강요 때문이 아니라 고객이 스스로 실천하고자 하는 의지를 다질 수 있도록 합니다. 고객의 실행계획 실천에 대해 코치가 지속적으로 피드백을 할 수 있도록 약속을 정합니다. 코치가 지속적으로 관심을 가지고 지원할 것임을 주지시킵니다.

4) Will의 주요 질문

- ✓ 목표를 위해 어떤 계획을 세울 수 있을까요?
- ✓ 실행하지 않을 수 없는 환경은 어떤 상황인가요?
- ✓ 다음 한 주 (3개월, 한 달) 동안 실행할 것은 무엇인가요?
- ✓ 구체적인 첫 행동은 무엇입니까?
- ✓ 언제 하시겠어요?
- ✓ 누가 점검해 주면 잘할 수 있을까요?
- ✓ 했다는 것을 제가 어떻게 알 수 있을까요?
- ✓ 이 행동이 목표를 달성하는 데 어떻게 기여하나요?
- ✓ 이 일을 더 작게 나눈다면 어떻게 나눌 수 있을까요?
- ✓ 그 외에 고려할 사항은 무엇인가요?
- ✓ 빠진 것이 있나요?
- ✓ 누가 이 계획에 대해 알아야 하나요?

☑ 대안 탐색의 체크 포인트

긍정적 신호	부정적 신호
당장 실행하려는 의욕을 보입니다. 실행 결과를 확신합니다.	'나중에 하겠다'며 구체적인 계획과 시간을 정하지 않으려고 합니다. 실패에 대한 걱정을 합니다.

❖ GROW 대화 프로세스(Process) 3

코치는 다음 질문의 내용으로 질문을 하고 피코치는 질문에 대하여 긍정적 자세로 대답을 하면서 코칭 대화를 진행합니다.

단계	질 문
Rapport **마음 열기**	• 지난 한 주간 성취한 일이나 축하할 일이 있다면 어떤 일이 있었나요? • 당신의 어떤 점이, 그것을 그렇게 잘할 수 있도록 만들었다고 생각하세요? (탁월함을 경청) • 자신의 그런 탁월한 점을 앞으로 어떤 쪽에 활용하고 싶으세요?(지지, 격려, 응원)
Goal **목표설정**	• 오늘 대화를 통해 해결하고 싶은 것이 있다면 무엇이 있을까요? • 그것을 해결한다면 무엇이 달라질까요? • 그것을 통해 진짜 원하는 것이 있다면 무엇이 있을까요? • 그것은 당신에게 어떻게 중요한가요? • 그것이 실현되는 것이 당신의 삶에 어떤 의미가 있습니까? • 당신이 진짜 원하는 것은 무엇입니까? • 그것이 이루어진 것을 어떻게 알 수 있나요? • 그것이 환상적으로 실현된 것을 상상해 보면 어떤 모습인가요?

단계	질 문
Reality **현실 확인**	• 현재 상황은 어떻습니까? • 원하는 상태와 지금 현재를 비교해 보면 어떻게 다른가요? • 원하는 상태를 10점이라고 보면 지금은 몇 점일까요? • 현재 상태와 원하는 상태의 차이는 무엇인가요? • 어떤 기회가 있습니까? • 어떤 위험 요소가 있습니까? • 그것을 위한 당신의 장점은 무엇인가요? • 그것을 위해 당신이 극복해야 할 것은 무엇인가요? • 당신이 가지고 있는 자원(경험/지식/재능/자본/인맥 등)이 있다면 어떤 것이 있습니까? • 과거에 어려운 문제를 해결하는 데 발휘되었던 자신만의 능력이 있다면 무엇인가요?
Option **대안 탐색**	• 여러 가지 어려움에도 불구하고 당신이 원하는 것을 이루기 위해 방법을 생각해 본다면 어떤 방법이 있을까요? • 또 다른 방법은 어떤 것이 있을까요? • ~의 관점에서 생각해 본다면, 어떤 방법을 생각해 볼 수 있을까요? • 또 다른 방법은 무엇이 있을까요? • 또 다른 측면에서 생각해 보면 또 어떤 방법을 생각해 볼 수 있을까요? • 지금까지 한 번도 생각해 보지 않은 방법을 찾아 본다면 무엇이 있을까요? • 한 가지 더 생각해 본다면? • 끝으로 한 가지만 더 생각해 볼까요?

단계	질 문
Will **실행**	• 지금 이야기한 방법을 가지고 앞으로 원하는 것을 이루기 위해 효과적이고 효율적인 전략을 세운다면 어떻게 만들어 보시겠어요? • 그것을 위해 우선적으로 달성할 목표를 잡는다면 어떻게 잡아 볼까요? • 목표를 위해 집중해서 실행할 핵심적인 행동은 무엇인가요? • 그것이 자연스럽게 실행되도록 어떻게 환경을 만들어 볼까요? • 그것을 위해 가장 먼저 시작할 것은 무엇인가요? • 언제 하시겠습니까? • 목표를 위해 앞으로 줄이거나 하지 말아야 할 행동은 무엇입니까? • 더 노력하거나 새롭게 시작해야 할 행동은 무엇입니까? • 어떤 능력을 더 개발해야 합니까? • 더 잘 실행하기 위해 누구의 도움이 필요할까요? • 그것을 잘 실행하도록 어떻게 상호책임을 져주면 좋을까요?
Feedback **피드백**	• 오늘 대화를 나누면서 새롭게 인식되거나 발견한 것, 정리된 것이 있다면 어떤 것이 있을까요? • 저는 오늘 대화를 나누면서 ~점이 좋았습니다. • 오늘 어떤 점이 좋으셨나요?

실습 "GROW" 질문 패턴

1) 2인 1조로 구성합니다. 코치와 고객으로 역할을 나눕니다.
2) 고객은 코치와 마주 보고 앉아서 대화합니다.
3) 코치는 질문 내용을 질문하고 고객은 질문에 대하여 긍정적 자세로 대답을 하면서 코칭 대화를 진행합니다.
4) 대화가 끝나면 코치와 고객이 대화를 통해 발견된 생각과 느낌을 나눕니다.
5) 역할을 바꾸어서 진행합니다.

5-4. 종합실습

☑ 코칭 대화 프로세스(Process) 실습 1

1) 2인 1조(A, B)로 구성합니다. 먼저 A는 코치, B는 고객이 됩니다.
2) A는 아래 질문의 내용으로 질문하고, B는 질문에 긍정적인 자세로 대답을 하면서 코칭 대화를 진행합니다. 종료 후 서로 피드백을 나눕니다.
3) A와 B는 순서를 바꾸어 진행합니다.

구분	GROW 코칭 대화 프로세스
코치	• 최근 성취하거나 축하할 일이 있다면 어떤 일이 있을까요? • 요즘 삶에서 해결하고 싶은 것이 있다면 무엇이 있을까요? • 그것이 당신의 삶에 어떤 의미가 있습니까? • 그것이 당신에게 중요한 이유는 무엇입니까? • 당신이 진짜 원하는 것은 무엇인가요? • 그것이 만족스럽게 이루어진 상태는 어떤 모습인가요? • 그것이 이루어진다면 무엇을 느끼게 될까요? • 무엇을 알게 될까요? • 지금 현재의 상황은 어떠한가요? • 그것을 이루기 위해 어떤 기회가 있을까요? • 그것을 이루기 위해 어떤 위험 요소(방해요인)가 있을까요? • 그것을 위한 당신의 장점(탁월함)은 무엇인가요? • 그것을 위해 당신이 극복해야 할 것은 무엇인가요? • 그럼에도 불구하고, 원하는 것을 이루기 위해 생각해 볼 수 있는 방법은 무엇이 있을까요? • 또 어떤 방법이 있나요? • 하나만 더 생각해 볼까요? • 원하는 것을 이루기 위해 효과적인 전략을 세운다면 어떻게 만들어 볼 수 있을까요?

<table>
<tr><th>구분</th><th>GROW 코칭 대화 프로세스</th></tr>
<tr><td>코치</td><td>• 그것을 위해 우선적으로 달성할 목표를 잡는다면 어떻게 잡아 볼까요?
• 목표를 위해 집중해서 실행할 핵심적인 행동은 무엇인가요?
• 그것이 자연스럽게 실행되도록 어떻게 환경을 만들어 볼까요?
• 그것을 위해 가장 먼저 시작할 것은 무엇인가요?
• 언제 하시겠어요?
• 그것을 잘 실행하도록 어떻게 상호책임을 져주면 좋을까요?
• 지금 대화를 통해 새롭게 인식되거나 발견한 것, 정리된 생각이 있다면 어떤 것이 있나요?
• 지금까지 대화를 통해 ~점이 좋았습니다. 이것으로 코칭을 마치도록 하겠습니다.</td></tr>
</table>

✓ GROW 모델 실습을 하고 난 후 느낌을 서로 나누어 봅니다.

☑ 코칭 대화 프로세스(Process) 실습 2

1) 2인 1조(A, B)로 구성합니다. 먼저 A는 코치, B는 고객이 됩니다.
2) A는 아래 질문의 내용으로 질문하고, B는 질문에 긍정적인 자세로 대답을 하면서 코칭 대화를 진행합니다. 종료 후 서로 피드백을 나눕니다.
3) A와 B는 순서를 바꾸어 진행합니다.

구분	GROW 코칭 대화 프로세스
코치	• 당신에게 기쁨을 주는 일은 무엇입니까? • 어떤 문제를 해결하면 가장 도움이 될까요? • 어떤 상태가 되면 만족할까요? • 기적처럼 문제가 해결되었다면 무엇을 보게 될까요? • 무엇을 듣게 될까요? 그리고 무엇을 느끼게 될까요? • 해결되었다는 것을 어떻게 알 수 있을까요? • 그것을 통해 얻고자 하는 것은 무엇인가요? • 당신이 진짜 원하는 것은 무엇인가요? • 목표를 이루면 당신에게 무엇이 좋은가요? • 이것이 당신에게 어떻게 중요한가요? • 현재 상황은 어떤가요? • 그와 같은 문제의 발생 원인은 무엇이라고 생각하나요? • 지금 상황이 지속되면 어떤 일이 벌어질까요? • 스스로 발목 잡고 있는 것은 무엇인가요? • 목표 상황이 10이라면 현재 상황은 얼마인가요? • 그것에 대해 당신은 어떻게 느끼나요? • 현재 어떤 자원을 가지고 있나요? • 문제해결을 위해 필요한 자원은 무엇인가요? • 이와 비슷한 문제를 해결한 과거 경험이 있다면 무엇인가요?

구분	GROW 코칭 대화 프로세스
코치	• 성공한 자신이 지금의 자신에게 조언을 한다면 어떤 말을 하고 싶을까요? • 도움을 받는다면 누구의 어떤 도움을 받으면 좋을까요? • 자신의 강점을 적용해 본다면 어떻게 해볼 수 있을까요? • 당장 시도해 볼 수 있는 가장 효과적인 것은 무엇인가요? • 또 어떤 방법이 있을까요? • 마지막으로 하나 더 생각해 본다면? • 한 가지 방법을 선택한다면 어떤 것을 선택하시겠어요? • 무엇을 할 수 있을까요? • 시간과 예산이 더 많다면 무엇을 할 수 있을까요? • 목표를 위해 어떤 계획을 세우겠습니까? • 실행하지 않을 수 없는 환경은 어떤 상황일까요? • 다음 한 주 동안 실행할 것은 무엇인가요? • 구체적인 첫 행동은 무엇인가요? • 언제 하겠습니까? • 했다는 것을 제가 어떻게 알 수 있을까요? • 오늘 어떤 점이 좋았을까요? • 오늘 대화를 통해 새롭게 인식되거나 발견한 것, 정리된 것이 있다면 뭘까요? • 저는 ~점이 좋았습니다. • 이것으로 코칭 대화를 마치도록 하겠습니다.

✓ GROW 모델 실습을 하고 난 후 느낌을 서로 나누어 봅니다.

☑ 코칭 대화 프로세스(Process) 실습 3

1) 2인 1조(A, B)로 구성합니다. 먼저 A는 코치, B는 고객이 됩니다.
2) A는 아래 질문의 내용으로 질문하고, B는 질문에 긍정적인 자세로 대답을 하면서 코칭 대화를 진행합니다. 종료 후 서로 피드백을 나눕니다.
3) A와 B는 순서를 바꾸어 진행합니다.

구분	GROW 코칭 대화 프로세스
코치	• 오늘 컨디션은 어떤가요? • 지금부터 나누는 이야기는 코치협회 윤리규정에 의해 비밀이 보장되기 때문에 편하게 말씀하셔도 됩니다. • 오늘 어떤 이야기를 하고 싶습니까? • 오늘 얘기하고 싶은 것은 무엇입니까? • 지금 해결하길 바라는 것은 어떤 것입니까? • 무엇이 달라지길 바라나요? • 당신이 처한 현실과 원하는 모습 사이에는 어떤 차이가 있나요? • 오늘 코칭에서 무엇을 얻기를 바라시나요? • 당신의 인생이 어떻게 달라지길 바라나요? • 코칭을 모두 마쳤을 때 당신은 어떤 모습을 하고 있을까요? • 앞으로 6개월 후 지금의 문제가 해결되었다면 그때 당신의 모습은 어떨까요? • 당신이 정말 이루고 싶은 목표는 무엇인가요? • 당신이 정말 바라는 것은 무엇인가요? • 당신이 이루고자 하는 목표가 10이라면 현재는 어느 정도 되나요? • 당신에게는 어떤 것이 더 중요한가요? • 그러한 결정을 내리는 데 어떤 요소들이 작용했을까요? • 당신이 정말 원하는 모습을 이루는 데 어떤 어려움이 있나요? • 당신이 먼 미래에서 이 상황을 보다면 어떻게 보일까요? • 지금까지 그 문제에 대해 어떤 행동을 취했을까요? • 문제를 해결하기 위해 지금까지 어떤 것을 시도해 보셨나요? • 더 개선되어야 할 부분은 무엇인가요? • 지금 바로 할 수 있는 행동은 어떤 것이 있을까요?

구분	GROW 코칭 대화 프로세스
코치	• 당신의 힘으로 변화시킬 수 있는 것은 무엇인가요? • 문제를 해결하기 위해 새롭게 시도할 수 있는 것은 무엇인가요? • 그것을 어떤 방법으로 실행할 수 있을까요? • 그 방법은 당신에게 어떤 도움을 될까요? • 그 외에 다른 방법은 어떤 것이 있을까요? • 지금 발견한 방법을 어디에서 다시 활용할 수 있을까요? • 그 계획을(방법을) 언제부터 시작할 건가요? • 당신이 세운 계획을 잘 실행하고 있다는 것을 제가 어떻게 알 수 있을까요? • 이것을 실행하는 데 어떤 장애물이 있을 것으로 생각하나요? • 약속하신 것을 행동하는 데 어떤 걸림돌이 예상되나요? • 이런 장애물이 생기는 이유는 무엇이라고 생각하나요? • 언제 이런 장애물이 자주 나타납니까? • 걸림돌을 치우려면, 어떤 일을 해야 한다고 생각하나요? • 장애물 제거하는 데 도움을 받을 수 있는 사람은 누구인가요? • 걸림돌을 제거하는 데 코치인 제게 요청할 것이 있다면? • 코치인 제가 무엇을 도와드리면 좋을까요? • 이 계획이 성공하기 위해 혹시 도움이 필요한 부분이 있을까요? • 실행계획을 수행하는 과정에서 새롭게 느낀 것은 무엇인가요? • 이번에 새롭게 느낀 것을 다른 부분에 적용해 본다면? • 지금처럼 좋은 성과를 유지하기 위해 무엇을 해야 할까요? • 앞으로 살면서 발생하는 문제가 지금처럼 원하는 결과로 해결해 나갈 수 있도록 지지하고 응원하겠습니다.

✓ GROW 모델 실습을 하고 난 후 느낌을 서로 나누어 봅니다.

____

____

____

☑ 코칭 대화 프로세스(Process) 실습 4

1) 2인 1조(A, B)로 구성합니다. 먼저 A는 코치, B는 고객이 됩니다.
2) A는 아래 질문의 내용으로 질문하고, B는 질문에 긍정적인 자세로 대답을 하면서 코칭 대화를 진행합니다. 종료 후 서로 피드백을 나눕니다.
3) A와 B는 순서를 바꾸어 진행합니다.

구분	R-GROW 코칭 대화 프로세스
코치	(미소, 인사, 칭찬) • 오늘 컨디션 어때요? • 어떤 문제를 해결하면 가장 도움이 될까요? • 해결되었다면, 어떤 상황이 되어 있을까요? • 지금 현재 상황은 어떤가요? • 해결하는 데에 방해요인은 무엇이 있을까요? • 해결을 위해 생각해 볼 수 있는 방법은? • 또 (3가지 이상) • 먼저 시도해 보고 싶은 것은? • 구체적인 첫 행동은 뭐가 될까요? • 언제 하시겠어요? • 누가, 언제, 어떻게 점검해 주면 더 잘할 수 있을까요?

☑ 코칭 대화 프로세스(Process) 실습 5

1) 2인 1조(A, B)로 구성합니다. 먼저 A는 코치, B는 고객이 됩니다.
2) A는 아래 질문의 내용으로 질문하고, B는 질문에 긍정적인 자세로 대답을 하면서 코칭 대화를 진행합니다. 종료 후 서로 피드백을 나눕니다.
3) A와 B는 순서를 바꾸어 진행합니다.

구분	R-GROW 코칭 대화 프로세스
코치	• 요즘 살아가는 데 힘을 주는 것은? • 어떤 주제로 이야기 나누면 유익할까요? • 그 이슈가 해결된 모습을 그려본다면 어떤 모습일까요? • 그렇게 되는 것이 자신에게 어떤 의미가 있을까요? • 그 상태가 10점이라면 현재 상태는 몇 점 정도일까요? • 10점이 안 되게 방해하는 것은 어떤 것들이 있나요? • 남은 시간 동안 어떤 부분에 초점을 맞추면 가장 도움이 될까요? • 오늘 코칭 대화가 끝났을 때 어떤 결과를 얻으면 만족스러울까요? • 시도해 본 것들 중에 가장 효과적이었던 것은 어떤 방법이었나요? • 아직 시도해 보지 않은 것들 중에 시도해 볼 수 있는 대안은? • 또? 무엇이 있을까요? • 뭘 바꾸면? 뭘 배우면? 어떤 생각을 가지면? • 뭘 내려놓으면? 누구의 도움을 받으면? • 필요한 정보? 강점? 경험? • 뭐부터 해보면 가장 도움이 될까요? • 구체적인 첫 행동은 뭐가 될까요? 언제 하시겠어요? • 누가 어떻게 점검해 주면 더 잘할 수 있을까요? • 지금까지 대화를 통해 새롭게 발견한 것이나 정리된 것은? • 다음 약속, 지지, 격려, 응원

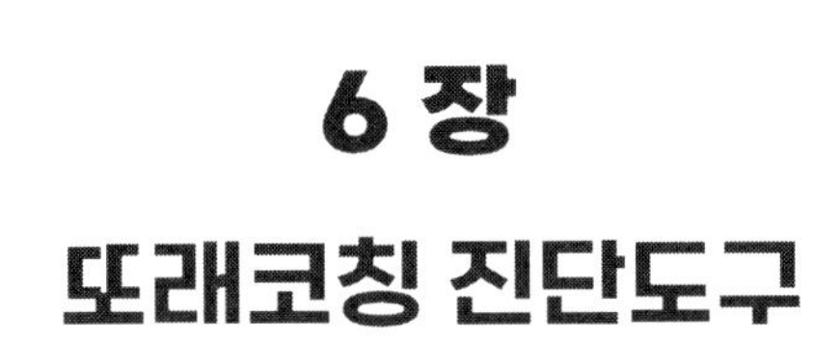

6 장
또래코칭 진단도구

6-1. 코칭 진단 도구

코칭에서 진단 도구는 고객의 성향을 파악하는 기초 정보를 제공해 줍니다.

각 진단은 해당 전문교육 과정을 이수한 후 전문자격을 갖춘 후 사용하거나 전문가 또는 전문기관에 의뢰하여 실시할 수 있습니다. 진단 시 비용이 발생하므로 사전에 고객에게 양해를 구하여 비용 지불과 실시 여부를 결정한 후 진행합니다.

코칭 전에 여러 가지 사전진단을 통하여 고객에 대한 정보를 파악하고 구체적인 코칭 주제를 정할 수 있습니다.

❖ 자기 이해

성격은 개인이 가지고 있는 고유의 성질이나 품성으로 어떤 사물이나 현상의 본질이나 본성, 환경에 대하여 특정한 행동 형태를 나타내고, 그것을 유지하고 발전시킨 개인의 독특한 심리적 체계로 각 개인이 가진 남과 다른 자기만의 행동 양식이며, 선천적인 요인과 후천적인 영향에 의해 형성됩니다.

❖ 디브리퍼 코치

- 디브리핑은 고객이 실시한 검사 결과를 코치가 고객에게 설명하는 것입니다.
- 검사 실시 전 고객에게 검사 방법을 자세히 설명합니다.
- 코치는 디브리핑 하기 전에 고객의 검사 결과를 정확하게 확인하고 이해합니다.
- 고객에게 검사 결과를 설명할 때 검사 결과가 절대적인 것이 아니라는 것을 설명합니다.
- 고객이 검사 과정에서 실수를 하거나 오류가 있었다면, 재검사를 실시할 수도 있습니다.
- 디브리핑에서 가장 중요한 것은 검사 결과에 대한 고객의 이해와 수용입니다.

❖ 디브리퍼의 중립성

- 디브리핑에서 코치는 검사 결과 해석에 대한 중립성과 고객에게 전달하는 데 필요한 언어적 표현의 중립성 유지를 합니다.
- 검사 결과 해석의 중립성은 코치가 검사 결과를 있는 그대로 이해하는 것을 말합니다. 코치 자신의 생각과 판단이 배재되어야 합니다.
- 표현의 중립성은 해석의 중립성을 바탕으로 검사 결과를 있는 그대로 전달하는 것으

로 언어 선택과 사용에서 표현의 중립성을 위한 적절한 질문을 통해서 고객이 자신의 의견을 말할 수 있게 합니다.

❖ 디브리핑 프로세스

- 검사 실시 전 검사 방법에 대해 고객에게 자세히 설명합니다.
- 누락된 것은 없는지 검사 결과를 확인합니다.
- 검사 결과지의 내용을 정확히 확인하고 이해합니다.
- 검사 결과가 절대적인 것이 아니라는 것을 고객에게 설명합니다.
- 검사를 진행하면서 문제는 없었는지 고객에게 질문을 통해 확인합니다.
- 검사 결과를 있는 그대로 중립적인 언어를 사용해서 고객에게 설명합니다.
- 검사 결과에 대한 고객의 수용도를 높이기 위해서 다양한 코칭 스킬을 활용해서 디브리핑을 실시합니다.

❖ 코칭에서 디브리핑

✓ 검사 전에 '되고 싶은 나'와 '현재의 나'에 대해 질문을 합니다.
✓ 검사 결과가 자신에 대해 잘 설명하고 있다고 생각하시나요?
✓ 검사 과정에서 어려움은 없었나요?
✓ 본인의 성격은 OOO으로 볼 수 있습니다. 이점에 대해 어떻게 생각하시나요?
✓ 검사 결과를 보면 OOO합니다. 검사 결과에 대해 동의하시나요?
✓ 이러한 검사 결과가 나온 원인이 무엇이라고 생각하나요?
✓ 본인 성격의 장단점은 무엇이라고 생각하시나요?
✓ 본인 성격 중 보완해야 할 부분이 있다면 무엇인가요?
✓ 검사 결과에 따르면 본인은 OOO합니다. 본인이 가장 중요하게 생각하는 것은 무엇인가요?

6-2. 에고그램

에고그램(Ego-Gram)은 정신과 의사인 에릭 번(Eric Berne)이 1957년에 개발한 교류분석(Transaction Analysis/TA)을 바탕으로, 심리학자인 존 듀세이(John M. Dusay)가 1972년에 만든 심리검사 도구입니다. 이 검사 도구를 사용하여 자신의 자아 상태를 분석하고, 자신의 성격과 패턴을 먼저 이해하고 자기 성장과 인간관계에서 타인과 상호작용을 어떻게 하고 있는지, 어떠한 관계를 맺고 있는지, 자신의 스타일을 점검할 수 있습니다.

❖ 자아 상태

P (Parent)	• 어버이 자아 상태입니다. • 부모가 말하는 것을 보고 듣고 그것을 그대로 받아들임으로써 자신의 인격으로 내재화됩니다. • 형성 과정에 따라 CP(Critical Parent)와 NP(Nurturing Parent)로 구분됩니다.
A (Adult)	• 어른 자아 상태입니다. • 사고력이나 판단력을 중요하게 생각하면서 상황에 대응하는 경험을 반복하는 과정 속에서 그러한 행동 방식이 자신의 인격으로 내재화됩니다.
C (Child)	• 어린이 자아 상태입니다. • 감각적, 감정적으로 반응한 방식이 축적되어 그것이 인격화됩니다. • 형성 과정에 따라 FC(Free Child)와 AC(Adapted Child)로 구분됩니다.

❖ 에고그램 유형

유형	긍정적 측면	부정적 측면
CP (Critical Parent)	• 진취적/성공지향/책임감/시작에 두려움이 없음 • 의리/힘/확고함/일에 대한 저력 • 도전적/독립적/7전8기/유능감/목표지향/빠른 의사결정과 결과물 획득 • 자아 강함/지도력을 발휘함 • 어려운 문제를 처리함/실패를 두려워하지 않음	• I am OK, You are not OK • 직선적/비난적/권위적/지배적 • 성격이 급함/극단적/독불장군/지시적 • 편견/보수 • 참을성이 부족함
NP (Nurturing Parent)	• 상대 배려/지지적/낙천적/긍정적/헌신적 • 타인 동기부여/타인 공감 수용 • 감수성이 풍부하고 섬세함 • 포용력/관용적/융화적/관계지향적/관계에서 갈등 조정 • 중재자 역할	• 마음이 여려서 거절을 못 함/상황정황으로 포용하지만 온전히 풀지는 못함 • 염려가 많음/과보호/과간섭 • 지나친 상대 의식/거부에 대한 두려움/상대에 대한 기대와 좌절 • 공사 구분이 안 됨 • 논리에 약함

❖ 에고그램 유형

유형	긍정적 측면	부정적 측면
A (Adult)	• 이성적/합리적/능률적/객관적/계획적/현실적/원칙주의/정확함 • 분석적/체계적/의사결정 시 • 정보를 종합해서 판단함 • 위기 상황에서 냉정하고 차분함 • 결정된 사항은 반드시 완수함/일의 완성도가 높음 • 군더더기 없는 말투 • 예의 바르고 격식 갖춤	• 무계획 상황 또는 응급 상황에서 대처 능력 떨어짐/사실 해결에만 집중함 • 감정 파악이 잘 안 됨/타인 공감 능력 떨어짐 • 일에 대한 기대 수준이 높음/비평적 분석 • 사람에 대해 냉정하고 지적을 많이 함/타인 칭찬에 약함 • 자기 기준이 높아 스스로 인색함/계산적
FC (Free Child	• 직관적/창의적/독립적/응용력/순발력 • 좋아하는 일에 몰두함/감정이 풍부함 • 선입견이 없음/모험심이 강함 • 자기 긍정적/자발적/명랑 쾌활/적극적/솔직함 • 사교적/새로운 환경과 사람에 적응력이 우수함	• I am OK, You are not OK • 꼼꼼하거나 섬세한 일을 처리하는데 어려움 • 감정 기복이 심함/가벼워 보임 • 동기나 흥미에 따라서 실행력에 변동이 큼 • 충동적/공상적/자기중심적
AC (Adapted Child)	• 수용적/적응적/인내심/충실함/꾸준함/순응적/참을성 • 맡은 일에 책임을 짐 • 겸손함/예의 바름 • 예측 가능하고 일관성 있게 일 수행/세밀하고 꼼꼼하게 일 처리 • 조직과 환경에 협력적이고 우호적임 • 꾸준히 전문적인 기술을 개발	• I am not OK, You are OK • 자신에게 인색함/감정억제 • 우유부단/결단력 없음/자기 비하/자기주장이 약함 • 화를 우회적으로 표현함 • 수동적/사람들 눈치를 봄 • 자발적으로 실행하는 능력이 떨어짐

❖ 에고그램 유형별 이해

1) CP(Critical Parent)

결과를 성취하기 위해 장애를 극복함으로써 환경을 조성한다.

동기부여	• 목표, 도전, 통제력
두려움	• 통제권을 상실 • 타인에게 이용당하는 것
압력상황	• 독재, 지나친 통제 • 비판적, I am OK, You are not OK
칭찬포인트	• 영향력과 존재감에 대하여 • "당신 하나가 팀을 먹여 살리는군."
선호환경	• 힘과 권위가 제공되는 환경 • 도전이 있는 환경 • 개인적 성취, 성장의 기회가 있는 환경 • 새롭고 다양한 활동이 제공되는 환경 • 직접적인 답을 제공하는 환경 • 통제와 감독으로부터 자유로운 환경
개발사항	• 경청

❖ 에고그램 유형별 이해

2) NP(Nurturing Parent)

다른 사람을 설득하거나 영향을 미침으로써 환경을 조성한다.

동기부여	• 소속감, 관계, 격려
두려움	• 관계에서의 거부
압력상황	• 주눅 듦 • 당황하고 일을 포기하게 됨
칭찬포인트	• 수용해 주는 행위 등 마음 씀씀이에 대하여 • "당신 때문에 팀이 활성화되는군!"
선호환경	• 인기, 사회적 인정을 받을 수 있는 환경 • 의사 표현이 자유로운 환경 • 편안하고 따뜻한 분위기가 조성되는 환경 • 민주적인 관계를 맺을 수 있는 환경 • 상담과 조언을 해 줄 수 있는 환경 • 우호적인 업무환경
개발사항	• 자기주장 • 논리적 사고

❖ 에고그램 유형별 이해

3) A(Adult)

객관적인 데이터와 이성에 근거한 체계적인 환경 안에서 일한다.

동기부여	• 정확성, 효율성, 완벽성
두려움	• 자신이 수행한 결과에 대한 평가, 비난, 비판
압력상황	• 자신과 타인에 대한 지나친 기대 • 비판
칭찬포인트	• 합리적, 논리적 근거로 노력함에 대하여 • "역시 완벽해! 자네에게 맡기길 잘했어."
선호환경	• 업무수행에 대한 기준이 명확한 환경 • 품질, 정확성을 가치 있게 여기는 환경 • 전문기술과 성취를 인정하는 환경 • 업무수행에 영향을 미치는 요인들을 통제할 수 있는 환경 • "왜"라는 질문을 요구하는 환경
개발사항	• 공감, 수용

❖ 에고그램 유형별 이해

4) FC(Free Child)

창의적이고 자유로운 환경 안에서 신나게 일한다.

동기부여	• 창조, 재미, 자유
두려움	• 구속 • 일상적인 일의 반복
압력상황	• 회피 • 무시
칭찬포인트	• 개방성이나 아이디어에 대하여 • "자네 아이디어는 역시 톡톡 튀는군!"
선호환경	• 개인적 성취가 가능한 환경 • 다양한 활동과 업무가 가능한 환경 • 재미있고 즐거운 분위기가 조성되어 있는 환경 • 통제받지 않고 사소한 일들에 얽매이지 않는 자유로운 환경 • 새롭고 다양한 활동이 많은 환경
개발사항	• 완결성, 자기조절

❖ 에고그램 유형별 이해

5) AC(Adapted Child)

과업을 수행하기 위해서 다른 사람과 협력하고 순응한다.

동기부여	• 안정, 존중, 협력
두려움	• 갈등 • 변화
압력상황	• 수동적 공격
칭찬포인트	• 양보하는 행위 등 사람 좋은 것에 대하여 • "맡겨진 일을 자네처럼 성실하게 해내는 사람이 있을까?"
선호환경	• 변화에 대한 이유가 없는 한 현상이 유지되는 환경 • 예측 가능한 일상업무가 제공되는 환경 • 업무성취에 대한 진실한 평가가 있는 환경 • 그룹 일원으로서 인정받는 환경 • 표준화된 절차가 제공되는 환경 • 갈등이 적은 환경
개발사항	• 주도성, 자발성

❖ 에고그램 유형별 코칭 활용

CP	• 바로 핵심적인 질문을 합니다. • 사람을 알아보는 칭찬과 인정을 합니다. • 목표를 이루는 과정에서 간과할 수 있는 세부적인 사항을 점검합니다. • 한 가지 선택이 초래할 수 있는 영향력에 대해 생각해 보도록 합니다. • 목표가 이루어졌을 때의 유익과 비전에 대해서 그려주고 작은 부분을 제시합니다. • 다른 주제로 넘어가기 전에 의견이 일치된 부분은 정리합니다. • 코칭을 마무리할 때 자신이 했던 말을 요약하여 말하도록 합니다.
NP	• 따뜻하고 친근한 분위기를 조성합니다. • 공감하고 수용합니다. • 결과를 얻기 위해 집중해야 하는 것과 구조설정을 도와줍니다. • 사람이 미치는 영향력에 대해서 알려주어 동기부여를 돕습니다. • 심정을 알아주는 칭찬과 인정을 합니다. • 일과 사람 사이의 갈등에서 자유로울 수 있도록 돕습니다. • 자신이 옳다고 생각하는 것을 주장하도록 격려합니다.
A	• 객관적인 자료와 근거를 제시합니다. • 생각과 논리를 지지하고 인정합니다. • 갈등 부분에 대한 우선순위를 매김으로써 정리할 수 있도록 질문합니다. • 일의 결정이나 접근방식이 관계에 미치는 영향을 점검하도록 돕습니다. • 상대를 동기부여 하고 시너지를 내는 방법에 대해서 생각하도록 돕습니다. • 상대방이 마음을 열면 어떤 일이 일어날지에 대해 생각해 보도록 합니다. • 논리적, 체계적, 공식적으로 접근합니다.

❖ 에고그램 유형별 코칭 활용

FC	• 장점을 칭찬하고 열정적으로 반응합니다. • 적극적으로 경청하고 동기부여를 합니다. • 목표가 이루어졌을 때의 상황을 그려보고 이미지화시킵니다. • 재미있고 즐거운 분위기를 만듭니다. • 실행계획이 실현 가능한지에 초점을 맞추어 구체적으로 실천할 수 있도록 합니다. • 코칭 주제를 벗어나지 않도록 중간중간 방향을 확인합니다.
AC	• 안정된 분위기를 조성합니다. • 질문하거나 답변할 수 있는 충분한 시간을 제공합니다. • 심정을 알아주고 존중하는 칭찬과 인정을 합니다. • 자신감을 끊임없이 제공합니다. • 실행계획은 촉박하지 않게 수립합니다. • 자기의 긍정적인 본심을 확인하도록 돕습니다. • 심리적으로 안심하도록 돕습니다. • 관계에서 안정을 명료화하도록 돕습니다.

☑ 에고그램 유형과 이해를 바탕으로 생각해 보세요.

1. 나의 에고그램 패턴은 무엇인가요?

2. 나는 어떤 성격유형이고 어떤 행동적 특성을 가졌나요?

3. 나의 행동 특성이 관계에서 어떤 장점과 단점으로 어떻게 표현되나요?

4. 다양한 성격과 행동 특성을 가진 개인과 조직에서 코칭을 할 때 요구되는 것은 무엇인가요?

6-3. MBTI

MBTI(Myers-Briggs Type Indicator)는 칼 융의 심리 유형론을 기반으로 하여 스위스 심리학자인 캐서린 브릭스(Katharine Cook Briggs)와 마이어스(Isabel Briggs Myers) 모녀가(브릭스가 어머니, 마이어스가 딸) 개발한 자기 보고식 성격유형 지표입니다. 인간 행동에서 나타나는 나름의 질서와 일관된 경향을 바탕으로 외향과 내향, 직관과 감각, 사고와 감정, 판단과 인식으로 구분하여 총16가지의 성격유형으로 분류한 분석 도구입니다.

외향(E) 사교적이고 활발한 성향	←→ 의식의 태도	내향(I) 얌전하고 정적인 성향
감각(S) 물질적, 사실적인 것을 보는 성향	←→ 인식기능	직관(N) 관념적, 의미적인 것을 보는 성향
사고(T) 분석적, 객관적인 성향	←→ 판단기능	감정(F) 공감적, 인간애적인 성향
판단(J) 체계적이고 질서정연한 성향	←→ 생활양식	인식(P) 유연하고 자유분방한 성향

☑ 이 정보들을 모두 더하면 해당 성격유형의 전반적인 성향이 됩니다.

예) INTP 유형은 "얌전하고 정적이며, 관념적·의미적인 것을 보는 경향이 있고, 분석적이며 객관적인 성향으로 유연하고 자유분방한 성격"이라고 해석하면 됩니다.

1. 첫째 지표(E/I)

E 유형은 외향적이고 활발한 유형, I 유형은 조용하고 얌전한 유형입니다.

외향(Estraversion)	내향(Introversion)
사교적	얌전한
표현적	보유적
여럿이 어울림	단짝과 어울림
활동적	관조적
열정적	정적

2. 둘째 지표(S/N)

감각(S)과 직관(N)은 인식기능으로 세상을 어떻게 바라보는지와 관련이 있습니다.

감각(Sensing)	직관(Intuition)
구체적	추상적
현실적	상상력
실용적	개념적
경험적	이론적
전통적	독창적

3. 셋째 지표(T/F)

사고(T)와 감정(F)은 판단기능입니다. 1차적 감각과 직관을 통해 지각한 정보에 대해, 2차적으로 어떤 태도를 취하는지에 따라 T 유형과 F 유형으로 나누어집니다.

사고(Thinking)	감정(Feeling)
분석적 객관적 회의적 비판적 완고한	공감적 동정적 협조적 허용적 온유한

4. 넷째 지표(J/P)

판단(J)와 인식(P)은 생활양식 지표입니다. J 유형은 좀 더 조직화된 질서정연한 생활양식을 가지고 있고, P 유형은 비교적 덜 조직화된 보다 자유분방한 생활양식을 가지고 있습니다.

판단(Judging)	인식(Perceiving)
질서정연한 목표지향적 미리 하는 계획적 방법과 절차	유연한 자유로운 막판에 하는 즉흥적 상황에 따라

☑ MBTI 유형과 이해를 바탕으로 생각해 보세요.

1. 나의 MBTI 패턴은 무엇인가요?

2. 나의 MBTI 패턴의 일반적 특징은 무엇인가요?

3. 일반적 특징 중에서 나에게 특히 의미 있는 부분은 무엇인가요?

6-4. DISC

DISC는 1928년 미국 컬럼비아 대학의 행동주의 심리학자인 윌리엄 몰튼 마스톤(William Moulton Marston) 교수가 개발한 인간의 행동유형패턴을 검사하는 방법입니다. DISC의 구성은 Dominance(주도형), Influence(사교형), Steadiness(안정형), Conscientiousness(신중형)의 4가지로 되어 있으며, DISC는 이 4가지 유형의 머리글자를 따서 이르는 말입니다.

주도형(D)은 큰 그림에 대해 먼저 질문하고 세부적으로 들어가면 됩니다.

사교형(I)은 자신에게 먼저 관심을 주는 질문을 하고, 이후 다른 사람에 대해 질문합니다.

안정형(S)은 자신에 대한 질문은 마지막에 하고 먼저 다른 사람에 대한 질문을 합니다.

신중형(C)은 먼저 세부적으로 질문하고 전체로 들어가는 질문을 합니다.

신속한	
D(주도형) 업무지향	I(사교형) 사람지향
특징 반대 극복, 성과 창출, 신속한 의사결정, 결과 중시, 목표지향적, 지도력 발휘, 도전 정신, 변화 선호, 리더십, 적극적 태도, 추진력, 결단력, 솔선수범 **선호활동** 독립적인 일, 의사결정 기회, 지시할 기회, 경쟁에서 이기기, 빠른 결과, 성취에 대한 인정, 다양한 일 추진, 변화, 도전할 기회 **비선호활동** 예민한 사람들, 우유부단함, 느린 행동이나 반응, 통제력 상실	**특징** 분위기 메이커, 활동적, 낙천적, 사교적 매너, 반응이 좋음, 감성적, 그룹 활동 선호, 친화력, 긍정적인 태도, 용서를 잘함, 예술적, 표현력 풍부 **선호활동** 함께 일하기, 열정적, 낙천적, 재미있는 활동, 다른 사람과 문제해결, 다양성, 융통성, 아름다움 표현, 감정 표현할 기회 **비선호활동** 엄격한 규칙, 지나치게 신중한 사람, 분석 중시, 소통 기회가 제한된 환경, 가라앉은 분위기, 소외감, 무반응

차분한	
C(신중형) 업무지향	S(안정형) 사람지향
특징 분석적 사고, 원칙 중시, 도덕성, 책임감, 논리적, 객관적, 정확성 점검, 치밀하고 헌신적, 성실성, 절제력, 배려심, 양심적, 체계적 **선호활동** 정확성 요구되는 일, 끝마무리 잘함, 계획수립, 세부사항 챙기기, 데이터 수집, 자료 분석하기, 창조성에 대한 인정, 위험 요소 예측하기 **비선호활동** 자신이 한 일에 대한 비판, 비논리적 의사결정, 시간 약속 불이행, 게으름, 갑작스러운 업무 요청, 즉흥적인 행동 요구, 부주의함, 감정표현	**특징** 온화함, 참을성, 인내력, 유연함, 인정 요구, 위대한 경청자, 일관성 있는 일 처리, 협동성, 평화적인 조력자, 충성심 **선호활동** 협력적인 관계, 충성심 보여주는 것, 겸손함, 상호배려, 팀으로 일하기, 약자 돌보기, 서비스 제공, 안정되고 조화로운 업무환경 **비선호활동** 의견 불일치, 갈등 발생, 시끄러운 환경, 방해받은 거친 행동이나 말, 변덕 부림, 안정성 상실, 갑작스러운 변화

DISC 행동유형 평가서

❖ 각 문항에서 나를 가장 잘 설명한 순서대로 4점/3점/2점/1점을 기입하세요.

		점수		점수		점수		점수
내 성격은	명령적이고 주도적이다		사교적이며 감정표현을 잘 한다		태평스럽고 느리다		진지하고 세심하며 상식적이다	
나는 …에 둘러싸인 환경을 좋아한다.	개인적인 성취와 보상 및 목표 지향적		사람을 좋아하는		그림, 편지와 내 물건들		질서, 기능조직	
내 성격 스타일은 …한 경향이 있다	결과를 중시		사람을 중시		과정과 팀을 중시		세부사항을 중시	
다른 이에 대한 내 태도는…	시원시원하다		친절하고 싹싹하다		착실하고 자제력있다		차갑고 객관적이다	
다른 사람의 말을 들을 때…	종종 참을성이 없다		주위가 산만하다		기꺼이 주위를 기울여 듣는다		사실에 초점을 맞추고 분석 한다	
다른 사람과 …에 대해 이야기하는 것을 좋아한다	내 업적		나 자신과 다른 사람들		가족과 친구		사건, 정보, 조직	
나는 타인에게 …한 경향이 있다	사람들에게 지시하는		사람들에게 영향을 미치는		잘 용납하는		가치와 질로 평가하는	
축구팀에 들어가면 나의 포지션은	최전방 공격수		공격형 수비수		수비형 공격수		최종 수비수	
나에게 시간은…	항상 바빠하는		교제에 많은 시간을 사용하는		시간을 중시하지만 그리 부담이 없는		시간의 중요성을 알고 시간활용을 잘하는	
내가 교통표지판을 만든다면…	난폭운전! 죽음을 부릅니다		웃는 엄마 밝은 아빠 알고 보니양보 운전		조금씩 양보하면 좁은 길도 넓어 진다		너와 내가 지킨 질서 나라안녕 국가번영	
평소 내 목소리는…	감정적, 지시적 힘 있고 짧고 높은 톤		감정적, 열정적 가늘고 높은 톤		감정이 적게 개입되고 굵고 낮은 톤		냉정하고 감정을 억제하고 가늘고 낮은 톤	
내 제스쳐는 대부분…	강하고 민첩하다		개방적이고 친절하다		경직되어 있고 느리다		계산되고 신중하다	
나는 …스타일의 옷을 좋아 한다	정장		멋을 내는 캐쥬얼		실용적이고 편리함을 추구		검소하고 소탈하며 깔끔함	
나의 전체적인 태도는…으로 묘사될 수 있다	권위적		매력적인 사교적, 외향적		수용적 또는 개방적		평가적이거나 말이 없는	
내 삶의 페이스는	빠르다		열광적이다		안정되어 있다		조절되어 있다	

총 점	D		I		S		C	

행동유형 평가서 프로파일

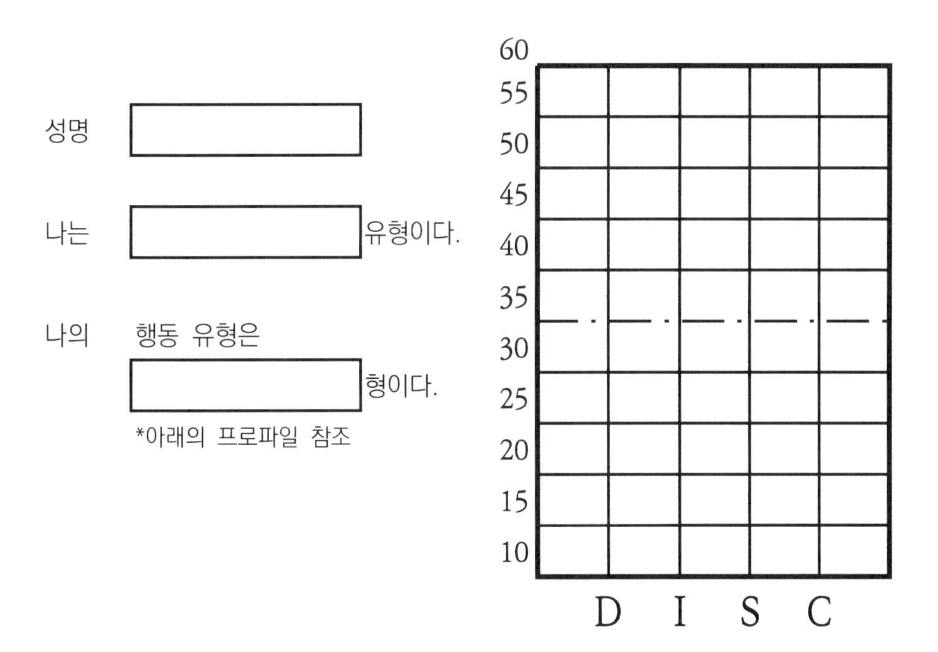

Advanced DISC의 40개 행동유형 프로파일

행동유형	프로파일	행동유형	프로파일	행동유형	프로파일
D	감독자형	I/S	격려자형	S/C/D	전략가형
D/I	결과지향형	I/S/D	헌신자형	S/C/I	평화중재자형
D/ I/S	관계중심적 지도자형	I/S/C	코치형	C	논리적 사고형
D/I/C	대법관형	I/C	대인협상가형	C/D	설계자형
D/S	성취자형	I/C/D	업무형상가형	C/D/I	프로듀서형
D/S/I	업무중심적 지도자형	I/C/S	조정자형	C/D/S	심사숙고형
D/S/C	전문가형	S	팀플레이어형	C/I	평론가형
D/C	개척자형	S/D	전문적 성취자형	C/I/D	작가형
D/C/I	대중강사형	S/D/I	디자이너형	C/I/S	중재자형
D/C/S	마이스터형	S/D/C	수사관형	C/S	원칙중심형
I	분위기 메이커형	S/I	조언자형	C/S/D	국난극복형
I/D	설득자형	S/I/D	평화적 리더형	C/S/I	교수형
I/D/S	정치가형	S/I/C	상담자형		
I/D/C	지도자형	S/C	관리자형		

DISC 행동평가의 해석

구분	유형	집중	속도	감정만족	배려	특징	욕구
D	주도형	일	빨리	업적 인정 (무대포, 독재자)	"와"	업적왕	결론만/존경
I	사교형	사람	빨리	새것에 흥분 (촐랑, 말 많음)	"억"	설득왕	새 것/삐침
S	안정형	사람	천천히	편한 관계 (굼벵이, 안일함)	"음"	인맥왕	평화/캐쥬얼
C	신중형	일	천천히	신뢰감정 (완벽주의)	"침묵"	원칙왕	정확/과정

D 주도형(Dominance)

1. 자아가 강하다
2. 목표 지향적이다. 결과와 다양성에 대한 욕구가 강하다
3. 도전에 의해 동기부여 된다.
4. 통제권을 상실하거나 이용당하는 것을 두려워한다.
5. 압력 하에서 다른 사람의 견해, 감정들을 별로 고려하지 않을 수 있다.

I 사교형(Influence)

1. 낙천적이다.
2. 사람 지향적이다.
3. 사회적 인정에 의해 동기 부여된다.
4. 다른 사람들로부터 배척당하는 것을 두려워한다.
5. 압력 하에서 일을 체계적으로 처리 못 할 수도 있다.

C 신중형(Conscientiousness)

1. 세부적인 사항에 분석적으로 주의를 기울인다.
2. 과업 지향적이다.
3. 정확성과 품질에 의해 동기 부여된다.
4. 자신이 수행한 업무에 대해 비판받는 것을 두려워한다.
5. 압력 하에서 자신과 다른 사람들에 대해 지나치게 비판적일 수 있다.

S 안정형(Steadiness)

1. 정해진 방식으로 일을 수행한다.
2. 팀 지향적이다.
3. 현재의 상태에 안정적으로 유지하는 것에 의해 동기 부여된다.
4. 안정성을 상실하고, 변화하는 것을 두려워한다.
5. 업력 하에서 지나치게 남에게 양보한다.

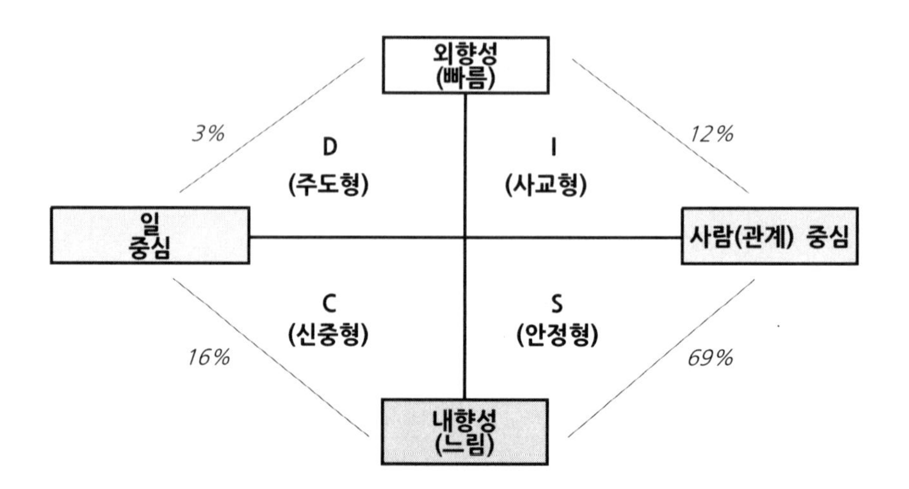

☑ DISC와 이해를 바탕으로 생각해 보세요.

D　주도형(Dominance)	I　사교형(Influence)
1. 자아가 강하다 2. 목표 지향적이다. 결과와 다양성에 대한 욕구가 강하다. 3. 도전에 의해 동기부여 된다. 4. 통제권을 상실하거나 이용당하는 것을 두려워한다. 5. 압력하에서 다른 사람의 견해, 감정들을 별로 고려하지 않을 수 있다.	1. 낙천적이다. 2. 사람 지향적이다. 3. 사회적 인정에 의해 동기부여된다. 4. 다른 사람들로부터 배척당하는 것을 두려워한다. 5. 압력하에서 일을 체계적으로 처리 못 할 수도 있다.
C　신중형(Conscientiousness)	**S　안정형(Steadiness)**
1. 세부적인 사항에 분석적으로 주의를 기울인다. 2. 과업 지향적이다. 3. 정확성과 품질에 의해 동기부여된다. 4. 자신이 수행한 업무에 대해 비판받는 것을 두려워한다. 5. 압력하에서 자신과 다른 사람들에 대해 지나치게 비판적일 수 있다.	1. 정해진 방식으로 일을 수행한다. 2. 팀 지향적이다. 3. 현재의 상태를 안정적으로 유지하는 것에 의해 동기부여된다. 4. 안정성을 상실하고 변화하는 것을 두려워한다. 5. 압력하에서 지나치게 남에게 양보한다.

1. 나의 DISC 패턴은 무엇인가요?

2. 나의 DISC 패턴의 일반적 특징은 무엇인가요?

3. 일반적 특징 중에서 나에게 특히 의미 있는 부분은 무엇인가요?

6-5. 에니어그램

에니어그램은 인간의 9가지 기본 유형에 대한 것으로 고대부터 구전으로 전해오다가 1920년대에 러시아의 신비주의 스승인 구르지에프(Gurdjieff)에 의해 전파되어 대중적으로 확산하였습니다.

현대 심리학의 성격유형의 특징을 에니어그램에 적용하여 인간 이해를 통한 심리치료, 상담, 코칭 등에 활용하고 있습니다.

☑ 에니어그램 이해를 바탕으로 생각해 보세요.

1. 나의 에니어그램 패턴은 무엇인가요?

____

____

____

2. 나의 에니어그램 패턴의 일반적 특징은 무엇인가요?

____

____

____

3. 일반적 특징 중에서 나에게 특히 의미 있는 부분은 무엇인가요?

____

____

____

❖ 자신의 유형을 발견하는 법

자신의 유형을 발견하는 방법에는 자신의 중심을 찾는 것이 있습니다. 각 장의 맨 앞에 있는 유형 검사 문항들에 답을 합니다. 자연스럽게 행동했을 때의 모습과 가장 유사한 문장에 체크합니다. 체크된 항목이 가장 많은 유형이 자신의 유형일 가능성이 있지만, 두 개의 이웃하는 유형 중 자신의 유형이 무엇인지 결정할 수 없다면, 그중 한 유형은 다른 하나보다 더 잘 개발된 날개일 수 있습니다.

❖ 자신의 유형을 발견하는 유형 검사

25세 전후의 자신의 모습(현재 25세 미만이라면 지금의 모습)을 설명하는 문항에 ✓ 표시 하세요.

1. 질서정연하게 잘 짜여진 것을 좋아한다.
2. 즉흥적인 것을 불편해한다.
3. 일을 제대로 마무리 짓지 못하는 것에 자주 죄책감을 느낀다.
4. 사람들이 규칙을 어기는 것을 보면 기분이 좋지 않다.
5. 문법에 맞지 않는 표현이나 맞춤법이 틀린 단어를 보면 신경에 거슬린다.
6. 세상을 더 나은 곳으로 만들기 원하는 이상주의자다.
7. 시간 약속을 철저히 지키는 편이다.
8. 한 번 분을 품으면 오래 가는 편이다.
9. 자신이 실용적이고 합리적이며 현실적인 사람이라고 생각한다.
10. 질투를 느끼게 되면 두려워하며 경쟁적이 된다.
11. 쉴 시간이 없거나 쉬어서는 안 된다고 생각한다.
12. 사물을 옳고 그름, 좋고 나쁨의 기준에서 보려는 경향이 있다.
13. 중요한 물건을 살 때에는 그 전에 관련된 것들을 철저히 분석한다.
14. 사람들로부터 평가받거나 비판받는 것을 질색한다.
15. 다른 사람과 자신을 자주 비교한다.
16. 내게 있어 진실과 정의는 매우 중요하다.
17. 해야 할 일은 너무 많은데 시간이 부족하다고 느낀다.
18. 하겠다고 결심한 일은 거의 다 한다.
19. 걱정이 끊이질 않는다.
20. 세세한 것까지도 완벽하게 하려고 한다.

1) 에니어그램 유형별 특징

구분	1유형 특징
1유형	**완벽을 추구하는 사람** • 높은 인격과 이성을 가질 수도 있고 완벽주의와 독선을 가질 수도 있습니다. • 매사에 완벽을 기하고 스스로의 이상을 건설적인 자세로 추구하며 이를 위한 노력을 아끼지 않습니다. • 항상 공정함과 정의를 염두에 두고 정직하고 신뢰할 수 있는 성품으로 자신의 윤리관에 자신감을 갖고 있습니다. • 인상이 깔끔하고 항상 자제하는 자세를 잃지 않고 '해야 한다'는 말을 자주 합니다. • 자신은 '올바른 길을 걷고 있다', '매사를 정확하게 파악하고 있다'는 생각에 만족감을 느낍니다. **근원적 문제는** • '내가 옳다'는 독선과, 분노를 들키지 않으려는 억압된 분노입니다.

➲ 1유형은 개혁하는 사람으로 현실적이고 양심적이며 원칙을 고수합니다. 그는 자신이 세운 높은 이상에 도달하기 위해 분투하며 살아갑니다.

❖ 자신의 유형을 발견하는 유형 검사

25세 전후의 자신의 모습(현재 25세 미만이라면 지금의 모습)을 설명하는 문항에 ✓ 표시 하세요.

1. 나에게 조언을 구하는 것을 편하게 생각했으면 좋겠다.
2. 나에게 인간관계는 그 어떤 것보다 중요하다.
3. 사람들이 나에게 의지하는 것이 때로는 매우 부담스럽다.
4. 누군가에게 필요한 것을 요구하는 것이 참 어렵다.
5. 다른 사람들과 친밀해지기를 원하면서도 때로는 그것을 두려워한다.
6. 받는 것보다 주는 것이 더 편하다.
7. 비판에 매우 민감하다.
8. 관계를 맺는 데 방해가 되는 모든 것들을 극복하려고 노력한다.
9. 가능한 한 다른 사람의 기분을 헤아려 눈치 있게 행동하려고 한다.
10. 혼자 있을 때는 내가 무엇을 원하는지 알고 있지만, 다른 사람들과 함께 있을 때에는 잘 모르겠다.
11. 사람들이 우리 집을 방문했을 때 환영받는다는 인상을 받고 편안함을 느끼기를 바란다.
12. 내가 누군가에게 의지한다는 인상을 주고 싶지 않다.
13. TV에서 폭력적인 장면을 보거나 고통당하는 사람들을 보면 참을 수가 없다.
14. 가끔 나는 깊은 외로움을 느낀다.
15. 내가 원하는 만큼 상대방과 친밀해지지 못하면 슬퍼지고 상처를 받으며, 중요하지 않은 존재가 된 것 같은 느낌에 휩싸인다.
16. 때때로 사람들을 돌보느라 아프거나 정서적으로 진이 빠질 때가 있다.
17. 종종 사람들의 개인적인 성향을 파악하고 그에 맞춰 행동한다.
18. 사람들을 칭찬하고, 그들이 '당신은 내게 특별한 존재'라고 이야기해 주는 것을 좋아한다.
19. 중요한 사람, 혹은 힘 있는 사람과 있는 것에 끌린다.
20. 사람들은 내가 지나치게 감정적이고 과장해서 표현하는 경향이 있다고 말한다.

2) 에니어그램 유형별 특징

구분	2유형 특징
2유형	**타인에게 도움을 주려는 사람** • 관대함과 치유의 힘을 가질 수도 있고 사람들을 유혹하거나 사람들에게 아첨하고 소유욕을 가질 수도 있습니다. • 정이 많고, 곤경에 빠진 사람들에게 도움의 손길을 뻗치며 주변 사람들에게 도움이 되는 일을 마다하지 않습니다. • 타인이 필요로 하는 것에 몰두하지만 타인의 도움을 필요로 하고 있는 자신에 대해서는 자각하지 못합니다. • 예리한 직감을 갖고 있고 주위 사람들의 기분을 이해하고 거기에 맞출 수 있기 때문에 적응력이 뛰어납니다. • 다양한 자기 모습을 갖고 있어 상대방에 따라 다른 모습을 연출할 수 있습니다. • 자신의 욕구를 돌보기보다는 타인의 욕구를 돌보고 도와주는 것에 만족을 느낍니다. **근원적 문제는** • 자신의 상처를 인식하지도 못하고 도움을 거부하는 교만(자만심)과, '나는 줄 것만 있어'라고 생각하는 구세주, 순교자 콤플렉스입니다.

➲ 도와주는 사람인 2유형은 따뜻하고 다른 사람들을 잘 양육하며, 다른 사람들에게 마음을 쓰고 그들의 필요를 민감하게 알아차립니다.

❖ 자신의 유형을 발견하는 유형 검사

25세 전후의 자신의 모습(현재 25세 미만이라면 지금의 모습)을 설명하는 문항에 ✓ 표시 하세요.

1. 거의 항상 바쁘다.
2. 할 일의 목록이나 진행 사항에 대한 도표, 일정표 등을 만드는 것을 좋아한다.
3. 연장 근무를 하게 되어도 개의치 않는다.
4. 낙관적인 태도를 가지고 있다.
5. 일이 마무리될 때까지 온 힘을 다해 노력한다.
6. 가능한 한 편리한 방법으로 일을 해야 한다고 믿는다.
7. 사람들로 하여금 자신을 더욱 개발하여 잠재력을 충분히 발휘할 수 있도록 하는 것이 중요하다.
8. 나의 사생활에 대해 이야기하는 것을 그다지 좋아하지 않는다.
9. 아파도 내가 해야 할 일은 한다.
10. 일이 제대로 되어 있지 않을 때 질색한다.
11. 다른 어떤 것보다도 일을 우선시한다.
12. 한시도 할 일이 없었던 적이 업기에 지루해하는 사람을 보면 이해가 안 된다.
13. 때로 내 감정과 대면하는 일이 어렵다.
14. 내가 열심히 일하는 이유는 우리 가족을 돌보고 부양하기 위해서이다.
15. 유능한 집단이나 중요한 사람들과 나를 동일시하는 것을 좋아한다.
16. 사람들에게 잘 보이고 싶고 좋은 첫인상을 남기고 싶다.
17. 경제적인 안정은 내게 매우 중요하다.
18. 나는 대체로 꽤 괜찮은 사람이라고 생각한다.
19. 사람들은 종종 내가 앞장서서 일을 꾸려 나가기를 기대한다.
20. 어느 정도는 돋보이는 것을 좋아한다.

3) 에니어그램 유형별 특징

구분	3유형 특징
3유형	**성공을 추구하는 사람** • 뛰어남과 진실성을 가질 수도 있고 맹목적으로 성공과 지위를 추구할 수도 있습니다. • 항상 효율을 중시하고 성공을 위해서는 자신의 생활을 희생시키더라도 개의치 않습니다. • 자신이 세운 목표를 향해 남들도 효율적으로 매진할 것을 바라며 주위 사람들의 의욕을 고취하는 것도 능숙합니다. • 인생의 가치를 '실패냐 성공이냐'라는 척도로 재고 실적을 중시하는 열정적인 사람으로 그들은 일이나 인간관계에서 성공을 꿈꿉니다. • 자신감에 넘친 인상으로 주위 사람들에게 좋은 인상을 심어주려 하며 '성공했다', '일을 효율적이고 성공적으로 완수해 냈다'는 것에 가장 큰 만족을 얻습니다. **근원적 문제는** • 성공에 대한 집착으로 자신과 남을 기만하거나 속일 수(속임수) 있으며, 과도하면 허영에 빠집니다.

➲ 성취하는 사람인 3유형은 활동적이고 낙천적이며, 자기 확신이 강하고 목표지향적입니다.

❖ 자신의 유형을 발견하는 유형 검사

25세 전후의 자신의 모습(현재 25세 미만이라면 지금의 모습)을 설명하는 문항에 ✓ 표시 하세요.

1. 누군가에게 이해받는 것은 내게 매우 중요하다.
2. 내 친구들은 나의 따뜻한 마음씨와 삶을 바라보는 남다른 관점이 좋다고 말한다.
3. 우울해지면 몇 시간, 며칠 혹은 몇 주 동안 아무 일도 할 수 없는 상태가 된다.
4. 비판적인 발언에 매우 민감하며 아주 사소한 것에서도 상처를 받는다.
5. 신문에서 마음이 쓰이는 기사를 읽게 되면 감정적으로 매우 동요된다.
6. 나의 이상은 내게 매우 중요하다.
7. 아름다움, 사랑, 슬픔, 고통과 같은 감정을 마음 깊이 느끼며, 그러한 감정들을 느낄 때 쉽게 눈물을 흘린다.
8. 내가 느끼는 우울한 감정은 진실하고 중요한 것이기 때문에, 꼭 그 감정에서 벗어나야 한다고 생각하지 않는다.
9. 다른 사람들이 가진 것을 간절히 갖고 싶어 한다.
10. 내 친구들을 지지해 주려고 애쓰며, 특히 그들이 위기에 처해 있을 때 그렇다.
11. 현실 세계보다는 과거나 미래의 세계에서 살고 있다.
12. 나의 직관을 매우 중요하게 여긴다.
13. 때로 사람들을 통제하려고 한다.
14. 위선적이거나 정직하지 않은 사람들을 싫어한다.
15. 내 인생에 숭고한 사랑이 찾아올 것이라는 기대를 가지고 수년을 보내왔다.
16. 나의 장점보다는 단점에 집중하는 경향이 있다.
17. 사람들에게 특별한 사람으로 보이기를 원한다.
18. 내 자신이 누구인지 늘 탐구한다.
19. 친구들과 함께 있을 때조차도 때론 고립된 이방인이 된 것처럼 불편함과 이질감을 느낀다.
20. 사람들이 내게 어떤 일을 하라고 말할 때, 반항하거나 그렇게 하고 싶은 생각이 들 때가 있다.

4) 에니어그램 유형별 특징

<table>
<tr><th>구분</th><th>4유형 특징</th></tr>
<tr><td>4유형</td><td>특별한 존재를 지향하는 사람
• 창조성과 직관을 가질 수도 있고, 우울증과 자의식에 빠질 수도 있습니다.
• 자신은 특별한 사람이라고 자부하고 있으며 무엇보다도 감동을 중시하고 평범함을 싫어합니다.
• 다른 사람들보다 슬픔이나 고독 등을 진하게 느낍니다.
• 타인에 대한 이해심이 많고 사람들을 받쳐주고 격려하는 것을 좋아합니다.
• 자신을 드라마 속의 연기자처럼 느끼고 있으며 행동에서 패션에 이르기까지 세련된 느낌과 표현력이 풍부하다는 인상을 줍니다.
• '나는 특별한 존재이다', '나는 독특한 존재이다', '나는 감수성이 풍부하다'라는 자기 모습에 가장 큰 만족을 느낍니다.
근원적 문제는
• 자신이 갖지 못한 것을 갖고 있는 사람들에 대한 질투와 우울한 환상, 어떤 것을 얻으면 바로 다른 것을 원하는 변덕이 있습니다.</td></tr>
</table>

➲ 낭만적인 사람인 4유형은 정서적으로 섬세하고 따뜻하며 지각력이 있습니다.

❖ 자신의 유형을 발견하는 유형 검사

25세 전후의 자신의 모습(현재 25세 미만이라면 지금의 모습)을 설명하는 문항에 ✓ 표시 하세요.

1. 체험보다는 관찰이나 독서를 통해 배우는 편이다.
2. 그 순간에 느끼는 감정을 표현하는 것이 어렵다.
3. 흥미로운 일에 빠지면 몇 시간씩 혼자 그 일을 하는 것이 좋다.
4. 보통 혼자 있을 때 내 감정을 더 깊이 경험한다.
5. 때로 관대하지 못한 내 모습에 죄책감을 느낀다.
6. 비판이나 판단에 예민하다는 것을 숨기기 위해 애쓴다.
7. 호들갑스럽거나 큰 소리로 떠드는 사람들을 보면 불쾌하다.
8. 시키는 대로 하는 것은 달갑지 않은 일이다.
9. 내 분야의 전문가들과 어울리는 것을 좋아한다.
10. 긍지를 느낄 만한 어떤 직함(박사, 교수, 장관 등)을 갖는 것을 좋아한다.
11. 부정적이고 냉소적이며 의심이 많다는 소리를 듣는다.
12. 사람들과 어울리는 것이 불편하게 느껴지면 사라져 버리고 싶다는 생각이 든다.
13. 때로 주장을 내세우거나 공격적인 태도를 취하는 것이 내키지 않는다.
14. 사교 모임에 나가는 것보다는 혼자 있거나 잘 아는 몇몇 사람들과 함께 있는 편이 낫다.
15. 종종 부끄러워하거나 어색해한다.
16. 장시간 사람들과 함께 있으면 피곤을 느낀다.
17. 남들과 다르다는 느낌을 받곤 한다.
18. 사람들의 눈에 잘 띄지 않는 편이라서 누군가 나의 어떤 면을 알아차리면 깜짝 놀라곤 한다.
19. 행복을 위해 물질적 소유를 추구하지는 않는다.
20. 차분하게 행동하는 것은 일종의 방어이며 이럴 때 나는 더 강해짐을 느낀다.

5) 에니어그램 유형별 특징

구분	5유형 특징
5유형	**지식을 얻고 관찰하는 사람** • 지성과 창의력을 가질 수도 있고, 괴팍하고 고립되어 있을 수도 있습니다. • 지식을 쌓아가는 것을 좋아하며 항상 현명하게 판단하려고 노력합니다. • 분석력과 통찰력이 뛰어나며 객관적이고 초연한 태도를 일관되게 유지하려고 합니다. • 현실을 파악하는 관찰력이 뛰어나지만 말이 적고 태도가 조심스럽습니다. • 어리석은 판단을 내리는 것을 두려워하며 일을 시작하기 전에 정보를 열심히 수집해 상황을 정확하게 파악하려고 합니다. • 고독을 즐기는 경향이 강하고 자신만의 시간과 공간을 아주 중요하게 여깁니다. • '지혜로운 사람', '현명한 사람', '무엇이든지 잘 알고 있는 사람'이라는 자신의 모습에 가장 큰 만족을 드러냅니다. **근원적 문제는** • 자신을 드러내면 텅 빈 것같이 느껴져서 대인관계가 어렵고(비사교적), 말, 시간, 지식, 돈 등은 물론 자신의 욕구에도 인색합니다.

➲ 관찰하는 사람인 5유형은 지적인 욕구가 강하고 내향적이며, 호기심이 많고 분석적이며 통찰력이 있습니다.

❖ 자신의 유형을 발견하는 유형 검사

25세 전후의 자신의 모습(현재 25세 미만이라면 지금의 모습)을 설명하는 문항에 ✓ 표시 하세요.

1. 권위 있는 사람을 만나면 긴장이 된다.
2. 자주 의심에 시달린다.
3. 명료한 지침을 갖기를 원하고 현재 자신의 위치를 알고 싶어 한다.
4. 위험한 상황에 대비하기 위해 늘 긴장하고 있다.
5. 상황을 너무 심각하게 받아들인다.
6. 문제가 생길 만한 것은 없는지 끊임없이 자신에게 묻는다.
7. 종종 비판을 공격처럼 받아들인다.
8. 상대방이 무슨 생각을 하는지에 집착한다.
9. 매우 열심히 일하는 편이다.
10. 친구들은 내가 충직하고 지지를 잘해 주며 연민이 많은 사람이라고 생각한다.
11. 유머 감각이 뛰어나다는 말을 들어 왔다.
12. 규칙을 잘 지키지만(공포순응형), 규칙을 깨뜨리기도(공포대항형) 한다.
13. 친밀한 관계에서 더욱 쉽게 상처받고 불안해하며 짜증을 낸다.
14. 일을 미루거나, 위험한 상황이라 해도 뛰어드는 경향이 있다.
15. 입에 발린 말로 나를 조종하려 드는 사람들을 잘 알아챈다.
16. 예측 가능한 상황을 좋아한다.
17. 내가 성공하는 데 있어 방해가 되는 것은 바로 나다.
18. 무슨 일이 있어도 사람들을 지지해 줄 수 있다.
19. 정돈되고 질서가 잡혀 있을 때 더욱 삶을 잘 통제하고 있다는 생각이 든다.
20. 허세 부리는 사람을 싫어한다.

6) 에니어그램 유형별 특징

<table>
<tr><th>구분</th><th>6유형 특징</th></tr>
<tr><td>6유형</td><td>안전을 추구하고 충실한 사람
• 용기와 헌신을 나타낼 수도 있고, 의심과 두려움에 빠질 수도 있습니다.
• 책임감이 강하고 안전을 추구하는 유형으로서 친구나 자기가 믿는 신념에 가장 충실한 사람들입니다.
• 전통이나 단체에 강한 충성심을 갖고 있으며 공동체의 헌신이 대단합니다.
• 신중하며 거짓말을 모르는 그들은 협조적이며 조화를 이루며 믿음직스럽습니다.
• 상대에게 호감을 주는 유형입니다.
• '책임감이 있다', '신실하다', '충성스럽고 믿을 만하다'는 말에 가장 큰 만족을 얻습니다.
근원적 문제는
• 안전에 대한 보상으로 사소한 근심과 불필요한 의심에 시달리며, 미래에 대한 지나친 걱정으로 최악의 상태를 떠올리며 상상 속의 공포에 빠집니다.</td></tr>
</table>

➲ 충성하는 사람인 6유형은 책임감이 강하고 신뢰할 만하며, 가족이나 친구, 소속된 모임이나 조직에 충실합니다. 이 유형에는 내성적이고 소심한 성격에서부터 거침없이 말하고 당당히 맞서는 성격에 이르기까지 다양한 성격의 사람들이 속해 있습니다.

❖ 자신의 유형을 발견하는 유형 검사

25세 전후의 자신의 모습(현재 25세 미만이라면 지금의 모습)을 설명하는 문항에 ✓ 표시 하세요.

1. 인생을 즐기며 낙천적이고, 웬만한 것에는 제약을 받지 않는다.
2. 의무감을 느끼거나 신세진다는 느낌을 받는 것을 싫어한다.
3. 늘 바쁘고 에너지가 넘치며, 하고 싶은 일을 할 때는 지루한 줄을 모른다.
4. 종종 언어적, 물리적으로 위험을 감수한다.
5. 비슷한 목표를 가진 쾌활한 친구를 잘 찾아낸다.
6. 한 분야의 전문가는 아니지만 다방면에 능한 편이다.
7. 하나의 일에서 또 다른 일로 왔다 갔다 하며 일하는 스타일이고, 계속해서 움직이는 것을 좋아한다.
8. 다른 사람들에 비해 슬픔이나 상실감에서 빨리 벗어나는 편이다.
9. 나 자신을 좋아하며, 나를 아끼는 편이다.
10. 사람들을 좋아하며 대개 그들도 나를 좋아한다.
11. 대체로 내가 원하는 것은 어떻게든 얻어 낸다.
12. 재치 있는 것을 가치 있게 여긴다.
13. 세상에 무엇인가를 기여하고 싶어 하는 이상주의자다.
14. 어딘가에 헌신하고 싶은 마음과 독립적이고 자유롭게 생활하기를 원하는 마음 사이에서 갈팡질팡한다.
15. 종종 집단 안에 있을 때 편안함을 느낀다.
16. 사람들이 기분이 안 좋을 때, 그들의 기분을 풀어 주고 그들이 밝은 면을 볼 수 있도록 노력한다.
17. 신나는 일을 하거나 여행 가는 것을 좋아한다.
18. 다른 사람들에게 어느 때는 열등감을, 어느 때는 우월감을 느낀다.
19. 속에 있는 말을 그대로 하는 편이며 그로 인해 곤경에 빠지기도 한다.
20. 사람들을 돕기 위해서라면 큰 희생도 마다하지 않는다.

7) 에니어그램 유형별 특징

구분	7유형 특징
7유형	**즐거움을 추구하고 계획하는 사람** • 다양성과 기발함으로 뛰어나게 될 수도 있고, 충동적이고 인내심이 없을 수도 있습니다. • 모든 일을 낙관적으로 보려고 하며 밝고 명랑합니다. • 자기 주변에서 즐거움을 찾아내는 능력이 뛰어납니다. • 좋아하는 사람들이 주변에 많이 있으며 자기 자신도 매력적인 인간이 되려고 노력합니다. • 아이디어와 상상력이 풍부하며 호기심이 많습니다. • '항상 즐겁다', '너무나 유쾌하다', '앞으로의 계획이 무궁무진하다'라는 것에 만족을 얻습니다. **근원적 문제는** • 내면의 두려움·공허함 때문에 폭음(폭식)·방종(무절제)에 빠질 수 있으며, 싫증을 쉽게 느끼고, 고통을 피하려 흥분과 재미를 탐닉하게 됩니다.

➲ 모험적인 사람인 7유형은 에너지가 넘치고 생동감이 있으며 낙천적이고, 세상에 기여하기를 원합니다.

❖ 자신의 유형을 발견하는 유형 검사

25세 전후의 자신의 모습(현재 25세 미만이라면 지금의 모습)을 설명하는 문항에 ✓ 표시 하세요.

1. 필요하다면 내 생각을 주장하거나 공격적인 태도를 취할 수 있다.
2. 누군가에게 이용당하거나 조종당하는 것은 참을 수 없다.
3. 정직하게 말하는 것이 좋다고 생각하기 때문에 다른 사람 앞에서 속내를 다 드러낸다.
4. 개인주의적이며 관행을 잘 따르지 않는다.
5. 스스로를 지키기 위해 나서는 사람들을 존중한다.
6. 사랑하는 사람들을 보호하기 위해서라면 무슨 수라도 쓴다.
7. 옳은 것을 위해 싸운다.
8. 약자를 지원한다.
9. 결정을 내리는 일이 어렵지 않다.
10. 다른 사람을 의지하지 않고 자신을 신뢰하는 것이 중요하다.
11. 음식이나 약물을 탐닉한다.
12. 어떤 사람은 나의 퉁명스러운 태도에 불쾌해하기도 한다.
13. 새로운 집단에 들어가면 누가 가장 힘이 센지 금세 파악한다.
14. 일을 열심히 하고, 어떻게 일을 처리해야 하는지 잘 안다.
15. 때로 집단 안에서 참여자가 아닌 관찰자가 된다.
16. 신나고 흥분되는 것을 좋아한다.
17. 때로 상대를 톡톡 가볍게 치는 것을 좋아하는데, 편안한 사이일 때는 특히 그렇다.
18. 깊이 신뢰하는 사람 앞에서는 연약해지고 그 사람에게 사랑을 쏟는다.
19. 지나치게 친절을 베풀거나 아부하는 사람들을 보면 신경에 거슬린다.
20. 가식적인 것을 보면 특히 비위가 상한다.

8) 에니어그램 유형별 특징

구분	8유형 특징
8유형	**강함을 추구하고 자기를 주장하는 사람** • 강하고 관대한 지도자가 될 수도 있고 사람들을 위협하고 통제하는 사람이 될 수도 있습니다. • 자신이 옳다고 생각하는 것에 대해서는 전력을 다해 싸우는 전사입니다. • 용기와 힘이 넘치고 허영심 등을 재빠르게 꿰뚫어 보며 그것에 결연히 대항합니다. • 권력구조를 파악하는 능력이 뛰어나며 자신의 강한 힘을 발휘할 수 있는 위치를 확보하는 능력도 갖추고 있습니다. • 거드름을 피우지 않고 성실하며 약자를 옹호하고 보호하려고 합니다. • '힘이 있다', '할 수 있다', '힘이 넘친다'라는 자신의 모습에 가장 만족을 느낍니다. **근원적 문제는** • 자신의 잘못을 인정하지 않고 큰소리치며 부정, 부인하게 되고 타인을 이용하고 소유하고 억압하면서 양심의 가책을 느끼지 못하는 파렴치한이 될 수 있습니다.

➲ 도전하는 사람인 8유형은 직선적이고 독립적이며 자신감이 강하고, 다른 사람들을 보호해 줍니다.

❖ 자신의 유형을 발견하는 유형 검사

25세 전후의 자신의 모습(현재 25세 미만이라면 지금의 모습)을 설명하는 문항에 ✓ 표시 하세요.

1. 종종 자연이나 사람들과 하나가 된 느낌을 받는다.
2. 어떤 것을 선택하든 장단점이 있다는 것을 알고 있기에 무언가를 선택하는 것이 어렵다.
3. 사람들과 함께 있을 때는 종종 내가 무엇을 원하는지 잘 모를 때가 있다.
4. 사람들은 내가 마음이 편해 보인다고 하지만 실제로는 종종 불안함을 느낀다.
5. 꼭 해야 할 일을 뒤로 미루고 별로 중요하지 않은 일을 하곤 한다.
6. 주변에서 언짢은 일이 벌어지면 잠시 동안 다른 생각을 하려고 애쓴다.
7. 누군가와 의견 충돌이 생기면 보통 맞서지 않고 피하는 편이다.
8. 일과가 정해져 있지 않으면 거의 아무 일도 못 한다.
9. 마지막까지 미루는 경향이 있긴 하지만 대개는 일을 잘 해내는 편이다.
10. 대체로 침착하고 서두르지 않는 편이지만, 가끔 도가 지나칠 때가 있다.
11. 누군가 내게 명령하거나 통제하려고 들면 고집을 부린다.
12. 하루 중 휴식 시간은 꼭 가지려고 한다.
13. 때로 부끄럽거나 나 자신에 대해 확신하지 못할 때가 있다.
14. 배우자나 친구들과 함께 지내는 것을 즐긴다.
15. 내게 있어 서로 도와주고 조화를 이루는 관계는 매우 중요하다.
16. 평가에 민감하고, 비판을 개인적인 공격으로 받아들인다.
17. 사람들의 말을 잘 들어주고 지지해 주는 편이다.
18. 부정적인 면보다 긍정적인 면에 초점을 둔다.
19. 물건을 잘 처분하지 못한다.
20. 관성의 원리에 따라 움직인다. 즉 무언가를 시작하는 것이 어렵지 한 번 시작하면 지속하는 것은 어렵지 않다.

9) 에니어그램 유형별 특징

<table>
<tr><th>구분</th><th>9유형 특징</th></tr>
<tr><td>9유형</td><td>조화와 평화를 바라는 사람
• 사람들이 화합하게 하고 갈등을 치유할 수도 있도, 수동적이고 고집스러워질 수도 있습니다.
• 갈등이나 긴장을 피하는 평화주의자로 자신의 내면이 혼란스러워지는 것을 싫어합니다.
• 다른 사람들에게 쉽게 동화되기 때문에 주위 사람들의 영향을 받긴 쉽지만 좋은 환경에 있으면 마음이 넓고 동요되는 일이 없으며 인내심이 강합니다.
• 편견이 없고 다른 사람의 기분을 이해할 줄 알기 때문에 타인의 고민을 잘 들어줍니다.
• '안정감'과 '조화'로 넘쳐 있는 상태에 가장 큰 만족을 느낍니다.
근원적 문제는
• 세상에 뛰어들어 활기차게 살려고 하지 않고 안일하게 살려고 하는 데서 오는 나태함(게으름)과, 갈등을 피하기 위해 할 일을 뒤로 미루는 것입니다.</td></tr>
</table>

➲ 평화적인 사람인 9유형은 수용적이고 온화하며 다른 사람들을 지지해 줍니다. 그는 자신을 둘러싼 사람들뿐만 아니라 세상과도 연결되기를 원합니다.

부록 1
인증 코치 되기

1. 한국코치협회의 코칭 윤리
2. 국제코치연맹의 코칭 윤리
3. 한국코치협회의 코칭 역량
4. 국제코치연맹의 코칭 역량
5. 한국코치협회(KCA) 코칭 역량 해설
6. 코치인증 자격시험

1. 한국코치협회의 코칭 윤리

❖ 코치가 지켜야 할 코칭 윤리

윤리는 사전적 의미로 '사람으로서 마땅히 행하거나 지켜야 할 도리'라고 정의되어 있습니다. 이것을 코칭에 적용하면, 코칭 윤리는 '직업인이자 전문가로서 코치가 마땅히 지켜야 할 도리'라고 할 수 있습니다.

코칭 윤리는 '코치가 코칭을 진행하는 전체 과정에서 지켜야 할 인간적인 도리와 도덕적 규범'이라고 정의할 수도 있습니다. 즉 코칭 윤리는 '고객의 이슈를 해결하는 코칭 과정을 진행하면서 코치가 지켜야 할 행동 규범과 코치로서 지녀야 할 인간적인 도리'라고 할 수 있습니다.

■ 한국코치협회의 코칭 윤리

한국코치협회(Korea Coach Association: KCA)는 아래의 윤리강령을 바탕으로 기본 윤리(제1조~2조), 코칭에 관한 윤리(제3조~제5조), 직무에 관한 윤리(제6조~제8조) 및 고객에 대한 윤리(제9조~제10조) 등에 관한 윤리규칙을 제정, 활용하고 있습니다.
그리고 코치 자격 인증 과정에서 이에 대한 지원자의 의지를 확인하는 차원에서 '코치 윤리 강령 준수 서약서'를 꼭 작성하여 제출하도록 규정하고 있습니다.

- 코치는 개인적인 차원뿐만 아니라 공공과 사회의 이익도 우선으로 합니다.
- 코치는 승승의 원칙에 따라 개인, 조직, 기관, 단체와 협력합니다.
- 코치는 지속적인 성장을 위해 학습합니다.
- 코치는 신의 성실의 원칙에 따라 행동합니다.

코칭의 윤리규정
(사) 한국코치협회 윤리규정

윤리강령

코치는 개인적인 차원과 더불어 공공과 사회의 이익을 우선으로 합니다.
코치는 승승의 원칙에 의거하여 개인, 조직, 기관, 단체와 협력합니다.
코치는 지속적인 성장을 위해 학습합니다.

윤리규칙

제1장 기본 윤리

제1조 (사명)

1. 코치는 한국코치협회의 윤리규정에 준거하여 행동합니다.
2. 코치는 코칭 고객의 존재, 삶, 성공, 그리고 행복과 연결되어 있음을 인지합니다.
3. 코치는 고객의 잠재력을 극대화하고 최상의 가치를 실현하도록 돕기 위해 부단한 자기 성찰과 끊임없이 공부하는 평생학습자(life-long learner)가 되어야 합니다.
4. 코치는 자신의 전문 분야와 삶에 있어서 고객의 Role 모델이 되어야 합니다.

제2조 (외국 윤리의 준수)

1. 코치는 국제적이 활동을 함에 있어 외국의 코치 윤리규정도 존중하여야 합니다.

제2장 코칭에 관한 윤리

제3조 (코칭 안내 및 홍보)

1. 코치는 코칭에 대한 전반적인 이해나 지지를 해치는 행위는 일절 하지 않습니다.
2. 코치는 코치와 코치단체의 명예와 신용을 해치는 행위를 하지 않습니다.
3. 코치는 고객에게 코칭을 통해 얻을 수 있는 성과에 대해서 의도적으로 과장하거나

축소하는 등의 부당한 주장을 하지 않습니다.

4. 코치는 자신의 경력, 실적, 역량, 개발 프로그램 등에 관하여 과대하게 선전하거나 광고하지 않습니다.

제4조 (접근법)

1. 코치는 다양한 코칭 접근법(approach)을 존중합니다. 코치는 다른 사람들의 노력이나 공헌을 존중합니다.
2. 코치는 고객이 자신 이외의 코치 또는 다른 접근 방법(심리치료, 컨설팅 등)이 더 유효하다고 판단될 때 고객과 상의하고 변경을 하도록 촉구합니다.

제5조 (코칭연구)

1. 코치는 전문적 능력에 근거하여 과학적 기준의 범위 내에서 연구를 실시하고 보고합니다.
2. 코치는 연구를 실시할 때 관계자로부터 허가 또는 동의를 얻은 후 모든 불이익으로부터 참가자가 보호되는 형태로 연구를 실시합니다.
3. 코치는 우리나라의 법률에 준거해 연구합니다.

제3장 직무에 대한 윤리

제6조 (성실의무)

1. 코치는 고객에게 항상 친절하고 최선을 다하여 성실하여야 합니다.
2. 코치는 자신의 능력, 기술, 경험을 정확하게 인식합니다.
3. 코치는 업무에 지장을 주는 개인적인 문제를 인식하도록 노력합니다. 필요한 경우 코칭의 일시 중단 또는 종료가 적절한지 등을 결정하고 고객과 협의합니다.
4. 코치는 고객의 모든 결정을 존중합니다.

제7조 (시작 전 확인)

1. 코치는 최초의 세션 이전에 코칭의 본질, 비밀을 지킬 의무의 범위, 지불 조건 및 그 외의 코칭 계약 조건을 이해하도록 설명합니다.
2. 코치는 고객이 어느 시점에서도 코칭을 종료할 수 있는 권리가 있음을 알립니다.

제8조 (직무)

1. 코치는 고객, 혹은 고객 후보자에게 오해를 부를 우려가 있는 정보전달이나 충고를 하지 않습니다.
2. 코치는 고객과 부적절한 거래 관계를 가지지 않으며 개인적, 직업적, 금전적인 이익을 위해 의도적으로 이용하지 않습니다.
3. 코치는 고객이 고객 스스로나 타인에게 위험을 미칠 의사를 분명히 표현했을 경우 한국코치협회 윤리위원회에 전달하고 필요한 절차를 취합니다.

제4장 고객에 대한 윤리

제9조 (비밀의 의무)

1. 코치는 법이 요구하는 경우를 제외하고 고객의 정보에 대한 비밀을 지킵니다.
2. 코치는 고객의 이름이나 그 외의 고객 특정 정보를 공개 또는 발표하기 전에 고객의 동의를 얻습니다.
3. 코치는 보수를 지불하는 사람에게 고객 정보를 전하기 전에 고객의 동의를 얻습니다.
4. 코치는 코칭의 실시에 관한 모든 작업 기록을 정확하게 작성, 보존, 보관, 파기합니다.

제10조 (이해의 대립)

1. 코치는 자신과 고객의 이해가 대립되지 않게 노력합니다. 만일 이해의 대립이 생기거나 그 우려가 생겼을 경우 코치는 그것을 고객에게 숨기지 않고 분명히 하며, 고객과 함께 좋은 대처방법을 찾기 위해 검토합니다.
2. 코치는 코칭 관계를 해치지 않는 범위 내에서 코칭 비용을 서비스, 물품 또는 다른 금전적인 것으로 상호교환(barter)할 수 있습니다.

부칙

제1조

이 윤리규정은 2012.02.01.부터 시행한다.

제2조

이 윤리규정에 언급되지 않은 사항은 한국코치협회 윤리위원회의 내규에 준한다.

❖ 윤리규정에 대한 맹세

나는 전문코치로서 (사)한국코치협회 윤리규정을 이해하고 다음의 내용을 준수합니다.

1. 코치는 개인적인 차원뿐 아니라 공공과 사회의 이익을 우선으로 합니다.
2. 코치는 승승의 원칙에 의거하여 개인, 조직, 기관, 단체와 협력합니다.
3. 코치는 지속적인 성장을 위해 학습합니다.
4. 코치는 신의 성실성의 원칙에 의거하여 행동합니다.

만일 내가 (사)한국코치협회의 윤리규정을 위반하였을 경우, (사)한국코치협회가 나에게 그 행동에 대한 책임을 물을 수 있다는 것에 동의하며, (사)한국코치협회 윤리위원회의 심의를 통해 법적인 조치 또는 (사)한국코치협회의 회원자격, 인증코치자격이 취소될 수 있음을 분명히 인지하고 있습니다.

2. 국제코치연맹의 코칭 윤리

ICF 윤리강령
ICF Code of Ethics

ICF 윤리강령은 5가지 주요 부분으로 구성된다.

- 제1부 도입
- 제2부 핵심 정의
- 제3부 ICF 핵심 가치와 윤리원칙
- 제4부 윤리 기준
- 제5부 서약

제1부 도입(INTRODUCTION)

ICF 윤리강령은 국제코칭연맹(ICF 핵심 가치)의 핵심 가치와 모든 ICF 전문가를 위한 윤리원칙 및 행동 윤리표준을 설명한다.(정의 참조) 이러한 ICF 행동 윤리표준을 충족하는 것이 ICF 핵심 코칭 역량(ICF 핵심 역량) 중 첫 번째 "윤리적 실천을 보여준다. 코칭 윤리 및 코칭표준을 이해하고 지속적으로 적용한다"이다.

ICF 윤리강령은 다음을 통해 ICF 및 글로벌 코칭 직업의 완전성을 유지한다.

- ICF 핵심 가치 및 윤리원칙에 부합하는 행동 기준을 설정한다.
- 윤리적 성찰, 교육 및 의사결정을 지도한다.
- ICF 윤리행동 검토(ECR. Ethical Conduct Review) 과정을 통해 ICF 코치 표준을 조정하고 보존한다.
- ICF 인증 프로그램에서 ICF 윤리 교육의 기초를 제공한다.

ICF 윤리강령은 ICF 전문가가 모든 종류의 코칭 관련 상호작용에서 자신을 대변할 때 적용된다. 이는 코칭 관계(정의 참조)가 설정되었는지의 여부와 관계가 없다.
이 강령은 코치, 코치수퍼바이저, 멘토코치, 트레이너 또는 교육훈련 중에 있는 코치 등의 여러 역할을 수행하거나 ICF 리더십 역할 및 지원 담당자(정의 참조)로 봉사하는 ICF 전문가의 윤리적 의무를 설명한다.

윤리행동 검토(ECR) 과정은 서약과 마찬가지로 ICF 전문가에게만 적용되지만 ICF 직원 또한 이 ICF 윤리강령을 뒷받침하는 윤리행동과 핵심 가치 및 윤리원칙에 헌신한다.

윤리적으로 일한다는 것은 회원들이 예상치 못한 문제에 대해 대응하면서 딜레마의 해결 및 문제에 대한 해결책이 필요한 상황에 필연적으로 직면하게 됨을 의미한다. 이 윤리강령은 고려해야 할 다양한 윤리적 요소를 안내하고 윤리적 행동에 접근하는 대안을 식별하는 데 도움을 줌으로써 강령 적용 대상자를 지원하기 위한 것이다.

윤리강령을 받아들이는 ICF 전문가들은 어려운 결정을 내리거나 용감하게 행동하는 경우에도 윤리적 행동을 취하기 위해 노력한다.

제2부 핵심 정의(KEY DEFINITIONS)

- "고객" -코칭을 받는 개인 또는 팀/그룹, 멘토링 또는 수퍼비전을 받는 코치, 교육훈련을 받는 코치 또는 훈련 중에 있는 코치
- "코칭" -개인 및 직업적 잠재력을 극대화하도록 영감을 주는, 생각을 자극하고 창의적인 과정을 고객과 협력하는 것
- "코칭 관계" -각 당사자의 책임과 기대를 정의하는 협의 또는 계약에 따라 ICF 전문가와 고객/후원자가 설정한 관계
- "강령" -ICF 윤리강령
- "비밀유지" -공개에 대한 동의가 주어지지 않는 한 코칭 참여와 관련하여 얻은 모든 정보의 보호
- "이해 상충" -ICF 전문가가 여러 이해관계에 관여하는 상황으로, 하나의 이해를 제공하는 것이 다른 이해에 반하거나 충돌할 수 있다. 이것은 재정적, 개인적 또는 기타의 사유일 수 있다.
- "평등" -인종, 민족, 국적, 피부색, 성별, 성적지향, 성 정체성, 연령, 종교, 이민 신분, 정신적 또는 신체적 장애 및 그 외 영역에서의 차이점에 관계없이 모든 사람들을 포용, 자원 및 기회에 대한 접근을 경험하는 상황

- "ICF 전문가" -코치, 코치수퍼바이저, 멘토코칭, 코치 트레이너 및 훈련 중에 있는 코치를 포함하되 이에만 한정되지는 않는 역할에서 ICF 회원 또는 ICF 인증자격 보유자로 자신을 대표하는 개인
- "ICF 직원" -ICF를 대표하여 전문적인 관리 및 행정 서비스를 제공하는 관리 회사와 계약한 ICF 지원 직원
- "내부 코치" -조직 내에서 고용되어 해당 조직의 직원을 파트 타임 또는 풀 타임으로 코치하는 개인
- "후원자" -제공할 코칭 서비스에 대한 비용을 지불 또는 주선하거나 정의하는 주체(대표자 포함)
- "지원 담당자" -그들의 고객을 지원하기 위해 ICF 전문가와 일하는 사람들
- "체계적 평등" -공동체, 조직, 국가 및 사회의 윤리, 핵심 가치, 정책, 구조 및 문화에 제도화된 성평등, 인종 평등 및 기타 형태의 평등

제3부 ICF 핵심 가치와 윤리원칙(ICF CORE VALUES AND ETHICAL PRINCIPLES)

ICF 윤리강령은 ICF 핵심 가치(https://coachfederation.org/about)와 그로부터 나오는 행동을 기반으로 한다. 모든 가치는 똑같이 중요하며 서로를 지원한다. 이 가치들은 지향점을 가지고 있으며 표준을 이해하고 해석하는 방법으로 사용해야 한다. 모든 ICF 전문가는 모든 상호작용에서 이러한 가치를 보여주고 전파해야 한다.

제4부 윤리 기준(ETHICAL STANDARDS)

ICF 전문가의 직업활동에는 다음과 같은 윤리 기준이 적용된다.

제1장 고객에 대한 책임(Responsibility to clients)

ICF 전문가로서 나는

1. 최초 미팅 전이나 그 미팅에서 나의 코칭 고객 및 후원자가 코칭의 성격과 잠재적 가치, 비밀유지의 성격과 한계, 재정적 합의 및 기타 코칭 협의 조건을 이해하고 있음을 설명하고 확인한다.

2. 서비스를 시작하기 전에 내 고객(들) 및 후원자(들)와 관련된 모든 당사자의 역할, 책임 및 권리에 관한 협의/계약을 작성한다.

3. 합의된 대로 모든 당사자와 가장 엄격한 수준의 비밀을 유지한다. 나는 개인정보 및 통신과 관련된 모든 관련 법률을 알고 있으며 준수할 것에 동의한다.

4. 모든 코칭 상호작용 중에 관련된 모든 당사자 간에 정보가 교환되는 방식을 명확하게 이해한다.

5. 정보가 비밀로 유지되지 않는 조건(예: 불법 활동-유효한 법원 명령 또는 소환장에 따라 법이 요구하는 경우, 자신 또는 타인에게 위험이 임박했거나 발생할 가능성이 있는 경우)에 대해 고객 및 후원자 또는 이해관계자와 명확한 이해가 있어야 한다. 위의 상황 중 하나가 적용 가능하다고 합리적으로 믿는 경우 당국에 알려야 할 수 있다.

6. 내부 코치로 일할 때 코칭 협의 및 지속적인 대화를 통해 나의 코칭 고객 및 후원자와의 이해 상충 또는 잠재적 이해 상충을 관리한다. 여기에는 조직의 역할, 책임, 관계, 기록, 비밀유지 및 기타 보고 요구사항을 다루는 것이 포함되어야 한다.

7. 비밀유지, 보안 및 개인정보 보호를 장려하고 관련 법률 및 협의를 준수하는 방식으로 업무상 상호작용 중에 생성된 모든 기록(전자 파일 및 통신 포함)을 유지, 저장 및 폐기한다. 또한 코칭 서비스(기술 지원형 코칭 서비스)에 사용되는 신흥 기술 개발을 적절하게 활용하고 다양한 윤리표준이 적용되는 방식을 인지한다.

8. 코칭 관계로부터 받은 가치에 변화가 있을 수 있다는 조짐에 주의를 기울인다. 그리고 실제 그럴 경우 관계에 변화를 주거나, 고객/후원자가 다른 코치 또는 다른 전문가를 찾거나 다른 자원을 활용하도록 권장한다.

9. 협의 조항에 따라 코칭 프로세스 중 어떤 이유로든 어떤 시점에서든 코칭 관계를 종료할 수 있는 모든 당사자의 권리를 존중한다.

10. 이해 상충 상황을 피하기 위해 동일한 고객(들) 및 후원자(들)와 동시에 여러 계약 및 관계를 맺는 것이 초래할 수 있는 결과를 민감하게 받아들인다.

11. 문화적, 관계적, 심리적 또는 맥락적 문제로 인해 발생할 수 있는 고객과 나 사이의 권한 또는 지위의 차이를 인식하고 적극적으로 관리한다.

12. 내 고객을 제3자에게 추천함으로써 받을 수 있는 잠재적 보상 수령 및 기타 혜택을 고객에게 공개한다.

13. 어떤 관계에서든 합의된 보상의 양이나 형태에 관계없이 일관된 코칭 품질을 보장한다.

제2장 실습 및 수행에 대한 책임(Responsibility to practice and performance)

ICF 전문가로서 나는

14. 모든 상호작용에서 ICF 윤리강령을 준수한다. 본인이 강령 위반 가능성을 스스로 인지하거나 다른 ICF 전문가의 비윤리적 행동을 인지할 경우 관련자들과 함께 문제를 정중하게 제기한다. 이 방법으로 문제가 해결되지 않으면 공식 기관(예: ICF Global)에 문의하여 해결한다.

15. 모든 지원 담당자는 ICF 윤리강령을 준수해야 한다.

16. 지속적인 개인적, 전문적, 윤리적 개발을 통해 탁월함에 헌신한다.

17. 나의 코칭 성과 또는 전문 코칭 관계를 손상하거나, 충돌하거나, 방해할 수 있는 나의 개인적인 한계 또는 상황을 인식한다. 취해야 할 조치를 결정하기 위해 지원을 요청하고 필요한 경우 즉시 관련 전문 지침을 구한다. 여기에는 나의 코칭 관계의 중단 또는 종료가 포함될 수 있다.

18. 관련 당사자와 함께 문제를 해결하거나, 전문적인 도움을 구하거나, 일시적으로 중단하거나, 전문적인 관계를 종료하여 이해 상충 또는 잠재적 이해 상층을 해결한다.

19. ICF 회원의 프라이버시를 유지하고, ICF 회원의 연락처 정보(이메일 주소, 전화번호 등)를 ICF 또는 ICF 회원이 승인한 대로만 사용한다.

제3장 전문성에 대한 책임(Responsibility to professionalism)

ICF 전문가로서 나는

20. 나의 코칭 자격, 코칭 역량 수준, 전문성, 경험, 교육, 인증 및 ICF 자격 인증을 정확하게 확인한다.

21. 내가 ICF 전문가로서 제공하는 것과 ICF가 제공하는 것, 코칭 직업 및 코칭의 잠재적 가치에 대해 진실하고 정확한 구두 및 서면 진술을 한다.

22. 이 강령에서 정한 윤리적 책임에 대해 알아야 하는 사람들과 소통하고 인식을 제고한다.

23. 물리적 또는 기타 상호작용을 지배하는 명확하고 적절하며 문화적으로 민감한 경계를 인식하고 설정하는 책임을 진다.

24. 고객 또는 후원자와 성적인 관계를 맺거나 연애를 하지 않는다. 나는 관계에 적합한 친밀함의 수준을 항상 염두에 둔다. 문제를 해결하거나 계약을 취소하기 위해 적절한 조치를 한다.

제4장 사회에 대한 책임(Responsibility to soclety)

ICF 전문가로서 나는

25. 모든 활동과 운영에서 공정성과 평등을 유지하면서 지역의 규칙과 문화 관행을 존중함으로써 차별을 피한다. 여기에는 연령, 인종, 성별 표현, 민족성, 성적 취향, 종교, 출신 국가, 장애 또는 군복무 상태에 따른 차별이 포함되며 이에 국한되지 않는다.

26. 다른 사람의 기여와 지적 재산을 인정하고 존중하며 고유한 내 자료에 대한 소유권만 주장한다. 이 표준을 위반하면 제3자에 의해 법적 규제를 받을 수 있음을 이해한다.

27. 연구를 수행하고 보고할 때 정직하고 인정된 과학 표준 적용 가능한 주제 지침 및 내 능력의 경계 내에서 일한다.

28. 나와 내 고객이 사회에 미치는 영향을 인지한다. 나는 "선을 행하는 것"과 "나쁜 것을 피하는 것"의 철학을 고수한다.

제5부 서약(PLEDGE)

ICF 전문가로서 나는 ICF 윤리강령의 기준에 따라 나의 코칭 고객(들), 후원자(들), 동료 및 일반 대중에 대한 나의 윤리적 및 법적 의무를 이행하는 데 동의한다.

ICF 윤리강령의 일부를 위반하는 경우, ICF가 단독 재량에 따라 그러한 행위에 대한 책임을 물을 수 있다는 데 동의한다. 또한 위반에 대해 ICF에 대한 나의 책임에는 의무적인 추가 코치 교육, 기타 교육 또는 ICF 회원자격 및 또는 ICF 자격상실과 같은 제재가 포함될 수 있다는 데 동의한다.

2019년 9월 ICF 글로벌 이사회에 의해 채택됨.
2020 International Coaching Federation

3. 한국코치협회의 코칭 역량

❖ 코치의 역량

어떤 형태의 조직이든 경영자나 관리자에게 핵심적인 관심사 중의 하나는 구성원들의 역량(Competency)입니다. 아무리 동기부여가 잘 되어 있는 사람이라도 목표나 업적 달성에 필요한 역량을 갖추고 있지 않으면, 효과적인 결과를 내기가 불가능하기 때문입니다. 대체로 역량은 업적으로 연결될 가능성이 있고, 나아가 해당 조직이나 기업의 경쟁력을 좌우하는 매우 중요한 요소가 됩니다.

모든 조직에서는 업무를 수행해 낼 역량을 갖춘 인적자원을 선발하고자 하고, 선발한 후에도 계속해서 구성원들의 역량을 키우는 데 도움이 될 만한 다양한 교육, 훈련 등을 실시합니다.

코칭 영역에서도 역량은 중요한 관심사입니다. 코치로서 전문성과 공신력을 높이고, 고객에게 질 높은 코칭 서비스를 제공함으로써 효과적이고 성공적인 코칭을 진행하기 위해 역량은 모든 코치가 갖추어야 할 필수 요소입니다.

코치는 코칭을 진행하는 데 필요한 최소한의 역량을 반드시 갖추어야 하고, 계속해서 자신의 코칭 역량을 함양하기 위한 최선의 노력을 다해야 합니다.

❖ 추진 배경

(사)한국코치협회는 2003년 설립 이후 한국의 대표적인 코칭 기관으로서 코칭의 확산과 정착에 기여해 왔습니다. 2021년 자격 인증 코치 일만 명을 배출함으로써 코칭의 대중화를 위한 기틀을 마련하였으며 나아가 대한민국을 넘어 세계로 K-Coaching의 영역을 확장하기 위하여 코칭 역량 개발을 추진하였습니다.

2017년에 인증위원회 산하에 코칭 실무자와 역량 전문가로 구성된 역량 TF를 발족하여 코칭 역량에 관한 연구를 시작했습니다. 다양한 문헌 조사와 설문 조사, 그리고 현장 전문가들의 의견을 수렴하여 2021년 KCA 코칭 역량을 제정하였습니다. 코칭 역량 제정을 기반으로 '글로벌 인증기관으로 도약'하기 위한 협회의 비전을 달성하는 출발점으로 삼았습니다..

KCA 코칭 역량은 한국인의 문화와 정서를 반영하여 코치다움과 코칭다움을 기반으로 8가지 역량을 정립하였다. 새롭게 제정된 코칭 역량을 통해 코치들의 코칭 서비스 품질을 높이고 유사 영역과의 차별성과 코칭의 고유한 전문성을 확보하여 코치의 직업적 위상을 높이는 데 크게 기여할 것으로 기대합니다.

한국코치협회(KCA) 코칭 역량 모델

❖코치다움 :
코치로서 개인의 삶과 코칭 현장에서 코칭 윤리를 실천하며, 자기 인식과 자기 관리를 바탕으로 전문 계발을 해 나가는 것

❖코칭다움 :
코칭 현장에서 고객과 관계를 구축하고, 적극 경청과 의식 확장을 통해 고객의 성장을 지원하는 것

● **형상: 마차(Coach)의 수레바퀴(Wheel) 상징**
● **색상: 코치다움은 나무의 뿌리 상징**
코칭다움은 나무의 잎 상징

❖ KCA 코칭 역량군

한국의 전문코치들이 결성한 한국코치협회는 코칭 역량을 크게 '코치다움'과 '코칭다움'으로 나누고 8가지 코칭 각각 역량을 소개하고 있습니다.

코치다움은 코치로서 개인의 삶과 코칭 현장에서 코칭 윤리 실천하며, 자기 인식과 자기관리를 바탕으로 전문 계발을 해 나가는 것입니다.

코칭다움은 코칭 현장에서 고객과 관계를 구축하고, 적극 경청과 의식 확장을 통해 고객의 성장을 지원하는 것입니다.

1. 코치다움

① 윤리적 실천 역량

이 역량은 한국코치협회에서 규정한 기본 윤리, 코칭에 대한 윤리, 직무에 대한 윤리, 고객에 대한 윤리를 준수하고 실천하는 것을 말한다.

② 자기 인식 역량

이 역량은 현재 상황에 대한 민감성을 유지하고, 직관 및 성찰과 자기 평가를 통해 코치 자신의 존재감을 인식하는 것을 말한다.

③ 자기관리 역량

이 역량은 신체적, 정신적, 정서적 안정 및 개방적, 긍정적, 중립적 태도를 유지하며 언행을 일치시키는 것을 말한다.

④ 전문 계발 역량

이 역량은 코칭 합의와 과정 관리 및 성과 관리를 하고, 코칭에 필요한 관련 지식, 기술, 태도 등의 전문 역량을 계발하는 것을 말한다.

2. 코칭다움

① 관계 구축 역량

이 역량은 고객과의 수평적 파트너십을 기반으로 신뢰감과 안전감을 형성하며, 고객의 존재를 인정하고 진솔함과 호기심을 유지하는 것을 말한다.

② 적극 경청 역량

이 역량은 고객이 말한 것과 말하지 않은 것을 맥락적으로 이해하고, 반영 및 공감하며, 고객 스스로 자신의 의견, 감정, 욕구, 의도를 표현하도록 돕는 것을 말한다.

③ 의식 확장 역량

이 역량은 질문, 기법 및 도구를 활용하여 고객의 의미 확장과 구체화, 통찰, 관점 전환과 재구성, 가능성 확대를 돕는 것을 말한다.

④ 성장 지원 역량

이 역량은 고객의 학습과 통찰을 정체성과 통합하고, 자율성과 책임을 고취하며, 고객의 행동 전환을 지원하고, 실행 결과를 피드백하며, 변화와 성장을 축하하는 것을 말한다.

한국코치협회가 제시하는 코칭 역량(코치다움)

<table>
<tr><th>구분</th><th>역량</th><th>핵심요소</th><th>행동지표</th></tr>
<tr><td rowspan="21">코치다움</td><td rowspan="4">1. 윤리 실천</td><td>1) 기본 윤리</td><td>① 코치는 기본 윤리를 준수하고 실천한다.</td></tr>
<tr><td>2) 코칭에 대한 윤리</td><td>② 코치는 코칭에 대한 윤리를 준수하고 실천한다.</td></tr>
<tr><td>3) 직무에 대한 윤리</td><td>③ 코치는 직무에 대한 윤리를 준수하고 실천한다.</td></tr>
<tr><td>4) 고객에 대한 윤리</td><td>④ 코치는 고객에 대한 윤리를 준수하고 실천한다.</td></tr>
<tr><td rowspan="5">2. 자기 인식</td><td rowspan="2">1) 상황 민감성 유지</td><td>① 지금-여기의 생각, 감정, 욕구에 집중한다.</td></tr>
<tr><td>② 생각, 감정, 욕구가 발생하는 배경과 이유를 감각적으로 알아차린다.</td></tr>
<tr><td>2) 직관과 성찰</td><td>③직관과 성찰을 통해 자신이 생각, 감정, 욕구가 미치는 영향을 인식한다.</td></tr>
<tr><td>3) 자기 평가</td><td>④ 자신의 특성, 강·약점, 가정, 전제, 관점을 평가하고 수용한다.</td></tr>
<tr><td>4) 존재감 인식</td><td>⑤ 자신의 존재를 인식하고 신뢰한다.</td></tr>
<tr><td rowspan="6">3. 자기 관리</td><td rowspan="2">1) 신체적, 정신적, 정서적 안정</td><td>① 코치는 코칭을 시작하기 전에 신체적, 정신적, 정서적 안정을 유지한다.</td></tr>
<tr><td>② 코치는 다양한 코칭 상황에서 침착하게 대처한다.</td></tr>
<tr><td rowspan="3">2) 개방적, 긍정적, 중립적 태도</td><td>③ 코치는 솔직하고 개방적인 태도를 유지한다.</td></tr>
<tr><td>④ 코치는 긍정적인 태도를 유지한다.</td></tr>
<tr><td>⑤ 코치는 고객의 기준과 패턴에 관한 판단을 유보하고 중립적인 태도를 유지한다.</td></tr>
<tr><td>3) 언행일치</td><td>⑥ 코치는 말과 행동을 일치시킨다.</td></tr>
<tr><td rowspan="5">4. 전문 계발</td><td rowspan="2">1) 코칭 합의</td><td>① 고객에게 코칭을 제안하고 합의한다.</td></tr>
<tr><td>② 고객과 코칭 계약을 하고, 코칭 동의와 코칭 목표를 합의한다.</td></tr>
<tr><td>2) 과정 관리</td><td>③ 코칭 전체 과정을 관리하고, 이해관계자를 포함한 고객과 소통한다.</td></tr>
<tr><td>3) 성과 관리</td><td>④ 고객과 합의한 코칭 주제와 목표에 대한 성과를 관리한다.</td></tr>
<tr><td>4) 전문 역량 개발</td><td>⑤ 코칭에 필요한 관련 지식, 기술, 태도 등의 전문 역량을 계발한다.</td></tr>
</table>

한국코치협회가 제시하는 코칭 역량(코칭다움)

구분	역량	핵심요소	행동지표
코칭다움	5. 관계구축	1) 수평적 파트너십	① 코치는 고객을 수평적인 관계로 인정하며 대한다.
		2) 신뢰감과 안전감	② 고객과 라포를 형성하여 안전한 코칭 환경을 유지한다.
			③ 고객에게 긍정 반응, 인정, 칭찬, 지지, 격려 등의 언어를 사용한다.
		3) 존재 인정	④ 고객의 특성, 정체성, 스타일, 언어와 행동 패턴을 알아주고 코칭에 적용한다.
		4) 진솔함	⑤ 코치는 고객에게 자신의 생각, 느낌, 감정, 알지 못함, 취약성 등을 솔직하게 드러낸다.
		5) 호기심	⑥ 코치는 고객의 주제와 존재에 관해서 관심과 호기심을 유지한다.
	6. 적극경청	1) 맥락적 이해	① 고객이 말한 것과 말하지 않은 것을 맥락적으로 헤아려 듣고 표현한다.
		2) 반영	② 눈 맞추기, 고개 끄덕이기, 동작 따라 하기, 어조 높낮이와 속도 맞추기, 추임새 등을 하면서 경청한다.
			③ 고객의 말을 재진술, 요약하거나 직면하도록 돕는다.
		3) 공감	④ 고객의 생각이나 감정을 이해하며, 이해한 것을 고객에게 표현한다.
			⑤ 고객의 의도나 욕구를 이해하며, 이해한 것을 고객에게 표현한다.
		4) 고객의 표현 지원	⑥ 고객이 자신의 생각, 감정, 의도, 욕구를 표현하도록 돕는다.
	7. 의식확장	1) 질문	① 긍정적, 중립적 언어로 개방적 질문을 한다.
		2) 기법과 도구 활용	② 고객의 상황과 특성에 따라 침묵, 은유, 비유 등 다양한 기법과 도구를 활용한다.
		3) 의미 확장과 구체화	③ 고객의 말에서 의미를 확장하도록 돕는다.
			④ 고객의 말을 구체화하거나 명료화하도록 돕는다.
		4) 통찰	⑤ 고객의 알아차림과 통찰을 돕는다.
		5) 관점 전환과 재구성	⑥ 고객이 관점을 전환하거나 재구성하도록 돕는다.
		6) 가능성 확대	⑦ 고객의 상황, 경험, 사고, 가치, 욕구, 신념, 정체성 등의 탐색을 통해 가능성 확대를 돕는다.

구분	역량	핵심요소	행동지표
	8. 성장 지원	1) 정체성과의 통합 지원	① 고객의 학습과 통찰을 자신의 가치관 및 정체성과 통합하도록 돕는다.
		2) 자율성과 책임 고취	② 고객이 행동 설계 및 실행을 자율적이고 주도적으로 하도록 고취한다.
		3) 행동 전환 지원	③ 고객이 실행계획을 실천할 수 있는 환경을 만들도록 돕는다.
			④ 고객이 행동 전환을 지속하도록 지지하고 격려한다.
		4) 피드백	⑤ 고객이 실행한 결과를 성찰하도록 돕고, 차기 실행에 반영하도록 돕는다.
		5) 변화와 성장 축하	⑥ 고객의 변화와 성장을 축하한다.

☑출처: 한국코치협회

4. 국제코치연맹의 코칭 역량

국제코치연맹(ICF)은 코치들이 갖추어야 할 코칭 역량으로, 기존의 11가지 핵심 코칭 역량을 개정해 2020년부터 8가지 코칭 핵심 역량을 발표했습니다.

1) 윤리적 실천을 보여준다.

이 역량은 다른 모든 역량의 초석이 되는 것으로, ICF 전문코치로서 코칭 윤리와 기준을 이해하고 계속해서 적용하는 것을 말합니다.

코칭이라는 직종이 전문가로서 진실하고 온전하게 유지되며 인정받기 위해서는 윤리적 원칙과 기준을 지키는 것이 매우 중요합니다.

윤리적으로 실천하는 것은 코치가 되기 위해 코칭 윤리에 따라 행동하겠다고 서약한 것을 지키고, 다양한 코칭 관계나 문제 상황에서 코치로서의 바람직한 행동을 보여주는 것을 말합니다.

코치가 계속해서 윤리적 실천을 하는 모습을 보여줄 때, 고객에게 신뢰를 얻을 수 있고, 고객은 자신의 정체성과 가치관, 신념을 코치에게 편안하게 드러낼 수 있게 됩니다.

ICF는 윤리강령을 준수하며, 비밀을 존중하고, 다른 전문직과 차별성을 유지할 것을 제시하고 있습니다.

2) 코칭 마인드셋을 구현한다.

이 역량은 개방적이고 호기심이 많으며, 유연하고, 고객 중심적인 사고방식을 개발하고 유지하는 것을 말합니다. 일반적으로 마인드셋은 사람의 마음가짐을 의미하는 것으로, 개인의 신념이나 태도 또는 습관적으로 형성되는 의견 등을 포함하는 개념입니다. 즉, 사람들은 자신만의 관점이나 사고방식, 사고의 프레임으로 세상과 사람, 사물을 본다는 것을 의미합니다.

이것을 코칭에 적용하면 마인드셋이란 코칭 철학에 바탕을 둔 사고의 틀, 관점, 패러다임, 태도의 바탕 위에서 코치 역량과 기술을 체화하여 코치다움을 내재화하는 것입니다. 간단히 말해, 코칭을 바라보는 관점이자 코칭에 접근하는 사고방식을 말합니다. ICF에서는 코칭 마인드셋을 구현하기 위한 핵심 요소로서 지속적인 학습과 개발에 참여하고, 고개의 자율성을 인정하며, 성찰적 훈련을 개발하는 것을 제시하고 있습니다.

3) 합의를 이끌고 유지한다.

이 역량은 고개 및 이해관계자와 협력하여 코칭 관계, 절차, 계획 및 목표에 관해 명확하게 합의하고, 개별 코칭 세션은 물론 전체 코칭 과정에 대한 합의를 이끄는 것을 말합니다.

합의를 이끌고 유지하는 것은 코치가 고객 및 이해관계자와 함께 코칭 관계를 형성하는 첫 출발점입니다. 또한 코칭과 관련된 제반 사항에 대해 함께 논의하여 코칭 합의를 이끌고, 그 이후부터 코치는 고객의 파트너로서 책임을 다해야 합니다. 그리고 코칭을 마칠 때까지 그 합의를 유지하는 것은 코칭 진행을 위한 기초이자 핵심이라고 할 수 있습니다.

ICF에서는 합의를 이끌고 유지하기 위한 핵심 요소로서 코칭 관계에 대한 합의, 전반적인 코칭 계획과 목표에 대한 합의 및 각 세션의 목표와 목적에 대해 합의할 것을 제시하고 있습니다.

4) 신뢰와 안전감을 조성한다.

이 역량은 고객과 함께 고객이 자유롭게 나눌 수 있는 안전하고 지지적인 환경을 만들고, 상호 존중과 신뢰 관계를 유지하는 것을 말합니다.

신뢰와 안전감은 모든 인간관계의 기초가 되고, 성공적이고 의미 있는 파트너십을 구축하고 계속해서 발전하기 위한 주춧돌이라 할 수 있습니다.

코치는 코칭 고객과 함께 상호 존중하고 신뢰하는 관계를 쌓고 유지함으로써 안전하고 지지적인 코칭 환경을 만들 수 있습니다. 이와 같은 환경을 만들면 고객은 허심탄회하게 자신의 얘기를 할 수 있게 되고, 그로 인해 코칭 대화가 한층 깊고 풍부해집니다.

ICF에서는 신뢰와 안전감을 조성하기 위한 핵심 요소로서 안전하고 지지적인 환경을 구축하고, 고객을 온전한 전인적 존재로서 존중하며, 코칭 과정에서 고객이 행하는 작업(모든 생각, 행동, 판단, 도전, 노력 등)을 인정할 것을 제시하고 있습니다.

5) 프레즌스를 유지한다.

이 역량은 개방적이고 유연하며 중심이 잡힌 자신감 있는 태도로 완전히 깨어서 고객과 함께한다는 것을 의미합니다. 즉, 코치가 자신의 내적인 요인이나 외적인 상황에 흔들리지 않고 침착하게 코치로서 현재에 존재할 수 있어야 한다는 것입니다. 다시 말해, 코치는 코칭 관계에서 동요되는 상황이 발생하더라도 감정적으로 흔들리지 않고 중심 잡힌 태도와 자신감을 유지하는 것입니다.

프레즌스(Presence)는 사전적 의미로, 누군가 또는 무엇인가가 어떤 장소에 있다는 것을 말합니다. 대체로 존재 혹은 존재가 나타내는 존재 방식 혹은 존재감 등으로 이해할 수 있습니다. 코칭에서 프레즌스를 유지한다는 것은 코치 자신이 코칭 현장에 있고, 코치와 고객이 존재와 존재로서 함께 호흡하고 있는 것, 코칭 대화 과정에서 코치의 모든 관심을 고객에게 온전하게 집중하는 것, 그러면서 그에 대한 선입견이나 편견을 내려놓고 온전히 느끼는 것, 그리고 코치로서 현재에 충실히 존재하면서 자신감을 잃지 않고 함께 있어 주는 것을 말합니다. ICF에서는 프레즌스를 유지하기 위한 핵심 요소로서 고객에게 온전한 집중을 유지하고 호기심을 보여주며 감정을 관리하는 것을 제시하고 있습니다.

6) 적극적으로 경청한다.

이 역량은 고객이 자신의 시스템 맥락 안에서 전달하는 것을 충분히 이해하고, 고객의 자기표현을 돕기 위하여 고객이 말한 것과 말하지 않는 것에 초점을 맞추는 것을 말합니다. 이것은 코칭이 진행되는 동안 코치가 고객에게 온전히 집중하여 그의 말을 들음으로써 고객을 충분히 이해하고, 그가 바라는 것을 이룸으로써 성장, 발전하도록 지원하는 것을 말합니다. 다시 말해, 적극적으로 경청한다는 것은 고객의 말을 듣고 그 정보를 수용한 후, 해당 상황에서 고객이 원하는 것이 무엇인지를 파악하면서 대화를 이어가는 창의적이고 능동적인 활동을 말합니다. 나아가 적극적으로 경청한다는 것은 고객이 세상을 어떤 방식으로 체험하고 통합하는지, 어떤 관계 속에서 존재하는지, 그리고 그의 가치, 신념, 정체성, 관점 등이 어떤 것인지를 깊이 이해하면서 그의 표현을 지지하는 과정입니다. ICF에서는 적극적으로 경청하기 위한 핵심 요소로서 전체적으로 경청하고, 코치와 고객이 함께 이해한 것을 확인하기 위해 고객이 말한 것을 다시 비추어 주며, 고객에 대한 이해를 통합하여 커뮤니케이션을 지원할 것을 제시하고 있습니다.

7) 알아차림을 불러일으킨다.

이 역량은 강력한 질문, 침묵, 은유 또는 비유와 같은 도구와 기술을 사용하여 고객의 통찰과 학습을 촉진하는 것을 말합니다. 알아차림(awareness)의 사전적 의미는 어떤 정보나 경험에 기초하여 현재 무언가 있다는 것을 알고 있거나, 현 상황이나 주제에 대해 이해하고 있다는 것을 아는 것이라고 할 수 있습니다. 이것은 단순히 아는 것(knowing)에 그치지 않고 자신의 인지 과정을 관찰하거나 발견한 것까지 안다는 것을 의미하는 것으로 메타인지(meta-cognition)를 포함합니다. 알아차림을 불러일으킨다는 것이 코칭에서 의미하는 것은 고객이 어떤 주제나 이슈에 대해 깊이 생각하도록 그의 생각을 자극하는 활동과도 관련이 있습니다.

대체로 사람들는 바쁜 일상 속에서 살면서 자신의 삶이 어떤 방향으로 흐르고 있고, 자신이 무엇을 바라고 사는지 자신의 내·외부에서 일어나는 감정, 생각, 행동 등이 무엇을 의미하는지 등을 잊어버리거나 깊이 생각하지 못하는 때가 많습니다. 이때 알아차림은 나다운 자신이 되는 데 필요한 가장 기본적인 능력입니다.

내가 무엇을 원하는지, 나의 진정한 욕구가 무엇인지, 내가 지금 어떤 감정을 느끼고 있는지, 내가 절대로 양보할 수 없는 가치와 신념은 무엇인지, 세상을 바라보는 나의 관점은 무엇인지 등에 관한 중요한 질문에 대답하기 위해서는 알아차림이 있어야 합니다. ICF에서는 적극적으로 경청하기 위한 핵심 요소로서 새로운 통찰을 위해 질문을 하고 새로운 학습을 위한 관찰을 공유하며, 성찰과 리프레이밍(reframing)을 지원할 것을 제시하고 있습니다.

8) 고객의 성장을 촉진한다.

이 역량은 고객이 학습과 통찰을 통해 행동으로 전환하도록 협력하고, 코칭 과정에서 고객의 자율성을 촉진하는 것을 말합니다. 즉, 고객이 자율성을 바탕으로 자신의 목표나 목적을 향해 행동하도록 책임의식과 실행 의지를 북돋우고, 구체적인 행동을 계획하고 실행에 옮기도록 코치가 파트너 역할을 해 주는 것을 말합니다. 이것은 고객이 자신 안에 있는 가능성과 잠재력을 발견하고, 계속해서 성장하도록 촉진하는 것이며, 이와 관련된 의미 있는 행동을 꾸준히 실천하는 고객을 지지하고 격려하는 것입니다. 국제코치연맹에서는 고객의 성장을 촉진하기 위한 핵심 요소로서 학습을 행동으로 옮기도록 촉진하고, 고객의 자율성을 존중하며, 고개의 발전을 축하하고, 코칭 세션을 종료하는 데 있어 파트너의 역할을 할 것을 제시하고 있습니다.

❖ 국제코치연맹(ICF)이 제시하는 8가지 코칭 핵심 역량

구분	역량
역량 1	윤리적 실천을 보여준다.
역량 2	코칭 마인드셋을 구현한다.
역량 3	합의를 이끌고 유지한다.
역량 4	신뢰와 안전감을 조성한다.
역량 5	프레즌스를 유지한다.
역량 6	적극적으로 경청한다.
역량 7	알아차림을 불러일으킨다.
역량 8	고객의 성장을 촉진한다.

출처: 국제코치연맹(ICF)

5. 한국코치협회(KCA) 코칭 역량 해설

1. 윤리 실천

1) 정의

(사)한국코치협회에서 규정한 기본 윤리, 코칭에 대한 윤리, 직무에 대한 윤리, 고객에 대한 윤리를 준수하고 실천한다.

2) 핵심 요소 및 행동 지표 설명

(1) 기본 윤리

➢ 코치는 기본 윤리를 준수하고 실천한다.

(사)한국코치협회 소속 코치는 고객의 잠재력을 극대화하고 최상의 가치를 실현하도록 돕기 위해 부단한 자기 성찰과 끊임없이 공부하는 평생 학습자가 되어야 하며, 자신의 전문 분야와 삶에서 고객의 롤모델이 되어야 한다. 국제적으로 코칭 활동을 할 때는 해당 국가의 코치 윤리규정도 존중하며 코칭에 임한다.

(2) 코칭에 대한 윤리

➢ 코치는 코칭에 대한 윤리를 준수하고 실천한다.

코치는 코칭할 때 고객을 충분히 이해하고 수용하고 지지하는 태도를 보여야 하며, 코치와 (사)한국코치협회의 명예와 신용을 해치는 행위를 하지 않아야 한다. 코치는 고객에게 코칭을 안내하거나 홍보할 때, 코칭을 통해 얻을 수 있는 성과를 의도적으로 과장하거나 축소하는 등의 부당하거나 근거가 없는 주장을 하지 않아야 하며, 자신의 경력, 실적, 역량, 개발 프로그램, 저술 및 활동 내용 등에 관하여 과대하게 선전하거나 광고하지 않아야 한다.

코치는 고객이 자신 이외의 코치 또는 다른 접근 방법(심리치료, 컨설팅 등)이 더 유효하다고 판단될 때 고객과 상의하고 변경을 하도록 촉구하며, 코칭에 도움이 되는 다양한 접근법을 존중하고 수용하며, 이에 기여한 다른 사람들의 노력이나 공헌을 존중하고 인정한다.

코치로서 코칭에 관한 연구 활동을 할 때 코치는 전문적인 근거와 과학적인 기준 그리고 개인 정보 보호법 등 관련 법률에 준거하여 연구하고 보고서나 논문을 작성해야 한다. 또 연구를 할 때 고객과 관련자에게 허가나 동의를 얻어서 참가자가 불이익을 받지 않도록 해야 한다.

(3) 직무에 대한 윤리

➢ 코치는 직무에 대한 윤리를 준수하고 실천한다.

코치는 어떤 상황에서도 친절하고 성실하게 최선을 다해 고객을 대해야 하며, 자신의 능력, 기술, 경험을 정확하게 인식하여 자신이 다룰 수 있는 범위 내에서 코칭을 구사하고 적용한다.

코치는 코칭 진행에 지장을 주는 개인적인 문제를 인식하도록 노력하고, 그것이 코칭에 영향을 미친다고 판단할 경우 코칭의 일시 중단이나 종료가 적절한지 등을 결정하고 고객과 합의한다. 또 코치는 코칭 중에 고객이 내리는 결정을 존중한다.

코치는 코칭 시작하기, 즉 최초의 세션 이전에 코칭의 본질, 비밀을 지킬 의무의 범위, 지급 조건 및 그 외의 코칭 계약 조건을 고객이 충분히 이해하도록 설명한 다음 계약을 체결하며, 코칭 중 어느 시점에서도 고객이 자유롭게 코칭을 종료할 권리가 있음을 알린다.

코치는 고객이나 고객이 될 가능성이 있는 사람에게 코치와 코칭에 대해 오해를 부를 우려가 있는 정보를 전달하거나 개인적인 충고를 하지 않아야 하며, 고객과의 이해관계나 성적 관계를 포함한 어떠한 부적절한 거래 관계도 하지 않으며, 개인적, 직업적, 금전적인 이익을 위해 의도적으로 고객을 이용하지 않는다.

코치는 고객이 고객 자신이나 타인에게 위험을 미칠 의사를 분명히 밝혔을 경우 관련 법이 정한 대로 조치하며, (사)한국코치협회 윤리위원회에 전달하고 필요한 절차를 밟는다.

(4) 고객에 대한 윤리

➢ 코치는 고객에 대한 윤리를 준수하고 실천한다.

코치는 법이 요구하는 경우를 제외하고 고객의 정보에 대한 비밀을 지키며, 고객의 이름이나 그 외의 고객 특정 정보를 공개하거나 발표하려면 미리 고객의 동의를 얻어야 하며, 보수를 지급하는 사람, 이를테면 기업의 코칭 담당자나 대표자가 고객 정보를 원할 때 반드시 고객의 동의를 얻어야 한다. 만일 고객이 동의하지 않으면 관련 법에 따라 비밀을 준수한다.

코치는 코칭 실시에 관한 모든 작업 기록을 정확하게 작성, 보존, 보관, 파기한다. 보존 시 고객 정보가 유출되지 않도록 유의하며, 고객과 약속을 한 경우 그 기간이 지나면 자료를 파기한다.

코치는 자신과 고객의 이해가 대립하지 않도록 노력하여야 한다. 만일 이해가 대립하거나 발생할 우려가 있을 때, 코치는 그것을 고객에게 숨기지 않고 분명하게 전달하고 고객과 함께 좋은 대처방법을 검토하고 해결 방안을 찾는다.

코치는 코칭 관계를 해치지 않는 범위 내에서 코칭 비용을 금전이 아닌 서비스, 물품 또는 다른 금전적인 것으로 상호 교환할 수 있다.

2. 자기 인식

1) 정의

현재 상황에 대한 민감성을 유지하고 직관 및 성찰, 자기 평가를 통해 코치 자신의 존재감을 인식한다.

2) 핵심 요소 및 행동 지표 설명

(1) 상황 민감성 유지

➢ 지금 여기의 생각, 감정, 욕구에 집중한다.

코치는 자신의 말과 행동에 영향을 미치는 내적 상태, 즉 생각, 감정, 욕구를 살펴서 알아차린다.

코치는 기본적으로 고객의 생각, 감정, 욕구에 관심을 두고 공감하지만, 코치 자신의 내적 상태가 자신도 모르게 코칭에 영향을 줄 수 있으므로 코칭 과정 내내 주의를 기울여야 한다.

생각, 감정, 욕구는 상호 연결되어 있으며 일반적으로 욕구에 의해 감정이 생기며 감정이 생각으로 구체화한다. 또는 생각이 감정을 자극하고 감정이 욕구를 유발하기도 한다. 코치는 이와 같은 내적 상태의 상호 연관성을 이해하고 지금 여기에서 일어나는 생각, 감정, 욕구에 대해 민감성을 지닌다.

➢ 생각, 감정, 욕구가 발생하는 배경과 이유를 감각적으로 알아차린다.

코치는 자신의 말과 행동에 영향을 미치는 생각, 감정, 욕구가 어떤 맥락에서 발생하였으며 심리적 요인이 무엇인지 감각적으로 알아차린다. 감각적이라는 것은 그 배경과 이유에 대한 이성적인 판단 이전에 느낌을 알아차릴 수 있음을 의미하는데, 코치의 생각, 감정, 욕구가 특정 상황에서 반복해서 발생하는 심리적 패턴일 수 있으므로 경험했던 기억을 살려 신체적 느낌으로 알아차릴 수 있어야 한다.

이러한 내적 상태는 고객의 말과 행동에 대한 코치의 반응으로 심리적 방어기제가 작동한 것일 수 있으므로 코치는 평소에 자신의 방어기제에 관한 탐구가 필요하다. 방어기제는 고객에 대한 코치의 판단에서 비롯되므로 코치는 늘 판단 보류 상태에서 고객을 대해야 하며 자신의 심리적 반응을 인식해야 한다.

(2) 직관과 성찰

➢ **직관과 성찰을 통해 자신의 생각, 감정, 욕구가 미치는 영향을 인식한다.**

코치는 자신의 생각, 감정, 욕구가 코칭의 내용과 흐름 그리고 고객에게 어떤 영향을 미치는지 직관과 성찰을 통해 알아차린다. 직관은 판단이나 추리 등의 사유 작용을 거치지 않고 대상을 직접 파악하는 작용을 말하는데 코치 자신에 대한 지속적인 모니터링을 통해 가능해진다. 코치는 자신의 내적 상태가 코칭에 영향을 미친다고 직관적으로 알게 되면 즉시 성찰하여 그 내용을 인식해야 한단.

코치의 내적 상태가 코칭 과정에 미치는 영향은 적지 않으므로 코치는 항상 코칭 상황을 지켜보는 자신의 메타인지를 활용할 수 있어야 한다.

(3) 자기 평가

➢ **자신의 특성, 강·약점, 가정과 전제, 관점을 평가하고 수용한다.**

코치는 자신의 말과 행동 그리고 생각, 감정, 욕구에 영향을 미치는 자신의 특성, 강·약점, 가정과 전제, 관점에 대해 고객과 코칭 상황에 비추어 그 적절성을 평가하고 결과를 수용한다. 이는 코치 고유의 특성과 강·약점, 가정과 전제, 관점에 대한 절대적인 평가가 아닌 개별 코칭 현장에 필요한 적합성 평가와 수용을 의미한다.

특성이란 성격적 특성과 행동 특성을 의미하며, 강·약점 역시 성격적 측면과 행동적 측면의 강점과 약점을 의미한다. 가정과 전제, 관점은 코치의 선입견으로 작용하거나 고객의 생각을 유도할 수 있으므로 수시로 점검해야 한다.

(4) 존재감 인식

➢ **자신의 존재를 인식하고 신뢰한다.**

코치는 자신의 상태에 대한 전반적인 인식과 지금 여기 코치로서 존재한다는 인식을 확실히 하고 그 존재 방식을 신뢰한다. 코칭에 임하는 코치의 존재 방식은 코치의 말과 행동 그리고 생각, 감정, 욕구의 내용과 작동 방식에 따라 드러나므로 이에 대한 성찰과 신뢰는 코치 자신에 대한 본질적인 신뢰로 이어진다.

코치로서의 존재감에 대한 자기 인식과 자기 신뢰가 미약하면 고객을 신뢰하지 못하게 되고 결과적으로 고객에게 신뢰받지 못하게 된다. 자기 신뢰가 바탕이 되어야 코치는 고객을 위해 자신의 말과 행동을 유연하게 최적화할 수 있다.

3. 자기관리

1) 정의

신체적, 정신적, 정서적 안정 및 개방적, 긍정적, 중립적 태도를 유지하며 언행을 일치시킨다.

2) 핵심 요소 및 행동 지표 설명

(1) 신체적, 정신적, 정서적 안정

➢ 코치는 코칭을 시작하기 전에 신체적, 정신적, 정서적 안정을 유지한다.

'자신의 전문 분야와 삶에 있어서 고객의 롤모델이 되어야' 하는 코치는 자신의 신체적, 정신적, 정서적 최적 상태를 알고, 그에 대한 기본 원칙과 행동지침을 실천하며, 정기적으로 자신의 상태를 점검하고 관리한다. 자신의 개인 상황이나 문제에서 벗어나 고객과의 코칭 대화에 전념하도록 안정적 상태를 유지한다. 코칭 세션을 시작하기 전에 준비 절차에 따라 자신의 상태와 환경을 점검하고, 압박이나 장애를 처리한 다음에 코칭 세션을 시작한다.

➢ 코치는 다양한 코칭 상황에서 침착하게 대처한다.

코치는 용기와 겸손함으로 위험을 감수할 수 있고, 고객의 저항과 거절에 유연하게 대응한다. 까다롭고 위태로운 상황이 벌어질 수 있음을 예측하고 대안을 마련하여 대처한다. 정기적으로 멘토코칭을 받으며 성찰, 학습 및 성장 계획을 세우고 실천한다.

(2) 개방적, 긍정적, 중립적 태도

➢ 코치는 솔직하고 개방적인 태도를 유지한다.

코치는 진심이 아닌 의례적인 표현을 하거나 일방적으로 반응하지 않고, 자신이 발견한 진실과 직관을 알아차리고, 감정, 상충하는 욕구와 생각에 대하여 자신에게 솔직해야 한다. 비판이나 실패를 두려워하지 않으며, 솔직하고 비판 없이 자기를 평가한다. 열린 마음으로 다양한 관점, 새로운 인식, 가능성, 다른 방식과 행동지침을 탐색한다.

➢ **코치는 긍정적인 태도를 유지한다.**

불확실한 상황이나 어려운 상황에서도 낙관적이고 희망적인 미래에 집중하며, 진전과 향상을 이루는 방향으로 전환한다. 실패를 하나의 과정이나 상황으로 받아들이고 전체 시스템에서 가능성을 넓히고 창조성을 촉진하도록 도전하며, 부정적 생각이나 행위 안에 숨겨진 긍정적 의도를 밝히는 데 초점을 맞춘다.

(3) 언행일치

➢ **코치는 말과 행동을 일치시킨다.**

코치는 자신의 의도와 말을 정렬하여 모호하게 말하지 않으며, 언어와 비언어적 표현을 자연스럽게 통합한다. 중요한 메시지를 명료하고 구체적으로 정리하여, 듣는 사람과 상황에 맞추어 전달한다. 코치는 말한 것이 행동으로 반영되어 현실로 나타나도록 하고, 자신이 하기로 한 것은 지키며 스스로 책임을 다한다.

자신의 말과 행동의 불일치를 경계하고 성찰하며 개선한다. 외부 관찰자나 멘토 코치에게 주도적으로 피드백을 요청하고, 그 내용을 반영하여 평생학습자로서 끊임없는 학습과 성장을 실천한다.

4. 전문 계발

1) 정의

코칭 합의와 과정 관리 및 성과 관리를 하고 코칭에 필요한 관련 지식, 기술, 태도 등의 전문 역량을 계발한다.

2) 핵심 요소 및 행동 지표 설명

(1) 코칭 합의

➢ **고객에게 코칭을 제안하고 협의한다.**

고객에게 코칭을 소개하고 코칭을 받아보도록 권유하는 활동을 제안이라고 한다. 제안은 구두나 문서로 할 수 있다. 고객의 이슈, 요구사항, 현황 등을 파악한 다음 어떻게 제안할지 구상하는 것이 바람직하다. 제안에는 제안 배경, 코칭 주제와 범위, 코칭 규모, 코칭 기간, 코칭 전체 프로세스, 기대효과, 차별화된 코칭 특장점, 코칭 비용, 코치 소개, 기타 잠재 고객의 상황에 따른 내용으로 구성한다. 고객에게 제안한 뒤, 제안 내용을 중심으로 코칭 주제와 범위, 코칭 기간, 코칭 방법, 코칭 규모, 코칭 비용, 기타 코칭에 필요한 조건 등을 협의하고 설명한다.

➢ **고객과 코칭 계약을 하고, 코칭 동의 및 코칭 목표를 합의한다.**

고객 또는 고객사와 협의를 거쳐 계약을 체결할 때 고객이 계약서를 제시하거나 코치가 계약서를 제시하는 방법 중에서 선택할 수 있다. 이때 코치가 계약서를 제시하는 경우 (사)한국코치협회의 표준계약서를 활용할 수 있다. 계약을 하면 계약자와 의사결정자, 고객 등 이해관계자와 사전에 회합하고, 코칭에 대한 공감대를 형성하는 것이 바람직하다. 코칭 과정에서 고객의 참여도를 높이고 코칭 성과를 높이기 위하여 코칭을 시작하기 전에 고객과 코칭 동의서를 작성하는 것이 무엇보다 중요하다. 코칭 동의서를 작성하면서, 코칭을 마무리했을 때 코칭 성과를 평가하는 기준이 되는 코칭 목표를 코치와 고객이 함께 협의 및 합의하는 과정을 밟는다.

(2) 과정 관리

➢ **코칭 과정 전체를 관리하고 이해관계자를 포함한 고객과 소통한다.**

고객은 실제로 코칭받는 고객과 주변의 이해관계자로 구분할 수 있다. 계약자, 의사결정자, 후원자를 통칭하여 이해관계자라고 한다. 코칭을 일회기가 아닌 다회기로 진행하는 경우, 코치는 코칭을 진행하는 동안 코칭 보고서를 작성하여 고객 및 이해관계자와 공유하는 것이 바람직하다. 이때 코치는 고객에게 코칭 보고서를 이해관계자와 공유하게 됨을 미리 알리고 동의를 구해야 한다. 이는 비밀유지 규정과 연결되기 때문이다.

(3) 성과 관리

➢ **고객과 합의한 코칭 주제 및 목표에 대한 성과를 관리한다.**

코치는 고객과 합의한 코칭 목표를 기준으로 코칭을 진행하고 코칭을 마무리하면 코칭 성과를 평가하고 코칭 성과 보고서를 작성한다. 될 수 있으면 코칭 성과 보고회를 통해 고객 및 이해관계자와 함께 코칭 성과를 공유하는 것이 바람직하다. 코칭 성과 보고회에서 사후 지원 여부와 지원 사항을 협의하는 것이 바람직하다.

(4) 전문 역량 계발

➢ **코칭에 필요한 관련 지식, 기술, 태도 등의 전문 역량을 계발한다.**

코칭에 필요한 전문 역량에 적용되는 다양한 이론과 개념, 그리고 기법 등이 있다. 또 다양한 종류의 코칭이 있다. 이를 체계적으로 잘 습득하여 전문 역량을 계발하는 것이 필요하다.

5. 관계 구축

1) 정의

고객과의 수평적 파트너십을 기반으로 신뢰감과 안전감을 형성하며 고객의 존재를 인정하고 진솔함과 호기심을 유지한다.

2) 핵심 요소 및 행동 지표 설명

(1) 수평적 파트너십

➢ **코치는 고객을 수평적인 관계로 인정하며 대한다.**

코치는 고객을 상하관계가 아닌 수평적 존재로 인정하며 대하는 것으로, 상호 이익 증대를 목적으로 상하관계가 아닌 동반자적인 계약 관계를 말한다. 코치는 코칭 세션 중 일방적이고 지시적인 태도가 아닌 고객을 수평적인 관계로써 존재를 인정하며, 중요한 결정 시 고객이 선택하고 결정하도록 요청한다. 지시나 명령, 단정 언어, 컨설팅이나 가르치려는 태도, 충고나 훈계하는 언어 사용을 지양한다.

(2) 신뢰감과 안전감

➢ **고객과 라포를 형성하여 안전한 코칭 환경을 유지한다.**

코치가 고객 중심의 코칭 관계를 만들어 가기 위해서는 신뢰감과 안전감이 바탕을 이루어야 한다. 라포 형성은 코칭 관계의 핵심이며, 코칭의 모든 단계에서 활용되는 것으로 고객과의 관계를 맺고 유지하는 데 기초가 되는 중요한 코칭 기술이다. 코치는 라포를 통해 코칭 세션 중 고객에게 신뢰감과 안전감을 주어 최적의 코칭 환경을 조성하여야 한다. 라포 형성을 위해 공감, 반영, 인정, 칭찬 등의 기법을 사용한다.

➢ **고객에게 긍정 반응, 인정, 칭찬, 지지, 격려 등의 언어를 사용한다.**

코치는 고객과의 관계에서 믿는 마음과 편안하며 위험하지 않다는 느낌을 들게 하여야 한다. 이를 위해 코치는 고객에게 긍정 반응, 인정, 칭찬, 지지, 격려, 신뢰 등의 언어를 상황에 맞게 사용하여야 한다. 코치는 고객에게 지지와 공감, 관심을 보여주어야 하며, 코칭 세션 중 고객에게 집중하고 관찰하며 적절한 반응을 유지하여야 한다. 그렇지만 상대와 비교하는 언어, 판단, 비평, 강요, 당연시하는 언어 사용은 지양해야 한다.

(3) 존재 인정

➢ **고객의 특성, 정체성, 스타일, 언어와 행동 패턴을 알아주고 코칭에 적용한다.**

코치는 고객을 있는 그대로 존중하고 진정성 있게 대함으로써 코칭 과정에서 고객의 고유한 재능, 통찰, 노력을 인정하고 존중하여야 한다. 또 코칭 대화 중 고객의 특성, 정체성, 스타일, 언어 패턴을 알아주고 이를 코칭에 적용하여야 한다. 코칭 시 매 순간 춤추듯이 고객과 연결하고 자연스럽고 물 흐르듯 코칭 대화를 한다. 그렇지만 고객과의 코칭 세션에서 코치의 주관적인 판단, 평가, 해석은 지양해야 한다.

(4) 진솔함

➢ **코치는 고객에게 자신의 생각, 느낌, 감정, 알지 못함, 취약성 등을 솔직하게 드러낸다.**

고객과의 관계에서 코치가 자신이 경험하고 느낀 바를 있는 그대로 내보이는 것을 말하는 것으로, 코치는 고객과 신뢰를 구축하기 위해 자신의 생각, 느낌, 감정, 알지 못함을 솔직하게 표현하여야 한다. 진솔함은 어떠한 비평과 해석을 개입하지 않는 것으로 코치는 단지 자신이 보는 그대로 말하는 것이다. 진정한 코칭 관계는 기분을 맞추어 주는 것이 아니라 진솔한 태도를 바탕으로 이루어진다. 코치가 진실을 말하는 용기가 있을 때 고객도 올바르게 대처하는 기술을 익힌다. 코치는 고객이 이해할 수 있는 언어와 적절한 은유를 사용하여 설명해야 한다. 전문적인 용어 사용은 최소화하고 실제적이며 고객에게 맞는 언어를 사용할 때 고객은 코칭 대화 내용을 잘 이해할 수 있다.

(5) 호기심

➢ **코치는 고객의 주제와 존재에 대해서 관심과 호기심을 유지한다.**

코칭에서 호기심은 코치와 고객이 서로 협력하여 꾸밈없이 살펴보고 무엇을 발견할지 관심을 갖고 탐구함으로써 고객의 삶 속 깊은 영역으로 들어가게 한다. 코치는 심문하는 사람이 아니므로 탐구하는 과정은 고객 입장에서 이루어져야 한다. 코치는 코칭 세션 중 고객의 주제와 고객의 존재에 관해서 관심과 호기심을 보여야 한다.

6. 적극 경청

1) 정의

고객이 말한 것과 말하지 않은 것을 맥락적으로 이해하고 반영 및 공감하며, 고객 스스로 자신의 생각, 감정, 욕구, 의도를 표현하도록 돕는다.

2) 핵심 요소 및 행동 지표 설명

(1) 맥락적 이해

➢ **고객이 말한 것과 말하지 않은 것을 맥락적으로 헤아려 듣고 표현한다.**

고객은 '내 마음을 알아주는 코치'를 최고의 코치로 생각한다. 대화로 이루어지는 코칭 과정에서 고객은 마음에 있는 모든 것을 표현하지 못할 수 있다. 그런 상황에서 고객이 미처 표현하지 못한 것까지 코치가 이해하고 알아준다면 코치에 대한 고객의 믿음은 높아질 수밖에 없다.

맥락적으로 이해하기 위해 코치는 자신의 신념이나 가치관을 철저히 배제하고 고객의 이야기에만 집중해야 한다. 특히 코치의 어설픈 추측이나 추론은 맥락적 이해에 큰 걸림돌이 된다.

코치는 고객의 생각과 감정, 의도, 욕구 및 신념 등 고객에 대해 충분히 이해하고 있어야 한다. 그뿐만 아니라 고객이 처한 상황, 과제에 대한 고객의 관점과 입장까지 고려할 수 있어야 한다.

(2) 반영

➢ **눈 맞추기, 고개 끄덕이기, 동작 따라 하기, 어조 높낮이와 속도 맞추기, 추임새 등을 하면서 경청한다.**

코치는 고객의 말에 적절한 반응을 보임으로써 경청하고 있음을 나타낸다. 이러한 행동들은 코치로서 열린 마음으로 고객에게 관심을 보일 때 자연스럽게 나오는 것이다
이런 행동을 할 때, 코치는 다음 몇 가지에 주의를 기울여야 한다.

① 눈 맞춤을 한다면서 고객을 지나치게 빤히 쳐다보는 것은 바람직하지 않다.

② 고개 끄덕이기와 동작 따라 하기: 적절한 타이밍이 중요하다. 아무 때나 고개를 끄덕이거나 동작을 따라 하는 것은 오히려 고객에게 불쾌감을 준다. 또 동작을 따라 할 때 지나친 표현을 주의해야 한다.

③ 추임새: 지나친 추임새는 고객의 이야기를 방해할 수 있다.

➢ **고객의 말을 재진술, 요약하거나 직면하도록 돕는다.**

재진술과 요약하기에는 두 가지 목적이 있다. 첫째, 코치 자신이 고객의 말을 제대로 이해했는지를 고객에게 확인하기 위함이다. 둘째, 고객 스스로 자신을 돌아보고 생각, 감정, 의도, 욕구 등을 정리할 수 있게 도움을 주기 위함이다.

재진술에는 고객이 말한 것을 그대로 이야기해 주는 반복하기, 고객이 말한 것을 유사한 단어로 표현하는 바꾸어 말하기, 그리고 고객이 이야기한 내용을 간략하게 묶고 정리하여, 핵심적인 생각과 감정을 전달해 주는 요약하기 등이 있다. 코치가 재진술할 때는 되도록 고객이 의식하지 못할 정도로 자연스럽게 하는 것이 좋다. 코치의 재진술이 고객의 말보다 많거나 과장된 단어를 포함하는 것은 바람직하지 못하다,

코치는 고개의 말과 행동에서 합리적이지 못한 점이나 모순을 발견할 때 직면을 사용한다. 구체적으로 고객의 말과 행동이 다르거나, 고객의 말과 생각이 다르거나, 고객의 말과 감정이 다를 때 사용한다. 예를 들면, 높은 자존감을 가진 아이로 성장했으면 하는 마음을 가진 부모가 아이의 사소한 것까지 간섭하면서 잔소리를 하는 경우다. 직면을 사용하는 또 다른 예로, 본인이 생각하는 것과 주변 사람들의 생각이 다를 때이다. 부하직원들에게 변화에 둔감하면서 고집이 세다는 평가를 받는 리더가 본인의 장점이 경청이라고 생각하는 경우다. 이러한 직면을 사용할 때, 코치는 매우 유의해야 한다. 자칫 잘못하면 코치가 고객을 가르치려고 한다는 느낌을 줄 수 있다. 무엇보다 코치에 대한 신뢰가 높지 않은 상황에서의 직면은 코치에 대한 불신으로 이어질 수 있다.

(3) 공감

➢ **고객의 생각이나 감정을 이해하며, 이해한 것을 고객에게 표현한다.**

공감이란 고객의 관점을 통해서 세상을 보는 것이다. 그럼으로써 코치는 고객의 패러다임뿐만 아니라 그들의 생각과 감정도 이해할 수 있게 된다. 코치는 마치 고객의 안경을 쓰고 사물을 바라보는 것과 같이, 고객의 세상을 바라보는 마음의 틀을 이용하여 고객의 생각과 감정을 이해해야 한다.

공감은 단순히 고객의 생각과 감정을 이해하는 데에 그치지 않고 이해한 것을 표현해 주는 것까지 포함한다.

공감 과정에서 동정이나 동일시가 되지 않도록 주의해야 한다.

동정은 고객 관점이나 입장에 서지 않으면서 걱정만 하는 것이다. 반면에 고객과의 동일시는 동정과는 반대로, 코치가 고객과 감정적으로 지나치게 얽히면서 그 상황에 빠져

버리는 것을 말한다.

➢ **고객의 의도나 욕구를 이해하며, 이해한 것을 고객에게 표현한다.**

코치가 고객의 입장과 관점에서 세상을 바라볼 때, 코치는 겉으로 드러난 고객의 말과 행동을 통해 고객의 마음속에 있는 의도와 욕구를 읽을 수 있다. 코치가 어떠한 선입견이나 편견도 없이 고객의 마음의 들여다보아야 고객의 의도와 욕구를 이해할 수 있다.

공감은 단순히 고개의 의도와 욕구를 이해하는 데에 그치는 것이 아니라 이해한 것을 표현해 주는 것까지 포함한다. 코치는 고객의 말과 행동에서 어떤 의도와 욕구를 읽고 이해했는지를 고객에게 전달하면서 필요하다면 왜 그렇게 이해했는지에 관해 설명해야 한다.

(4) 고객의 표현 지원

➢ **고객이 자신의 생각, 감정, 의도, 욕구를 표현하도록 돕는다.**

코치의 다음과 같은 행동은 고객이 자신의 생각, 감정, 의도, 욕구를 표현하도록 돕는다.

첫째, 진심으로 듣는다. 코치가 고객의 이야기를 대충 들으면 안 된다. 고객은 코치가 진심으로 듣는지, 대충 듣는지 직감적으로 알 수 있다. 코치도 고객에게 진심으로 듣고 있음을 표현해야 한다. 고객과 눈 맞추기, 고개 끄덕이기, 동작 따라 하기, 어조·높낮이와 속도 맞추기, 추임새 넣기 등을 통해 고객에게 지속해서 신호를 보내야 한다.

둘째, 끝까지 듣는다. 코치는 고객의 말을 중간에 차단하지 않아야 한다. 고객이 어떤 이야기를 하더라도 도중에 끊어서는 안 된다. 코치로서 무엇인가 하고 싶은 말이 있다면 고객의 말이 끝나고 난 다음에 해야 한다.

셋째, 판단하지 않는다. 코치 자신의 내면을 기준으로 고객을 판단하지 않는다. 코치가 자신의 가치관이나 신념 등으로 고객을 판단하는 순간, 코치는 고객에게 조언하거나 충고하는 실수를 할 수 있다.

코치가 고객의 말을 판단하지 않으면서 진심으로 끝까지 듣는 것은 쉽지 않다. 다음과 같은 여러 요인이 방해하기 때문이다. 고객의 말을 평가하고 조언하려는 마음을 가지는 것, 선입견과 편견을 가지고 고객의 말을 듣는 것, 고객을 피상적으로 이해하는 것, 피로, 졸음, 공상 등으로 인해 고객에게 집중하지 못하는 것 등이다.

7. 의식 확장

1) 정의

질문, 기법 및 도구를 활용하여 고객의 의미 확장과 구체화, 통찰, 관점 전환과 재구성, 가능성 확대를 돕는다.

2) 핵심 요소 및 행동 지표 설명

(1) 질문

➢ **긍정적, 중립적 언어로 개방적 질문을 한다.**

코칭의 본질은 자각과 책임을 불러일으키는 것이다. 자각과 책임감을 일깨우는 가장 좋은 수단은 질문이다. 코칭에서는 폐쇄적 질문보다 개방적 질문이 훨씬 효과적이다. 부정적, 판단적 언어는 지양하고 가능한 긍정적, 중립적 언어를 사용한 긍정, 미래, 확대 등의 의미를 담은 개방적 질문을 하는 것이 바람직하다. 개방적 질문은 일반적으로 누가, 언제, 무엇을, 어떻게 등과 같은 의문사로 시작하는 열린 질문이다. '왜'는 종종 비난의 의미를 함축하고 방어적 대답을 끌어내므로 지양하는 것이 좋다. 질문은 코치가 아닌 고객의 관심과 사고를 따라가는 것이 원칙이다. 고객은 그의 관심 영역을 코치가 집중하여 다룬다고 느낄 때 책임감이 더욱 커진다.

(2) 기법과 도구 활용

➢ **고객의 상황과 특성에 따라 침묵, 은유, 비유 등 다양한 기법과 도구를 활용한다.**

코칭 시작 전 코치는 고객에 대한 성격 진단, 리더십 진단, 다면 인터뷰 등 다양한 방법을 통해 고객이 처한 상황과 특성을 어느 정도 파악할 수 있다. 코칭을 진행하면서 고객에게 집중하여 관찰하면 고객에 대한 이해가 더 깊어질 수 있다. 고객의 표면에 드러난 이슈에 머물지 않고 내면에 잠재된 이슈까지 끌어내려면 고객의 신념, 가치관, 정체성 등을 확인해야 한다. 고객 상황과 특성에 맞춰 대화 중간에 적절히 침묵을 활용하면 대화의 깊이, 완급 및 강약을 조절할 수 있다. 상징이나 이미지 등을 활용한 은유 기법과 사물, 동식물 등에 비유하는 기법은 고객이 객관적으로 자기를 관찰하고 성찰하는 데 도움을 줄 수 있다.

(3) 의미 확장과 구체화

➢ 고객의 말에서 의미를 확장하도록 돕는다.

고객의 말은 고객의 의식적, 무의식적 생각이 밖으로 표현된 것이다. 고객이 표현한 말과 함께 목소리, 몸짓 등에 집중하여 관찰하고 맥락에 맞춰 질문하면 고객이 가진 생각의 크기, 수준, 범위 등을 확산할 수 있다. 고객이 현재 말하는 수준이 표면적인 이슈에 머물러 있거나 과제에 대한 수단, 방법 차원에서 벗어나지 못하고 있다면 코치는 그 이면을 탐색할 수 있는 질문을 통해 고객의 생각 수준을 가치 탐색이나 궁극적인 목적 탐색 등으로 확장할 수 있도록 도울 수 있다. 고객의 말을 경청하고 맞춤화된 좋은 질문을 한다면 고객이 미처 알지 못한 잠재적 욕구를 파악할 수 있음은 물론 고객 내면의 가치관과 정체성을 확인하는 데 도움을 줄 수 있다.

➢ 고객의 말을 구체화하거나 명료화하도록 돕는다.

코치는 고객의 말에서 의미를 확장하도록 돕는 한편, 그 의미를 수렴하여 더 구체화하고 명료화하는 작업도 필요하다. 질문은 기본적으로 광범위하게 시작하여 깔때기처럼 차차 그 범위를 좁혀가는 것이 원칙이다. 코치가 고객에게 더 구체적인 대답을 요구하면 고객의 초점과 관심이 계속 유지된다. 고객이 적극성을 보이게 하려면 중요한 핵심 요소들이 그의 의식에 들어가도록 코치가 더 깊고 구체적으로 파고 들어가는 것이 중요하다.

(4) 통찰

➢ 고객이 알아차림이나 통찰을 하도록 돕는다.

코칭에서 알아차림은 자신과 자신을 둘러싼 주변 환경에 대한 자각, 인식, 의식 등을 의미한다. 통찰은 거기에 '아하'라는 새로운 깨달음을 더하는 것이다. 코칭을 통해서 고객이 얻을 수 있는 중요한 유익은 알아차림과 통찰이다. 알아차림과 통찰을 통해 고객은 변화와 성장을 위한 발걸음을 뗄 수 있다. 코치는 고객의 알아차림과 통찰을 돕기 위해 기본적으로 질문을 사용하며 고객 상황과 특성에 따라 침묵, 은유, 비유 등의 다양한 기법과 도구 등을 활용한다.

(5) 관점 전환과 재구성

➢ 고객이 관점을 전환하거나 재구성하도록 돕는다.

관점은 세상을 바라보는 사고의 틀이라고 할 수 있다. 관점 전환은 세상을 바라보는 사고의 틀을 바꾼다는 의미이다. 패러다임 전환, 상자 밖의 생각, 역지사지 등이 관점 전환과 맥락을 같이 한다. 고객이 가진 관점이 고객이 추구하는 삶의 목적과 한 방향으로 정렬되어 있지 않다면 이를 재구성하여 새롭게 설정할 수 있도록 돕는다. 코치는 평소 깊은 사유를 바탕으로 고객을 관찰하고 고객에게 질문을 던져 고객이 관점을 전환하고 사고의 틀을 재구조화하도록 돕는다.

8. 성장지원

1) 정의

고객의 학습과 통찰을 정체성과 통합하고, 자율성과 책임을 고취한다.
고객의 행동 전환을 지원하고, 실행 결과를 피드백하며 변화와 성장을 축하한다.

2) 핵심 요소 및 행동 지표 설명

(1) 정체성과의 통합 지원

➢ 고객의 학습과 통찰을 자신의 가치관 및 정체성과 통합하도록 지원한다.

학습은 배우고 익히는 것이며, 통찰은 그것에서 새로운 발전과 깨달음을 찾는 것이다. 코치는 고객이 코칭을 통하여 얻은 학습과 통찰을 자신의 정체성과 가치관에 통합하게 함으로써 실행력을 강화하고 지속적인 변화와 성장을 이룰 수 있게 지원한다.

(2) 자율성과 책임 고취

➢ 고객이 행동 설계와 실행을 자율적이고 주도적으로 하도록 고취한다.

코치는 고객이 목표를 수립하고 그 목표를 이루기 위한 실행 방법을 설계하고 실행하는 과정에서 고객 스스로 생각하고 판단하여 결정하도록 고취한다. 이는 고객 스스로 선택하고 선택한 것에 책임을 지도록 지지하고 격려한다는 뜻이다. 인간은 타인의 강압이 아닌 자신의 자율성에 기반을 둔 내적 동기에 따라 행동할 때 자기실현 경향성이 훨씬 더 높아진다.

(3) 행동 전환 지원

➢ 고객이 실행계획을 실천할 수 있는 후원 환경을 만들도록 지원한다.

고객이 코칭을 통하여 새로운 학습과 통찰이 일어나더라도 그것이 실천으로 이어지지 않으면 의미가 없다. 학습과 통찰이 실천으로 연결되고 실천을 통한 성과 창출을 경험할 때 고객은 비로소 지속적인 변화와 성장 가능성을 실감할 것이다. 코칭 과정에서 고객의 실행력을 높이기 위해 코치는 고객 스스로 후원 환경을 만들도록 지원하는 것이 중요하다. 후원 환경을 만든다는 것은 실천과 점검 등 모든 것을 고객 혼자서 하게 하지 않고 관련 이해관계자와 협력관계를 맺으라는 뜻이다. 실행 과정에서 예상되는 장애는 누구의 도움을 받아 헤쳐갈 것인지, 실행의 가속도를 높이기 위해서는 누구의 지지와 격려가 필요한지 등 코치는 고객 스스로 체계적인 후원 환경을 구축하도록 지원하는 것이 바람직하다.

➢ 고객이 행동 전환을 지속하도록 지지하고 격려한다.

코치는 실천 과정에서 고객의 행동 전환을 가능하게 한 동기와 성공 요소를 활성화하여 행동 변화의 지속성을 유지하도록 지지하고 격려하는 것이 중요하다. 행동 전환이 지속되려면 무엇보다 고객의 내적 동기에 의한 자율적 실천 행동이 이루어져야 한다. 고객이 하는 행동이 궁극적으로 그의 삶의 목적에 어떻게 연결되는지, 얻을 수 있는 가치는 무엇인지, 정말 고객의 삶을 즐겁고 재미있게 하는지 등을 확인하고 지지, 격려해야 한다.

코치는 고객이 계획한 실행 과제를 성공적으로 수행했을 때 그 과정에서의 노력과 성과에 대한 인정과 칭찬 등을 통해 지지한다. 만약 실행계획을 달성하지 못했거나 실패했을 경우에는 실패를 통해 얻은 교훈을 확인하고 다음 시도에서는 성공할 수 있도록 격려한다.

(4) 피드백

➢ 고객이 실행한 결과를 성찰하도록 돕고, 차기 실행에 반영하도록 지원한다.

코치는 실행 결과에 대해 고객과 함께 점검하고 실천 과정을 성찰할 수 있도록 도우며, 성찰을 통해 알게 된 긍정적 요소를 강화하고 부정적 요소를 제거하여 다음 실행의 성공 가능성을 높일 수 있도록 지원한다. 고객이 실행하면서 성찰한 것을 차기 실행에 반영하도록 돕기 위해서는 코칭 세션과 세션 간, 그리고 세션 종료 시 고객이 실행한 것을 직접 요약, 정리하게 하고 그 과정에서 알아차린 것을 표현하도록 요청하는 것이 효과적이다. 코치의 피드백은 고객의 긍정적인 변화와 성장과 미래 가능성에 초점을 맞추는 것이 중요하다. 고객 자신이 받는 피드백이 고객의 성장과 발전을 바라는 코치의 선한 의도에서 나온 것이라 느낄 때 고객 스스로 긍정적으로 피드백을 수용하고 차기 실행에 적극적으로 적용하게 될 것이다.

(5) 변화와 성장 축하

➢ **고객의 변화와 성장을 축하한다.**

코치는 실행 과정에서 관찰한 고객의 노력을 격려하고, 성공적인 결과를 함께 기뻐하며, 고객 스스로 주체가 되어 이루어 낸 변화와 성공을 축하한다. 코치는 코칭 전체 과정 동안 고객의 언어, 행동, 가시적인 성과 등은 물론 고객의 의식, 태도, 가치, 신념 등 내재적인 변화와 성장을 함께 알아차리는 것이 중요하다. 코치가 고객의 작은 성취 하나, 행동 변화 하나도 놓치지 않고 감지하고 고객이 새롭게 알아차린 것을 그때그때 인지하고 축하한다면 코칭 자체가 즐거운 이벤트가 될 것이다. 코치는 마지막 코칭 세션이 끝나면 코칭 전반에 대한 평가를 하고 마무리한다. 고객 스스로 학습하고 실행하고 성찰한 내용을 이해관계자들과 함께 공유하고 그들에게 변화와 성장에 대한 따뜻한 격려와 지지를 받고 상호 축하하는 자리로 마무리하면 더할 나위 없이 좋다.

6. 코치인증자격시험

-코치인증자격시험 KAC 안내-

1. 코치인증자격시험 종류: **KAC** --〉 KPC --〉 KSC

2. 코치인증자격시험 응시분야
   ① ACPK 응시: 협회 ACPK 프로그램 교육이수 후 응시
   (협회 홈페이지 [ACPK 프로그램 리스트]에서 **확인**)
   ② 포트폴리오 응시: 협회 ACPK 프로그램 외 **코치육성** 목적 20 시간 이상
   단일 코칭프로그램 교육이수 후 응시

3. 응시자격: KAC 코치인증자격 응시 기준을 충족한 자

4. 코치인증자격 유지 조건: (사)한국코치협회 정회원
   (코치인증자격 취득 후 협회 정회원 가입 필수, 정회원비(20 만 원)발생)

5. 코치인증자격 기간: KAC-3 년, KPC/KSC-5 년
   (각 코치인증자격은 인증 기간 만료 전 자격 갱신 필수)

6. 코치인증자격 갱신: 협회 홈페이지 참조

7. 기타응시: 협회 대학 검증 프로그램 이수 대학생 KAC 응시
   (협회 홈페이지-〉 대학 검증 프로그램 페이지 참조)

8. 응시서류에 대한 책임은 응시자에게 있으며, 부적격 사유가 발견된 경우는 합격 후라도 취소될 수 있다.

9. **제출한 응시서류는 반환되지 않으며 반드시 본인이 관리한다.**

-코치인증자격시험 응시 방법-

1. 시험단계: 서류전형 ---〉 필기전형 ---〉 실기전형 --〉 최종합격

2. 시험방법
   1) 서류전형: 응시서류(협회 홈페이지 자료실 다운로드) 작성 후 우편으로 제출하며 응시료는 서류접수 기간 내 납부한다.
   (서류접수 시 응시하는 기관을 반드시 확인 후 [KAC 기관 응시자]는 기관으로 서류제출 및 응시료 납부)
   ※ 서류접수 마지막일 **우체국** 빠른등기 소인까지 접수를 인정한다.
   ※ **서류접수** 시점 최종 업데이트된 서류를 다운받아 작성한다.

2) 필기전형: 협회 홈페이지 온라인시험

3) 실기전형: 텔레(전화)시험

※ KAC 응시 경우 **응시서류** 제출 기관에 따라 협회 응시와 KAC 기관 응시로 분리되어 있다. KAC 기관으로 서류를 제출한 응시자는 KAC 기관 응시자로 서류전형과 실기전형을 KAC 기관에서 심사한다. (필기전형은 협회 홈페이지 온라인으로 진행)
※ 응시서류 제출 기관을 서류제출 전 반드시 확인한다. 미확인으로 받는 불이익은 본인에게 책임이 있다.

KAC(Korea Associate Coach)
코치인증자격 1단계 / 코칭 교육 이수 후 응시가능

1. 서류전형(서류 종류별 하단 설명)

서류종류	ACPK 지원	포트폴리오 지원
① 윤리규정준수 서약서	협회 양식 작성	협회 양식 작성
② 응시원서	협회 양식 작성	협회 양식 작성
③ 교육리스트	기초 20 시간 이상 이수 ※ 수료증 사본 별도 제출	20 시간 이상 이수 ※ 수료증 사본 별도 제출
④ 코칭일지	코칭 시간 50 시간 이상	코칭 시간 50 시간 이상
⑤ 고객추천서	고객 2 명에게 추천서 받기	고객 2 명에게 추천서 받기
⑥ 코치추천서	KAC 이상 인증코치 2 명에게 추천서 받기	KAC 이상 인증코치 2 명에게 추천서 받기
⑦ 교육준수서약서	협회 양식 작성	협회 양식 작성
⑧ 개인정보수집 및 녹음활용동의서	협회 양식 작성	협회 양식 작성
⑨ 코칭 테이프 제출	없음	음성파일 1 개 이메일 제출 (30 분 분량의 코칭시연)
⑩ 응시료	20 만 원(협회의무가입, 회비 20 만 원 별도)	35 만 원(협회의무가입, 회비 20 만 원 별도)
필기시험	협회 온라인시험	협회 온라인시험
실기시험	텔레(전화)시험	텔레(전화)시험
코치인증자격 기간	3 년(갱신 가능)	3 년(갱신 가능)
자격갱신 교육	• KAC 자격 취득 후 협회 주관 교육 및 협회가 인정한 갱신 교육, ACPK 프로그램 등의 교육을 3 년간 30 시간 이수 (협회 홈페이지 참고) * KAC 자격 취득과 자격갱신 후에 받은 ACPK 프로그램에 한하여 자격갱신 교육 및 KPC 응시 시 교육시간으로 중복사용 가능	
의무사항	**자격 취득 후 코치인증자격 유지를 위해 협회 정회원 가입 필수 및 정회원 유지** ※ 코치인증자격시험 응시료 외 정회원 가입비(20 만 원)가 추가 발생 정회원 유지 조건 1 년마다 회비 납부 **각 코치인증자격 취득, 자격갱신 후 자격갱신 교육 필수** 자격갱신 시 갱신비 발생 3 년/3 만 원	

① **윤리규정준수 서약서**: 정독 후 직접 서명 또는 날인

② **응시원서**: 작성 후 직접 서명 또는 날인

③ **교육리스트**: 교육받은 코칭 교육시간을 작성한다. ACPK **응시자는** 코칭 프로그램 ACPK 프로그램 중 기초 프로그램을 20 시간 이상 필수 이수하여야 한다. 단, 현재 ACPK 프로그램으로 등록되어 있을지라도 프로그램 인증 시작일 이전과 만료일 후에 이수한 교육은 시험 응시 시 교육리스트 교육시간으로 적용되지 않는다 (*협회 홈페이지 ACPK 프로그램 리스트 참조)

※ "포트폴리오 응시"란 협회 인증을 받지 않았지만, 코치육성 목적인 20시간 이상의 단일 코칭 프로그램을 교육받은 후 응시하는 것을 말한다.

※ ACPK 프로그램을 20시간 미만 이수한 경우 협회 월례세미나, 코칭 컨페스티벌(구 코치대회) 참석 증빙서류 제출 시 5시간까지 인정받을 수 있다. 20시간 이상 이수자는 해당 사항 없음. (증빙서류 요청: coach@kcoach.or.kr)

④ **코칭일지**: 50 시간 이상의 코칭시간을 기록한다. 코칭일지를 기록하기 위해서는 고객과 계약(구두, 서류)에 의해 고객 자신이 코칭받고 있음을 알고 있어야 한다. 코칭실습 시 코칭형태는 대면, 비대면으로 진행한다. (단, 문자, SNS 등의 코칭은 해당하지 않는다.)

〈코칭일지 작성방법〉

<table>
<tr><th>작성구분</th><th>세부설명</th></tr>
<tr><td colspan="2">※ 코칭일지에 기재된 건별 작성 오류 개수가 5개를 초과한 경우 탈락 사유가 되며, 오류 건수에 해당된 시간은 전체 코칭 시간 합계에서 제외된다.
※ 코칭일지는 응시양식 교육리스트상에 기재된 코칭 교육을 받은 시점인 1일 차 교육시간 종료 이후 실시한 코칭은 코칭시간으로 작성할 수 있다. 단, 교육시간 중에 실시한 코칭실습은 작성 불가능</td></tr>
<tr><td>고객</td><td>최소 3명 이상</td></tr>
<tr><td>코칭 시간 작성</td><td>① 코칭일지에 기록하는 한 세션의 시간은 최소 30분 이상 최대 120분 이하이다. 하루에 동일인을 코칭할 경우 2회까지만 코칭 가능하며, 2회 합산 시간은 최대 120분을 초과할 수 없다.
② 코칭 교육시간 중에 실시한 코칭데모, 코칭실습은 코칭시간에 작성할 수 없다.
③ 코칭 교육을 받기 전에 실시한 코칭은 코칭시간에 작성할 수 없다.</td></tr>
<tr><td>코치더 코치</td><td>유효한 KAC 이상의 인증코치가 코칭하는 장면을 직접 관찰 후 전문코칭 역량과 스킬에 대해 피드백, 코멘트, 코칭 등을 받는 슈퍼비전(supervision)을 의미하며, 동일자격 상호 간의 코치더코치 형태는 코치더코치에 해당되지 않는다. 단, KAC 응시자의 경우, 코치더코치는 의무사항이 아닌 선택사항
ⓐ 1:1 또는 1:2 코치더코치 시간은 코칭 한 시간의 2배로 카운트된다. 2배 카운트된 시간은 60분에서 120분까지만 작성 가능하다.
* 1:1 코치더코치 구성: 인증코치 1명, 응시자 1명
* 1:2 코치더코치 구성: 인증코치 1명, 응시자 2명
ⓑ 그룹 코치더코치(3-5명)의 시간은 코칭 한 시간의 1배로 카운트된다.
* 그룹(3-5명) 코치더코치 구성: 인증코치 1명, 응시자 3-5명
ⓒ 받은 코치더코치 시간은 최대 25시간까지 작성 가능하다.
ⓓ 받은 코치더코치 시간은 무료코칭 시간에 해당한다.</td></tr>
<tr><td>상호코칭</td><td>코칭 역량 강화를 목적으로 동료 간 코칭 시 무료코칭 시간으로 작성한다.</td></tr>
<tr><td>가족코칭</td><td>가족을 코칭 시 무료코칭 시간으로 작성한다.
*가족이란 본인의 배우자와 직계 혈족으로 제한한다.</td></tr>
</table>

작성구분	세부설명
그룹코칭	그룹코칭의 경우 본인 포함 10인 이하이어야 하며 그룹워크숍, 그룹교육과는 구별된다. 그룹코칭 시간은 직접 실시한 시간만을 카운트하며 그룹 인원수에 따라 증가되지 않는다. (예: 5명의 그룹에 2시간 그룹코칭을 실시하면 2시간만 카운트된다). 코칭 교육시간 중에 실시한 그룹코칭데모는 그룹코칭 시간에 해당되지 않는다.
조직 내 코칭	조직 내 내부 코칭도 코칭시간에 포함되지만 직속 부하직원(직접 보고를 받는 부하직원)의 코칭은 제외된다. (코칭일지에 작성할 수 없지만 직속 부하직원을 코칭 할 수 있다). 조직 내 내부 코칭이 유료 코칭 시간에 포함되기 위해서는 직무기술서(Job Description)에 코치 또는 유사한 직무가 명시되어 있어야 하며 코칭일지에 HR(Human Resource) 부서 책임자의 서명이 필요하다. HR 부서가 별도로 존재하지 않을 경우 임원급 이상의 서명이 필요하다.

⑤ **고객추천서**: 코칭일지에 기재된 코칭을 받은 2명의 고객으로부터 받아야 한다.
(2021년 7월 1일 이후 90차 KAC/80차 KPC부터 적용)

⑥ **코치추천서**: 유효한 KAC 이상의 2명의 코치에게 실제 코칭하는 모습을 보여준 후 코칭 역량, 스킬에 대해 작성된 코치추천서를 받아야 한다.

⑦ **교육준수서약서**: 정독 후 직접 서명 또는 날인

⑧ **개인정보수집 및 활용동의서**: 정독 후 직접 서명 또는 날인

⑨ **코칭 테이프 제출(포트폴리오 응시만 해당)**: 포트폴리오 응시자가 30분 분량의 코칭시연을 녹음파일로 제출한다.
(이메일 제출: coach@kcoach.or.kr/제목: 응시자명 + 포트폴리오 응시)

⑩ **응시료**: KAC 응시료 20만 원(서류 5만 원+필기 5만 원+실기 10만 원)이다. 서류접수 기간 내에 납부한다.(포트폴리오 응시: 35만 원)

※ 납부계좌: 우리은행/1005-902-920436/
예금주: 사단법인한국코치협회(KAC 기관 응시자는 기관으로 문의)

※ 본인입금 시 '홍길동 KAC'로 입금/대리인 입금 시 입금 후 협회로 전화

※ KAC기관 응시자(KAC 기관 서류 제출자)는 위 계좌로 납부 불가

※ 환불규정: 서류접수 마감 전까지 100% 환불, 각 시험단계별 응시 2일 전까지 부분 환불

2. 필기전형(2023년 3월 1일부터 변경, 적용 차수: 100차 KAC/90차 KPC)

구분	세부설명
필기시험 문항 및 점수	* ACPK, 포트폴리오 응시자 모두 동일 ① 문항 수: 40 문항 ② 합격 점수: 70 점 이상(맞은 개수: 28 개 이상) ③ 협회 홈페이지 온라인 시험
필기시험 범위	* ACPK, 포트폴리오 응시자 모두 동일 ① 코칭 역량: **코칭 역량** 해설서(홈페이지 자료실 다운로드) ② 코칭개론: ACPK프로그램(코칭 개요, 주요 내용, 코칭 역량, 코칭 스킬 등) * **본인이** 이수한 ACPK 프로그램 한국코치협회 홈페이지(협회 소개, 코칭가이드, 자격인증) ③ 코칭실무: 코치인증자격시험 세부사항(홈페이지 다운로드) *파일 위치: 홈페이지->자격인증->코치인증자격->자격요건 하단 [코치인증자격요건 세부안내 다운로드]
필기시험 방법	① 한국코치협회 홈페이지 접속(www.kcoach.or.kr) ② 로그인(온라인 미가입 회원은 회원가입이 필수이며 본인확인을 위하여 회원가입 시 응시원서에 작성한 이메일과 동일한 ID로 가입. 단, 가입된 사람은 별도로 가입하지 않으며 필기 응시 시 응시원서의 이메일 주소로 본인 확인을 한다.) ③ 협회 홈페이지 자격인증 → 코치인증 → 온라인필기시험 클릭 ※ 주의사항: ⓐ 해당 메뉴는 시험 시작일에만 응시가능 ⓑ 코칭 E-Test는 필기시험과 무관하며, 현재 제공하지 않음 ④ 필기시험 순서: 이름-> 휴대폰 인증번호 받기 -> 인증번호 입력 -> e-mail 입력(응시원서 이메일)-> 본인확인 -> 시험 시작 (※ 시험 시작 버튼 클릭 후에는 중단할 수 없다.) ⑤ 시험 응시 조건 최적화 ㄱ. 웹브라우저는 '크롬'에 최적화됨(익스플로러, 폭스도 사용 가능하나 오류를 막기 위해 크롬 권장) ㄴ. 태블릿 PC, 핸드폰 불가능 ㄷ. 가능한 한 랜선 타입을 이용하며 카페, 도서관 등 공공장소의 와이파이는 불안정하여 가급적 사용을 피함
필기 시험시간	① 시험시간은 한 문제당 최대 60 초이며, 60 초 경과 시 자동으로 다음 문제로 넘어감 ② 전체 시험시간은 약 40 분 소요 ③ 시험 가능 기간 및 시간은 필기시험 **시작일 오전 10 시부터 ~ 종료일 오후 4 시까지** 24 시간 응시가능 단, 필기시험 종료 일 오후 4 시 이후 응시 불가

3. 실기전형

구분	세부설명
실기시험 방법	텔레시험으로 약 1 시간 진행된다. (응시자 2 명+심사위원 2 명, 총4 명 접속한다. 단, 응시자가 1 명일 경우 3 명이 접속한다.)
실기 시연 및 합격점수	**① 인/15 분~20 분, 총 40 분 진행된다. 총점 60 점 이상 시 합격이다. (23.03.01.부터 변경_적용: 100 차 KAC) ② 응시자가 시간에 늦거나 운전 중 또는 장소가 적절하지 않은 곳에서의 응시로 상대 응시자에게 방해가 된다면 성품/태도에서 낮은 점수를 받을 수 있으며, 심사위원으로부터 실기시험 퇴장 조치를 받을 수 있다.**
실기시험 진행 순서	※ 아래 실기시험 진행순서는 협회서류 제출 응시자만 해당되며, KAC 자격인증 기관은 기관별로 진행되므로 서류제출 KAC 인증 기관으로 문의한다. (협회 홈페이지 ->KAC 자격인증기관리스트 참조) ① 실기시험일 이틀 전 합격자의 이메일로 접속 시간 및 접속 전화번호, 접속 비밀번호가 안내된다. (협회 일정에 따라 변경 가능) ② 시험시간 3 분 전 전화 연결 후 비밀번호를 입력하고 대기한다. ③ 심사위원 2 명과 본인 외 다른 응시자 1 명이 모두 접속 후 시간에 맞춰 시험이 시작된다. (단, 응시자가 1 명일 경우 3 명이 접속한다.) ④ 시험은 약 60 분 정도 소요되며, 응시자 1 명당 코칭시연 시간은 KAC 15 분~20 분, KPC 25~30 분, KSC 35~40 분 소요된다. (23.03.01 부터 변경_적용차수: 100 차 KAC) ⑤ 시간 배정은 응시자에게 일정 기간 동안 불가능한 시간을 받은 후 배정된다. 단, 불가능한 시간을 주지 않을 경우 시간은 무작위로 배정된다. 배정된 시간은 변경이 불가능하며, 시험 연기만 가능하다.

4. 재응시

구분	세부설명
재응시 대상	① 서류, 필기, 실기 전형 불합격자 ② 시험 연기자(필기, 실기 전형 연기자만 해당)
재응시 방법	① 재응시는 불합격일, 연기일로부터 1 년 내에 서류전형 접수 기간에 재응시 신청할 수 있다. (재응시신청서:협회 홈페이지->자료실->서식자료실 다운로드)
재응시료	서류 재응시비(5 만 원) 필기 재응시비(5 만 원), 실기 재응시비(10 만 원) 포트폴리오는 서류 재응시비(15 만 원) 필기 재응시비(10 만 원) 실기 재응시비(10 만 원)

5. 시험 연기

(1) 서류전형은 연기할 수 없으며 취소만 가능하다. (단, 접수 취소는 서류심사전까지만 가능하다.)
(2) 필기전형은 서류 결과 발표일로부터 2일 이내 연기 신청 가능
(3) 실기전형은 필기시험 발표일로부터 2일 이내 연기 가능
(4) 시험 연기 방법: 협회 홈페이지-> 자료실-> 서식자료실에서 연기 신청서 다운로드 후 이메일 제출
(5) 연기 신청은 1회만 가능

※ 코치인증시험은 시험일이 정해져 있는 부분과 실기시험 특성상, 심사를 위해 응시자와 심사위원의 시간 배정이 완료된 이후에는 연기가 불가능하다. 단, 부득이한 경우가 발생 시 연기 신청할 수 있다. 연기 신청에 해당되는(출장, 질병, 사고, 장례 등의 긴급한 상황*) 사유만 연기 가능하다. 임의로 코치인증시험(필기, 실기)에 응시하지 않을 경우 불합격 처리된다. 불합격 후에는 1년 내 재응시할 수 있으며, 재응시료가 발생한다.

〈긴급한 상황〉
- 질병 또는 부상으로 인하여 응시가 불가능함을 입증이 가능할 때
- 병역법 및 기타 법령에 의한 질병 검사, 소집, 검열, 점호 등에 응하거나 동원 또는 훈련에 참가하는 경우
- 3촌 이내의 조사(弔事)가 있을 경우
- 기타: 본인 거주지가 천재지변으로 재해를 입었을 경우

6. 코치인증자격 기간 및 갱신

KAC코치인증자격 유효기간은 3년이다. 자격 유지를 위해 자격갱신은 필수이며 갱신을 하지 않을 시 코치인증자격은 만료된다(소멸되지 않음). 자격갱신은 만료 일로부터 소급 적용하여 갱신된다. 자격갱신의 모든 책임은 개인에게 있다.
(자격갱신 시 갱신 비용이 발생한다.)

7. 자격갱신 교육

KAC코치인증자격 갱신을 위해 30시간 교육을 필수 이수해야 한다. KAC 자격 취득 및 갱신 후 받은 교육만 인정된다. 자격갱신 교육으로 인정되는 교육은 협회 홈페이지에서 확인할 수 있다. _시행: 2015년 7월 1일, 확대: 2019.10.01.

8. 의무사항

KAC 자격 취득 후 유효한 자격을 유지하기 위해서는 협회 정회원 가입 후 정회원 자격을 유지하여야 한다. (협회비 별도 20만 원)

※ 정회원 미가입 시 협회 인증코치자격이 부여되지 않는다.

9. 기타사항

(1) 이의신청: 심사 결과에 이의가 있을 시 본인의 멘토코치*를 통하여 이의제기 할 수 있다.
- 서류전형: 결과 발표일로부터 3 일 이내
- 실기전형: 결과 발표일로부터 7 일 이내

(2) 자격요건 중 각 항에 기재되지 않은 사항은 인증위원회의 관례에 따른다.
* 멘토코치: 코치추천서를 써준 코치

-코치인증자격시험 KPC 안내-

1. 코치인증자격시험 종류: KAC --〉 **KPC(KAC 취득 후 6 개월 경과 후 응시가능)**
   --〉 KSC
2. 코치인증자격시험 응시분야
   ① ACPK 응시: 협회 ACPK 프로그램 교육이수 후 응시
   (협회 홈페이지 [ACPK 프로그램 리스트]에서 확인)
   ② 포트폴리오 응시: 협회 ACPK 프로그램 외 코치육성 목적 20 시간 이상
   단일 코칭프로그램 60 시간 이수 후 응시
3. 응시자격: 유효한 KAC 자격을 보유한 KPC 코치인증자격 인증 응시 기준을
   충족한 자
4. 코치인증자격 유지조건: (사)한국코치협회 정회원
5. 코치인증자격 기간: KAC-3 년, KPC/KSC-5 년
   (각 코치인증자격은 기간 만료 전 자격갱신 필수)
6. 코치인증자격 갱신: 협회 홈페이지 참조
7. 응시서류에 대한 책임은 응시자에게 있으며, 부적격 사유가 발견된 경우는 합격 후라도 취소될 수 있다.
8. **제출한 응시서류는 반환되지 않으며 반드시 본인이 관리한다.**

-코치인증자격시험 응시 방법-

1. 시험단계: 서류전형 ---〉 필기전형 ---〉 실기전형 ---〉 최종합격
2. 시험방법
   1) 서류전형: 응시서류(협회 홈페이지 자료실 다운로드) 작성 후 우편으로 제출하며
   응시료는 서류접수 기간 내 납부한다.
   ※ 서류접수 마지막일 우체국 빠른등기 소인까지 접수 인정한다.
   ※ 서류접수 시점 최종 업데이트된 서류를 다운받아 작성한다.
   2) 필기전형: 협회 홈페이지 온라인시험
   3) 실기전형: 텔레(전화)시험

KPC(Korea Professional Coach):
코치인증자격 2단계/KAC 취득 6개월 경과 후 응시가능

1. 서류전형(서류 종류별 하단 설명)

서류종류	ACPK 지원	포트폴리오 지원
① 윤리규정준수 서약서	협회 양식 작성	협회 양식 작성
② 응시원서	협회 양식 작성	협회 양식 작성
③ 교육리스트	**총교육이수시간: 60시간 이상 이수** ① 필수 40 시간: 기초과정(20 시간)+심화과정(20 시간) ② 선택 20 시간: 심화과정(최대 20 시간) 또는 역량과정(최대 20 시간) ※수료증 사본 별도 제출	**총교육이수시간:** **60시간 이상 이수** ※수료증 사본 별도 제출
④ 코칭일지	코칭실습 200 시간 (유료 40 시간 필수)	코칭실습 200 시간 (유료 40 시간 필수)
⑤ 1:1 코치더코치	KAC 취득 후 KPC 이상의 인증코치로부터 5 시간 필수	KAC 취득 후 KPC 이상의 인증코치로부터 8 시간 필수
⑥ 멘토코칭받기	KAC 취득 후 KPC 이상의 인증코치로부터 최소 2 개월(60 일) 이상 5 시간 코칭받기	KAC 취득 후 KPC 이상의 인증코치로부터 최소 3 개월(90 일) 이상 10 시간 코칭받기
⑦ 고객추천서	고객 2 명에게 추천서 받기	고객 2 명에게 추천서 받기
⑧ 코치추천서	KPC 이상 인증코치 2 명에게 추천서 받기	KPC 이상 인증코치 2 명에게 추천서 받기
⑨ 교육준수서약서	협회 양식 작성	협회 양식 작성
⑩ 개인정보수집 및 녹음활용동의서	협회 양식 작성	협회 양식 작성
⑪ 코칭 테이프 제출	없음	음성파일 1 개 이메일 제출 (30 분 분량의 코칭시연)
⑫ 응시료	30 만 원(협회의무가입, 회비 20 만 원 별도)	45 만 원(협회의무가입, 회비 20 만 원 별도)

서류종류	ACPK 지원	포트폴리오 지원
필기시험	협회 온라인시험	협회 온라인시험
실기시험	텔레(전화)시험	텔레(전화)시험
코치인증자격 기간	5 년 (갱신 가능)	5 년 (갱신 가능)
응시자격	KPC 응시는 KAC 취득 후 6 개월 이상 경과 후 가능 (KAC 결과 발표일을 기준으로 6 개월 경과 후 KPC 서류전형 지원 가능)	
자격갱신 교육	KPC 자격 취득 후 협회 주관 교육 및 협회가 인정한 갱신 교육, ACPK 프로그램 등의 교육을 5 년간 50 시간 이수(협회 홈페이지 참고) * KPC 자격 취득과 자격갱신 이후에 받은 ACPK 프로그램에 한하여 자격갱신 교육 및 KSC 응시 시 교육시간으로 중복사용 가능	
의무사항	**· 자격 취득 후 코치인증자격 유지를 위해 협회 정회원 유지** ※ 정회원 유지 조건 1 년마다 회비 납부 **· 각 코치인증자격 취득, 자격갱신 후 자격갱신 교육 필수** ※ 자격갱신 시 갱신비 발생 5 년/5 만 원	

① **윤리규정준수 서약서**: 정독 후 직접 서명 또는 날인

② **응시원서**: 작성 후 직접 서명 또는 날인

③ **교육리스트**: 교육받은 코칭 교육시간을 작성한다. **ACPK 응시자는** ACPK 프로그램 교육 60시간 이상 중 기초 프로그램 20시간과 심화 프로그램 20시간이 필수이며, 남은 20시간은 심화 또는 역량 프로그램에서 선택할 수 있다. 단, 현재 ACPK 프로그램으로 등록되어 있을지라도 프로그램 인증 시작일 이전과 만료일 후에 이수한 교육은 시험 응시 시 교육리스트 교육시간으로 적용되지 않는다. (협회 홈페이지 ACPK 프로그램 리스트 참조*)

※ "포트폴리오 응시"란 협회 인증을 받지는 않았지만, 코치육성이 목적인 20시간 이상의 단일 코칭 프로그램을 60시간 이상 교육받은 후 응시하는 것을 말한다.

④ **코칭일지**: 200 시간 이상의 코칭 시간을 기록한다. 코칭일지를 기록하기 위해서는 고객과 계약(구두, 서류)에 의해 고객 자신이 코칭받고 있음을 알고 있어야 한다. 코칭 실습 시 코칭형태는 대면, 비대면으로 진행한다. (단, 문자, SNS 등의 코칭은 해당되지 않는다.)

〈코칭일지 작성방법〉

<table>
<tr><th>작성구분</th><th>세부설명</th></tr>
<tr><td colspan="2">※ 코칭일지에 기재된 건별 작성 오류 개수가 10 개를 초과한 경우 탈락 사유가 되며, 오류 건수에 해당된 시간은 전체 코칭 시간 합계에서 제외된다.
※ 코칭일지에는 응시양식 교육리스트상에 기재된 코칭 교육을 받은 시점인 1 일 차 교육시간 종료 이후 실시한 코칭은 코칭시간으로 작성할 수 있다. 단, 교육시간 중에 실시한 코칭실습은 작성 불가능</td></tr>
<tr><th>고객</th><th>최소 5 명 이상</th></tr>
<tr><td>코칭 시간 작성</td><td>① KAC 응시 시 작성한 코칭시간은 누적하여 KPC 코칭시간으로 작성 가능하다. 단, KAC 응시에 제출된 코칭일지의 작성 오류로 인해 서류심사에서 불합격될 수 있다.
② 코칭일지에 기록하는 한 세션의 시간은 최소 30 분 이상 최대 120 분 이하이다. 하루에 동일인을 코칭할 경우 2 회까지만 코칭 가능하며, 2 회 합산 시간은 최대 120 분을 초과할 수 없다.
③ 코칭 교육시간에 실시한 코칭데모, 코칭실습은 코칭시간에 작성할 수 없다.
④ 코칭 교육을 받기 전에 실시한 코칭은 코칭시간에 작성할 수 없다.
⑤ 코치더코치와 멘토코칭을 해주었을 경우, 1 배의 시간을 코칭 비용의 유/무에 따라 코칭일지 유료 또는 무료 시간에 작성 가능하다.</td></tr>
<tr><td>코치더 코치</td><td>유효한 KPC 이상의 인증코치가 코칭하는 장면을 직접 관찰 후 전문코칭 역량과 스킬에 대해 피드백, 코멘트, 코칭 등을 받는 수퍼비전(supervision)을 의미하며, 동일자격 상호 간의 코치더코치 형태는 코치더코치에 해당되지 않는다.

ⓐ 1:1 또는 1:2 코치더코치 시간은 코칭한 시간의 2배로 카운트된다. 2배 카운트된 시간은 60분에서 120분까지만 작성 가능하다.
* 1:1 코치더코치 구성: 인증코치 1 명, 응시자 1 명
* 1:2 코치더코치 구성: 인증코치 1 명, 응시자 2 명
ⓑ 그룹 코치더코치(3-5 명)의 시간은 코칭한 시간의 1 배로 카운트된다.
* 그룹(3-5 명) 코치더코치 구성: 인증코치 1 명, 응시자 3-5 명
ⓒ 받은 코치더코치 시간은 최대 80 시간까지 작성 가능하다.
ⓓ KAC 취득 전 받은 코치더코치 시간도 기록할 수 있으나, KAC 취득 전 받은 시간의 최대 25 시간까지 가능하다.
ⓔ 받은 코치더코치 시간은 무료코칭 시간에 해당된다.</td></tr>
</table>

작성구분	세부설명
상호코칭	코칭 역량 강화를 목적으로 동료 간 코칭 시 **무료코칭 시간으로** 작성한다.
가족코칭	가족을 코칭 시 **무료코칭 시간**으로 작성한다. (*가족이란 본인의 배우자와 직계 혈족으로 제한한다.)
그룹코칭	그룹코칭의 경우 본인 포함 10 인 이하이어야 하며 그룹워크숍, 그룹교육과는 구별된다. 그룹코칭 시간은 직접 실시한 시간만을 카운트하며 그룹 인원수에 따라 증가되지 않는다. (예: 5 명의 그룹에 2 시간 그룹코칭을 실시하면 2 시간만 카운트된다). 코칭 교육시간 중에 실시한 그룹 코칭데모는 그룹 코칭 시간에 해당되지 않는다.
조직 내 코칭	조직 내 내부 코칭도 코칭 시간에 포함되지만 직속 부하직원(직접 보고를 받는 부하직원)의 코칭은 제외된다. (코칭일지에 작성할 수 없지만 직속 부하직원을 코칭할 수 있다). 조직 내에서의 내부 코칭이 유료 코칭 시간에 포함되기 위해서는 직무기술서(Job Description)에 코치 또는 유사한 직무가 명시되어 있어야 하며 코칭일지 제출 시 HR(Human Resource) 부서 책임자의 서명이 필요하다. HR 부서가 별도로 존재하지 않을 경우 임원급 이상의 서명이 필요하다.

⑤ **1:1 코치더코치 받기**: 코칭일지에 작성하는 [받은 코치더코치]와는 별개로 **KAC 자격 취득 후 유효한 KPC 이상의 인증코치로부터 개별적으로 받은 코치더코치를 의미**하며, 코칭 교육시간 중에 받은 1:1 코치더코치는 [1:1 코치더코치 받기]시간에 인정되지 않는다.

코칭형태는 비대면, 대면으로 구분된다. (문자, SNS 등의 코칭 불가능) 1:1 코치더코치 받기는 개별양식에 작성하며, 한 세션은 30 분 이상 60 분까지만 인정되며 5 시간을 의무로 한다.

※ 1:1 코치더코치 리스트 양식에는 1 배수의 시간만 작성하며, [코칭일지]와 [멘토코칭 리스트]에 중복으로 기입하지 않는다.

⑥ **멘토코칭받기**: 멘토코칭받기는 KAC 취득 후 응시자가 코칭 고객이 되어 유효한 KPC 이상의 코치로부터 1:1 로 코칭을 받는 것을 의미하며 코칭 교육시간 중에 받은 코칭은 KPC '멘토코칭 시간'에 해당되지 않는다. 코칭형태는 대면, 비대면으로 구분된다. (문자,

SNS 등의 코칭 불가능)
ACPK 응시자는 첫 멘토코칭 세션과 마지막 코칭 세션의 기간이 2 개월(60 일) 이상이며 5 회기 5 시간을 의무로 받아야 한다, 포트폴리오 응시자는 첫 멘토코칭 세션과 마지막 코칭 세션의 기간이 3 개월(90 일) 이상이며 10 회기 10 시간을 받아야 한다. 한 세션은 60 분까지만 인정한다.
(1 회기당 멘토코칭 세션 시간 기록은 60 분으로 기록하여야 함)
※ [코칭일지]와 [1:1 코치더코치 받기] 양식에 중복으로 기입하지 않는다.

⑦ **고객추천서**: 코칭일지에 기재된, 코칭을 받은 2 명의 고객으로부터 받아야 한다.
(2021 년 7 월 1 일 이후 90 차 KAC/80 차 KPC부터 적용)

⑧ **코치추천서**: 유효한 KPC 이상의 2 명의 코치가 코치에게 실제 코칭하는 모습을 보여준 후 코칭 역량, 스킬에 대해 작성된 코치추천서를 받아야 한다.

⑨ **교육준수서약서**: 정독 후 직접 서명 또는 날인

⑩ **개인정보수집 및 활용동의서**: 정독 후 직접 서명 또는 날인

⑪ **코칭 테이프 제출(포트폴리오 응시자만 해당)**: 포트폴리오 응시자가 30 분 분량의 코칭시연을 1 개의 녹음파일로 제출한다. (이메일 제출: ch@kcoach.or.kr/제목:응시자명 + 포트폴리오 응시)

⑫ **응시료**: KPC 응시료는 30 만 원(서류 5 만 원+필기 5 만 원+실기 20 만 원)이다. 서류접수 기간 안에 납부한다.(포트폴리오: 45 만 원)
ⓐ 납부계좌: 우리은행/1005-902-920436/예금주: 사단법인한국코치협회
※ 본인입금 시 '홍길동 KPC'로 입금/대리인 입금 시 입금 후 협회로 전화
※ 환불규정: 서류접수 마감 전까지 100% 환불, 각 시험단계별 응시 2 일까지 부분 환불

2. **필기전형**(2023년 3월 1일부터 변경, 적용 차수: 100차 KAC/90차 KPC)

구분	세부설명
필기시험 문항 및 점수	* ACPK, 포트폴리오 응시자 모두 동일 ① 문항 수: 40 문항 ② 합격점수: 70 점 이상(맞은 개수: 28 개 이상) ③ 협회 홈페이지 온라인 시험
필기시험 범위	* ACPK, 포트폴리오 응시자 모두 동일 ① 코칭 역량: 코칭 역량 해설서(홈페이지 자료실 다운) ② 코칭개론:- ACPK 프로그램(코칭 개요, 주요 내용, 코칭 역량, 코칭 스킬 등) * 본인이 이수한 ACPK 프로그램 - 한국코치협회 홈페이지(협회 소개, 코칭가이드, 자격인증) ③ 코칭실무: 코치인증자격시험 세부사항(홈페이지 다운로드) *파일 위치: 홈페이지->자격격인증->코치인증자격->자격요건 하단 [코치인증자격요건 세부안내 다운로드]
필기시험 방법	① 한국코치협회 홈페이지 접속(www.kcoach.or.kr) ② 로그인 (온라인 미가입 회원은 회원가입이 필수이며 본인확인을 위하여 회원가입 시 응시원서에 작성한 이메일과 동일한 ID로 가입. 단, 가입된 사람은 별도로 가입하지 않으며 필기 응시 시 응시원서의 이메일 주소로 본인 확인한다.) ③ 협회 홈페이지 자격인증 → 코치인증 → 온라인필기시험 클릭 ※ 주의사항: ⓐ 해당 메뉴는 시험 시작일에만 응시가능 ⓑ 코칭 E-Test는 필기시험과 무관하며, 현재 제공하지 않음 ④ 필기시험 순서: 이름 -> 휴대폰 인증번호 받기 -> 인증번호 입력 -> e-mail 입력(응시원서 이메일) -> 본인확인 -> 시험 시작 (※ 시험 시작 버튼 클릭 후에는 중단할 수 없다.) ⑤ 시험 응시 조건 최적화 ㄱ. 웹브라우저는 '크롬'에 최적화됨.(익스플로러, 폭스도 사용 가능 하나 오류를 막기 위해 크롬 권장) ㄴ. 태블릿 PC, 핸드폰 불가능 ㄷ. 가능한 한 랜선 타입을 이용하며 카페, 도서관 등 공공장소의 와이파이는 불안정하여 가급적 사용을 피함
필기 시험시간	① 시험기간은 한 문제당 최대 60 초이며, 60 초 경과 시 자동으로 다음 문제로 넘어감 ② 전체 시험시간은 약 40 분 소요 ③ 시험 가능 기간 및 시간은 필기시험 **시작일 오전 10 시부터 ~ 종료일 오후 4 시까지** 24 시간 응시가능 단, 필기시험 종료일 오후 4 시 이후 응시 불가

3. 실기전형

구분	세부설명
실기시험 방법	텔레시험으로 약 1 시간 15 분 이내 코칭시연을 진행한다. 응시자 2 명+ 심사위원 2 명, 총4 명 접속 (단, 응시자가 1 명일 경우 3 명이 접속한다.) 23.03.01.부터 변경_적용차수: 90 차 KPC
실기 시연 및 합격점수	① 1 인/25 분~30 분, 총 60 분 진행된다. **총점 65 점** 이상 시 합격이다. (23.03.01.부터 변경_적용차수:90 차 KPC) ② 응시자가 시간에 늦거나 운전 중 또는 장소가 적절하지 않은 곳에서의 응시로 상대 응시자에게 방해가 된다면 응시태도에서 낮은 점수를 받을 수 있으며, 심사위원으로부터 실기시험에 퇴장 조치를 받을 수 있다.
실기시험 진행 순서	① 실기시험일 이틀 전 합격자의 이메일로 접속 시간 및 접속 전화번호, 접속 비밀번호가 안내된다. (협회 일정에 따라 변경 가능) ② 시험시간 3 분 전 전화 연결 후 비밀번호를 입력하고 대기한다. ③ 심사위원 2 명과 본인 외 다른 응시자 1 명이 모두 접속 후 시간에 맞춰 시험이 시작된다. (단, 응시자가 1 명일 경우 3 명이 접속한다.) ④ 시험은 약 70 분 전후로 소요되며, 응시자 1 명당 시연 시간은 KAC 15 분~20 분, **KPC 25~30 분**, KSC 35~40 분 소요된다. (2023.03.01.부터 변경_적용차수: 90 차 KPC) ⑤ 시간 배정은 응시자에게 일정 기간 동안 불가능한 시간을 받은 후 배정된다. 단, 불가능한 시간을 주지 않을 경우 시간은 무작위로 배정된다. 배정된 시간은 변경이 불가능하며, 시험 연기만 가능하다.

4. 재응시

구분	세부사항
재응시 대상	① 서류, 필기, 실기 전형 불합격자 ② 시험 연기자(필기, 실기 전형 연기자만 해당)
재응시 방법	① 재응시는 불합격일, 연기일로부터 1 년 내에 서류전형 접수 기간에 재응시 신청할 수 있다.(재응시 신청서: 협회 홈페이지->자료실->서식자료실 다운로드받기)
재응시료	서류 재응시비 (5 만 원), 필기 재응시비(5 만 원), 실기 재응시료(20 만 원) 포트폴리오는 서류 재응시비(15 만 원), 필기 재응시비(10 만 원), 실기 재응시비(20 만 원)

5. 시험 연기

(1) 서류전형은 연기할 수 없으며 취소만 가능하다.
(단, 접수 취소는 서류심사 전까지만 가능)
(2) 필기전형은 서류 결과 발표일로부터 2일 이내 연기 신청 가능
(3) 실기전형은 필기시험 발표일로부터 2일 이내 연기 가능
(4) 시험 연기 방법: 협회 홈페이지-〉 자료실-〉 서식자료실에서 연기 신청서 다운로드 후 이메일 제출
(5) 연기 신청은 1회만 가능

※ 코치인증시험은 시험일이 정해져 있는 부분과 실기시험 특성상, 심사를 위해 응시자와 심사위원의 시간 배정이 완료된 이후에는 연기가 불가능하다. 단, 부득이한 경우 발생 시 연기 신청할 수 있다. 연기 신청에 해당되는 (출장, 질병, 사고, 장례 등의 긴급한 상황*) 사유만 연기 가능하다. 임의로 코치인증시험(필기, 실기)에 응시하지 않을 경우 불합격 처리된다. 불합격 후에는 1년 내 재응시할 수 있으며, 재응시료가 발생한다.

〈긴급한 상황〉
- 질병 또는 부상으로 인하여 응시가 불가능함을 입증이 가능할 때
- 병역법 및 기타 법령에 의한 질병 검사, 소집, 검열, 점호 등에 응하거나 동원 또는 훈련에 참가하는 경우
- 3촌 이내의 조사(弔事)가 있을 경우
- 기타: 본인 거주지가 천재지변으로 재해를 입었을 경우

6. 코치인증자격 기간 및 갱신

KPC 유효기간은 5 년이다. 자격 유지를 위해 자격갱신은 필수이며 갱신을 하지 않을 시 **코치인증자격은 만료된다(소멸되지 않음).** 자격갱신은 만료일로부터 소급 적용하여 갱신된다. 자격갱신의 모든 책임은 개인에게 있다.
(자격갱신 시 갱신 비용이 발생한다.)

7. 자격갱신 교육

KPC 코치인증자격 갱신을 위해 50 시간 교육을 필수 이수해야 한다. KPC 자격 취득 및 갱신 후 받은 교육만 인정된다. 자격갱신 교육으로 인정되는 교육은 협회 홈페이지에서 확인할 수 있다.

- 시행: 2015 년 7 월 1 일, 확대: 2019.10.01.

8. 의무사항

KPC 자격 취득 후 유효한 자격을 유지하기 위해서는 협회 정회원 자격을 유지하여야 한다.

9. 기타사항

(1) 이의신청: 심사 결과에 이의가 있을 시 본인의 멘토코치*를 통하여 이의제기 할 수 있다.
- 서류전형: 결과 발표일로부터 3 일 이내
- 실기전형: 결과 발표일로부터 7 일 이내

(2) 자격요건 중 각 항에 기재되지 않은 사항은 인증위원회의 관례에 따른다.

* 멘토코치: 코치추천서를 써준 코치

-코치인증자격시험 KSC 안내-

1. 코치인증자격시험 종류: KAC --〉KPC--〉 **KSC(KPC 취득 후 1년 후 응시가능)**
2. 코치인증자격시험 응시분야
   ① ACPK 응시: 협회 ACPK 인증프로그램 교육이수 후 응시
   (협회 홈페이지 [ACPK 프로그램 리스트]에서 확인)
   ② 포트폴리오 응시: 협회 ACPK 프로그램 외 코치육성 목적 20시간 이상
   단일 코칭프로그램 150시간 이수 후 응시
3. 응시자격: **KSC** 코치인증자격 응시 기준을 충족한 자
4. 코치인증자격 유지조건: (사)한국코치협회 정회원
5. 코치인증자격 기간: KAC-3년, KPC / KSC-5년
   (각 코치인증자격은 기간 만료 전 자격갱신 필수)
6. 코치인증자격 갱신: 협회 홈페이지 참조
7. 응시서류에 대한 책임은 응시자에게 있으며, 부적격 사유가 발견된 경우는 합격 후라도 취소될 수 있다.
8. **제출한 응시서류는 반환되지 않으며 반드시 본인이 관리한다.**

-코치인증자격시험 응시 안내-

1. 시험단계: 서류전형 ---〉 필기전형 ---〉 실기전형 --〉 최종합격
2. 시험방법
   1) 서류전형: 응시서류(협회 홈페이지 자료실 다운로드) 작성 후 우편으로 제출하며
   응시료는 서류접수 기간 내 납부한다.
   ※ 서류접수 마지막일 우체국 빠른등기 소인까지 접수를 인정한다.
   ※ 서류접수 시점 최종 업데이트된 서류를 다운받아 작성한다.
   2) 필기전형: 에세이 제출
   3) 실기전형: 텔레(전화)시험

KSC(Korea Supervisor Coach):
코치인증자격 3단계/KPC 취득 1년 후 응시가능

1. 서류전형(서류 종류 별 하단 설명)

서류종류	ACPK 지원	포트폴리오 지원
① 윤리규정준수 서약서	협회 양식 작성	협회 양식 작성
② 응시원서	협회 양식 작성	협회 양식 작성
③ 교육리스트	**총교육이수시간: 150시간 이상 이수** ① 필수 40 시간: 기초과정(20 시간)+ 심화과정(20 시간) ② 선택 110 시간: 기초과정(최대 40 시간) 심화과정(최대 110 시간) 역량과정(최대 110 시간) ※ 수료증 사본 별도 제출	**총교육이수시간: 150시간 이상 이수** ※ 수료증 사본 별도 제출
④ 코칭일지	코칭실습 800시간 (유료 500시간 필수)	코칭실습 800시간 (유료 500시간 필수)
⑤ 1:1 코치더코치	KPC 취득 후 KSC 이상의 인증코치로부터 10 시간 필수	KPC 취득 후 KSC 이상의 인증코치로부터 15 시간 필수
⑥ 멘토코칭받기	KPC 취득 후 KSC 이상의 인증코치로부터 최소 3 개월(90 일) 이상 1 년(365 일) 미만 10 시간 코칭받음	KPC 취득 후 KSC 이상의 인증코치로부터 최소 5 개월(150 일) 이상 1 년(365 일) 미만 15 시간 코칭받음
⑦ 코치추천서	KSC 이상 인증코치 2명에게 추천서 받기	KSC 이상 인증코치 2명에게 추천서 받기
⑧ 교육준수서약서	협회 양식 작성	협회 양식 작성
⑨ 개인정보수집 및 녹음활용동의서	협회 양식 작성	협회 양식 작성
⑩ 코칭 테이프 제출	없음	음성파일 2 개 이메일 제출 (30 분 분량의 코칭시연 2 개의 음성 녹음은 각각 고객 및 코칭 내용이 달라야 한다.)

서류종류	ACPK 지원	포트폴리오 지원
⑪ 응시료	40만 원(협회의무가입, 협회회원비 별도)	60만 원(협회의무가입, 협회회원비 별도)
필기시험	에세이 제출	에세이 제출
실기시험	텔레(전화)시험	텔레(전화)시험
코치인증자격 기간	5년(갱신 가능)	5년(갱신 가능)
응시자격	KSC 응시는 KPC 인증 취득 후 1년 이상 경과해야 가능하다. (KPC 결과발표일을 기준으로 1년 경과 후 KSC 서류전형 지원 가능)	
자격갱신 교육	KSC 자격 취득 후 협회 주관 교육 및 협회가 인정한 갱신 교육, ACPK 프로그램 등의 교육을 5년간 50시간 이수	
의무사항	· **자격 취득 후 코치인증자격 유지를 위해 협회 정회원 유지** ※ 정회원 유지 조건 1년마다 회비 납부 · **각 코치인증자격 취득, 자격갱신 후 자격갱신 교육 필수** ※ 자격갱신 시 갱신비 발생 5년/5만 원	

① **윤리규정준수 서약서**: 정독 후 직접 서명 또는 날인

② **응시원서**: 정독 후 직접 서명 또는 날인

③ **교육리스트**: 교육받은 코칭 교육시간을 작성한다. **ACPK 응시자는** ACPK 프로그램 교육 150시간 이상 중 기초 프로그램 20시간과 심화 프로그램 20시간이 필수이며, 남은 110시간은 기초프로그램 최대 40시간, 심화프로그램 최대 110시간, 역량과정 최대 110시간에서 선택할 수 있다.

_2019년 9월 9일 변경_적용차수: KSC50차

단, 현재 ACPK 프로그램으로 등록되어 있을지라도 프로그램 인증 시작일 이전과 만료일 후에 이수한 교육은 시험 응시 시 교육리스트 교육시간으로 적용되지 않는다. (협회 홈페이지 인증프로그램 리스트 참조*)

※ "포트폴리오 응시"란 협회 인증을 받지는 않았지만, 코치육성이 목적인 20시간 이상의 단일 코칭 프로그램을 150시간 이상 교육받은 후 응시하는 것을 말한다.

④ **코칭일지**: 800시간 이상의 코칭 시간을 기록한다. 코칭일지를 기록하기 위해서는 고객과 계약(구두, 서약)에 의해 고객 자신이 코칭받고 있음을 알고 있어야 한다. 코칭 실습 시 코칭형태는 대면, 비대면으로 진행한다. (단, 문자, SNS 등의 코칭은 해당되지 않는다.)

〈코칭일지 작성방법〉

<table>
<tr><th>작성구분</th><th>세부설명</th></tr>
<tr><td colspan="2">※ 코칭일지에 기재된 건별 작성 오류 개수가 10 개를 초과한 경우 탈락 사유가 되며, 오류 건수에 해당된 시간은 전체 코칭 시간 합계에서 제외된다.
※ 코칭일지에는 응시양식 교육리스트상에 기재된 코칭 교육을 받은 시점인 1 일 차 교육시간 종료 이후 실시한 코칭은 코칭시간으로 작성할 수 있다. 단, 교육시간 중에 실시한 코칭실습은 작성 불가능</td></tr>
<tr><td>고객</td><td>최소 20 명 이상</td></tr>
<tr><td>코칭 시간 작성</td><td>① KAC/KPC 응시 시 작성한 코칭시간은 누적하여 KSC 코칭시간으로 작성 가능하다. 단, KAC/KPC 응시에 제출된 코칭일지의 작성 오류로 인해 서류심사에서 불합격될 수 있다.
② 코칭일지에 기록하는 한 세션의 시간은 최소 30 분 이상 최대 120 분 이하이다. 하루에 동일인을 코칭할 경우 2 회까지만 코칭 가능하며, 2 회 합산 시간은 최대 120 분을 초과할 수 없다.
③ 코칭 교육시간에 실시한 코칭데모, 코칭실습은 코칭 시간에 작성할 수 없다.
④ 코칭 교육을 받기 전에 실시한 코칭은 코칭시간에 작성할 수 없다.
⑤ 코치더코치와 멘토코칭을 해주었을 경우, 1 배의 시간을 코칭 비용의 유/무에 따라 코칭일지 유료 또는 무료 시간에 작성 가능하다.</td></tr>
<tr><td>코치더코치</td><td>유효한 KSC 이상의 인증코치가 코칭하는 장면을 직접 관찰 후 전문코칭 역량과 스킬에 대해 피드백, 코멘트, 코칭 등을 받는 수퍼비전(supervision)을 의미하며, 동일자격 상호 간의 코치더코치 형태는 코치더코치에 해당되지 않는다.

ⓐ 1:1 또는 1:2 코치더코치 시간은 코칭한 시간의 2 배로 카운트된다. 2 배 카운트된 시간은 60 분에서 120 분까지만 작성 가능하다.
* 1:1 코치더코치 구성: 인증코치 1 명, 응시자 1 명
* 1:2 코치더코치 구성: 인증코치 1 명, 응시자 2 명
ⓑ 그룹 코치더코치(3-5 명)의 시간은 코칭한 시간의 1 배로 카운트된다.
* 그룹(3-5 명) 코치더코치 구성: 인증코치 1 명, 응시자 3-5 명
ⓒ 받은 코치더코치 시간은 최대 100 시간까지 작성 가능하다.</td></tr>
</table>

작성구분	세부설명
	ⓓ KPC 취득 전 받은 코치더코치 시간도 기록할 수 있으나 KAC 취득 전 받은 시간의 최대 25시간, KAC 취득 이후부터 KPC 취득 이전까지 받은 시간의 최대 55시간을 초과할 수 없다. ⓔ 받은 코치더코치 시간은 무료코칭 시간에 해당된다.
상호코칭	코칭 역량 강화를 목적으로 동료 간 코칭 시 **무료코칭 시간으로** 작성한다.
가족코칭	가족을 코칭 시 **무료코칭 시간**으로 작성한다. * 가족이란 본인의 배우자와 직계 혈족으로 제한한다.
그룹코칭	그룹코칭의 경우 본인 포함 10인 이하이어야 하며 그룹워크숍, 그룹교육과는 구별된다. 그룹코칭 시간은 직접 실시한 시간만을 카운트하며 그룹 인원수에 따라 증가되지 않는다. (예: 5명의 그룹에 2시간 그룹코칭을 실시하면 2시간만 카운트된다). 코칭 교육시간 중에 실시한 그룹 코칭데모는 그룹 코칭 시간에 해당되지 않는다.
조직 내 코칭	조직 내 내부 코칭도 코칭 시간에 포함되지만 직속 부하직원(직접 보고를 받는 부하직원)의 코칭은 제외된다. (코칭일지에 작성할 수 없지만 직속 부하직원을 코칭할 수 있다). 조직 내에서의 내부 코칭이 유료 코칭 시간에 포함되기 위해서는 직무기술서(Job Description)에 코치 또는 유사한 직무가 명시되어 있어야 하며 코칭일지 제출 시 HR(Human Resource) 부서 책임자의 서명이 필요하다. HR 부서가 별도로 존재하지 않을 경우 임원급 이상의 서명이 필요하다.

⑤ **1:1 코치더코치 받기**: 코칭일지에 작성하는 [받은 코치더코치]와는 별개로 KPC **자격 취득 후에 유효한** KSC **이상의 인증코치로부터 개별적으로 받은 코치더코치를** 의미하며 코칭 교육시간 중에 받은 1:1 코치더코치는 [1:1 코치더코치 받기] 시간에 인정되지 않는다. 코칭형태는 대면, 비대면으로 구분된다. (문자, SNS 등의 코칭 불가능) 1:1 코치더코치 받기는 개별양식에 작성하며, 한 세션은 30분 이상 60분까지만 인정되며, 10시간을 의무로 한다.

※ 1:1 코치더코치 리스트 양식에는 1 배수의 시간만 작성하며, [코칭일지]와 [멘토코칭 리스트]에 중복으로 기입하지 않는다.

⑥ **멘토코칭받기**: 멘토코칭받기는 KPC 취득 후 응시자가 코칭 고객이 되어 유효한 KSC 이상의 코치로부터 1:1 로 코칭을 받는 것을 의미하며 코칭 교육시간 중에 받은 코칭은 KPC '멘토코칭 시간'에 해당되지 않는다. 코칭형태는 대면, 비대면으로 구분된다. (문자, SNS 등의 코칭 불가능)

ACPK 응시자는 첫 멘토코칭 세션과 마지막 코칭 세션의 기간이 3 개월(90 일) 이상~1 년(365 일) 미만 10 회기 10 시간을 의무로 받아야 한다. 포트폴리오 응시자는 첫 멘토코칭 세션과 마지막 코칭 세션의 기간이 5 개월(150 일) 이상~1 년(365 일) 미만 15 시간을 받아야 한다. 한 세션은 60 분까지만 인정한다.

(1 회기당 멘토코칭 세션 시간 기록은 60 분으로 기록하여야 함)

※ [코칭일지]와 [1:1 코치더코치 받기] 양식에 중복으로 기입하지 않는다.

⑦ **코치추천서**: 코칭일지에 기재된 코칭을 받은 2명의 고객으로부터 받아야 한다.
(2021년 7월 1일 이후 90차KAC/80차KPC부터 적용)

⑧ **교육준수서약서**: 정독 후 직접 서명 또는 날인

⑨ **개인정보수집 및 활용동의서**: 정독 후 직접 서명 또는 날인

⑩ **코칭 테이프 제출(포트폴리오 응시자만 해당)**: 포트폴리오 응시자가 30 분 분량의 코칭시연을 2 개의 녹음파일로 제출한다. 2 개의 코칭시연 내용은 각각 고객과 코칭 주제가 달라야 한다.

(이메일 제출: coach@kcoach.or.kr/제목: 응시자명 + 포트폴리오 응시)

⑪ **응시료**: KSC 40 만 원(서류 10 만 원+필기 제외(에세이 제출)+실기 30 만 원)이다. 서류접수 기간 안에 납부한다. (포트폴리오: 60 만 원)

ⓐ 납부계좌: 우리은행/1005-902-920436/예금주: 사단법인한국코치협회

※ 본인입금 시 '홍길동 KSC'로 입금/대리인 입금 시 입금 후 협회로 전화※※

※ 환불규정: 서류접수 마감 전까지 100% 환불, 각 시험단계별 응시 2 일 전까지 부분 환불

2. 필기전형

KSC는 온라인 필기시험이 없으며, 에세이로 대체한다. 서류결과발표 후 협회에서 응시자에게 메일로 요청한다.(2021년 12월 7일 이후 응시부터 비즈니스, 라이프 에세이, 주제 없음).

3. 실기전형

구분	세부설명
실기시험 방법	텔레시험으로 약 1 시간 코칭시연을 진행한다. (응시자 1 명+심사위원 2 명+고객 1 명, 총4 명 접속)
코칭시연	① 1 인/35 분~40 분, 총 60 분 진행된다. 총점 70 점 이상 시 합격이다. ② 응시자가 시간에 늦거나 운전 중이거나 또는 장소가 적절하지 않은 곳에서 응시한다면 성품/태도에서 낮은 점수를 받을 수 있으며, 심사위원으로부터 실기시험에서 퇴장 조치를 받을 수 있다.
실기시험 진행 순서	① 실기시험일 이틀 전 합격자의 이메일로 접속 시간 및 접속 전화번호, 접속 비밀번호가 안내된다. (협회 일정에 따라 변경 가능) ② 시험시간 3 분 전 전화 연결 후 비밀번호를 입력하고 대기한다. ③ 심사위원 3 명과 본인 응시자 1 명이 모두 접속 후 시간에 맞춰 시험이 시작된다. ④ 시험은 약 60 분 정도 소요되며, 응시자 1 명당 시연 시간은 KAC 15 분~20 분, KPC 25~30 분, **KSC 35~40 분 소요된다.** (2023.03.01.부터 변경_적용차수: 70 차 KSC) ⑤ 시간 배정은 협회에서 배정하여 응시자에게 안내한다. 배정된 시간은 변경이 불가능하며, 시험 연기만 가능하다.

4. 재응시

구분	세부사항
재응시 대상	① 서류, 필기, 실기 전형 불합격자 ② 시험 연기자(필기, 실기 전형 연기자만 해당)
재응시 방법	① 재응시는 불합격일, 연기일로부터 1년 내에 서류전형 접수 기간에 재응시 신청할 수 있다. (재응시 신청서: 협회 홈페이지->자료실->서식자료실 다운로드)
재응시료	서류 재응시비 (10만 원) 필기 재응시비(없음) 실기 재응시료(30만 원) 포트폴리오는 서류 재응시비(35만 원) 필기 재응시비(없음) 실기 재응시비(30만 원)

5. 시험 연기

(1) 서류전형은 연기할 수 없으며 취소만 가능하다.
(단, 접수 취소는 서류심사 전까지만 가능)

(2) 실기전형은 필기시험 발표일로부터 2일 이내 연기 가능

(3) 시험 연기 방법: 협회 홈페이지-> 자료실-> 서식자료실에서 연기 신청서 다운로드 후 이메일 제출

(4) 연기 신청은 1회만 가능

※ 코치인증시험은 시험일이 정해져 있는 부분과 실기시험 특성상, 심사를 위해 응시자와 심사위원의 시간 배정이 완료된 이후에는 연기가 불가능하다. 단, 부득이한 경우 발생 시 연기를 신청할 수 있다. 연기 신청에 해당되는 (출장, 질병, 사고, 장례 등의 긴급한 상황*) 사유만 연기 가능하다.

임의로 코치인증시험(필기, 실기)에 응시하지 않을 경우 불합격 처리된다. 불합격 후에는 1년 내 재응시할 수 있으며, 재응시료가 발생한다.

〈긴급한 상황〉
- 질병 또는 부상으로 인하여 응시가 불가능함을 입증이 가능할 때
- 병역법 및 기타 법령에 의한 질병 검사, 소집, 검열, 점호 등에 응하거나 동원 또는 훈련에 참가하는 경우
- 3촌 이내의 조사(弔事)가 있을 경우
- 기타: 본인 거주지가 천재지변으로 재해를 입었을 경우

6. 코치인증자격 기간 및 갱신

KSC 유효기간은 5 년이다. 자격 유지를 위해 자격갱신은 필수이며 갱신을 하지 않을 시 **코치인증자격은 만료된다(소멸되지 않음)**. 자격갱신은 만료일로부터 소급 적용하여 갱신된다. 자격갱신의 모든 책임은 개인에게 있다. (자격갱신 시 갱신 비용이 발생한다.)

7. 자격갱신 교육

KSC 코치인증자격 갱신을 위해 50 시간 교육을 필수 이수해야 하며, KSC 자격 취득/갱신 후 받은 교육만 인정된다.

자격갱신 교육으로 인정되는 교육은 협회 홈페이지에서 확인할 수 있다.

- 시행: 2015 년 7 월 1 일, 확대: 2019.10.01.

8. 의무사항

KSC 취득 후 유효한 자격을 유지하기 위해서는 협회 정회원 자격을 유지하여야 한다.

9. 기타사항

(1) 이의신청: 심사 결과에 이의가 있을 시 본인의 멘토코치*를 통하여 이의제기 할 수 있다.
- 서류전형: 결과 발표일로부터 3 일 이내
- 실기전형: 결과 발표일로부터 7 일 이내

(2) 자격요건 중 각 항에 기재되지 않은 사항은 인증위원회의 관례에 따른다.

* 멘토코치: 코치추천서를 써준 코치

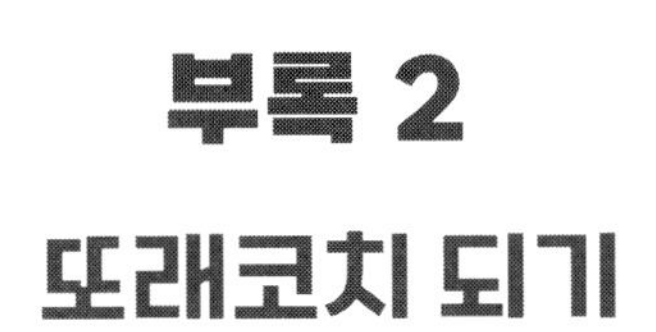

부록 2

또래코치 되기

1. 또래코칭 환영 패키지
2. 또래코칭 합의서
3. 또래코칭 계약서

1. 또래코칭 환영 패키지

❖ 코칭의 정의

- 코칭은 개인과 조직의 잠재력을 극대화하여 최상의 가치를 실현할 수 있도록 돕는 수평적 파트너십이다.

-한국코치협회-

- 코칭은 고객의 삶의 질을 향상시키고 그들의 삶과 일에서 만족스러운 결과를 창출하도록 지원하고 협력하는 파트너 관계이다.

-김성희-

❖ 또래코칭의 정의

- FRIENDSHIP 또래코칭은 실행 공동체의 최소 단위인 같은 공간과 시간에 나의 옆에 있는 또래친구와 함께 하는 것입니다. 둘 이상의 동등한 관계로 근접에 위치한 동료간의 자발적이고 상호 유익한 관계에서 성장하는 코칭입니다.

-한국 또래코칭 심리연구소-

❖ 또래(Peer)

- 자신과 비슷한 연령의 경험과 가치관 등을 지닌 사람으로, 같은 공간에서 시간의 차이를 두고 함께하는 동료, 선배와 후배를 포함한 관계를 말한다.

❖ 또래코칭의 철학

- 모든 인간은 온전하고 창의적이며 무한한 가능성의 존재이다.
- 가장 간단한 방법이 가장 좋은 방법이다.
- 완전히 이해할 수 없어도 완벽하게 사랑할 수 있다.

❖ 코칭이 성공적으로 이루어지기 위한 전제

- 고객 스스로 발전하려는 의지가 있어야 한다.
- 모든 사람은 무한한 가능성의 존재이다.
- 고객에게 필요한 해답은 고객의 내부에 있다.

- 그 해답을 찾기 위해서는 코치인 파트너가 필요하다.

코칭은 코칭을 받는 사람이 자신의 코칭을 통해 이루고자 하는 바를 정하고, 그에 다다르는 방법을 탐색하며, 그 실행계획의 수립 및 이행에 대한 책임도 자신이 집니다. 코치는 고객이 스스로 해답을 찾을 수 있도록 지원합니다.
이 과정은 코칭 프로세스에 기초하여 진행됩니다.

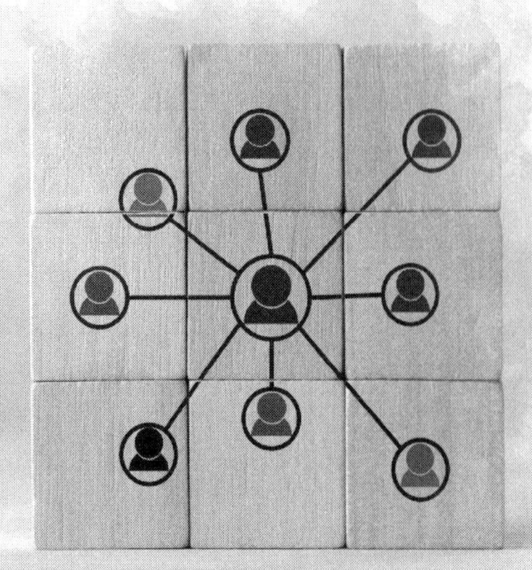

2. 또래코칭 합의서

1. 나는 고객으로서 내가 선택하고 결정한 사항들을 포함하여 코칭을 잘 진행해 나가는 데 책임이 있음을 이해하고 동의합니다.

2. 나는 쌍방 중 어느 한쪽이라도 코칭을 중단할 수 있다는 것을 알고 있습니다.

3. 나는 코칭이 심리요법이 아니며 필요하다면 전문가를 소개받을 수 있음을 알고 있습니다.

4. 코칭은 나와 코치와의 관계를 통해 개인적, 전문적, 사업적인 목표를 설립하여 그 목표들을 성취하기 위한 전략, 계획을 수행하고 촉진시키는 것임을 이해합니다.

5. 나는 코칭이 일, 재정, 건강, 관계, 교육, 오락 등 나의 삶의 영역과 관련된 포괄적인 과정이라는 것을 알고 있습니다.

6. 나는 코칭이 카운슬링, 정신요법, 정신분석요법, 정신건강 관리나 약물남용 치료를 위한 것이 아니라는 것을 알고 있으며, 어떤 형태의 치료행위든 그것을 위해 코칭을 활용하지 않겠습니다.

7. 만약 내가 치료를 받고 있거나 정신건강 전문가의 보호를 받고 있다면 마찰이 생기지 않도록 설명을 하고 코치와의 관계를 잘 인식할 것을 약속합니다.

8. 나는 법에서 요구되는 예외적인 것이나 서면을 통해 허락받지 않은 정보들에 대하여 비밀을 지키겠습니다.

9. 나는 코치와 나눈 어떤 주제가 다른 코칭 전문가들과 트레이닝 또는 자문을 목적으로 익명으로 공유되는 것에 동의합니다,

10. 나는 코칭이 전문적인 조언이 아니라는 것을 알고 있습니다. 이런 조언이 필요할 때에는 합법적이고, 의학적, 금전적, 사업적, 정신적인 전문가에게 의뢰하겠습니다. 이러한 전문가의 선택이나 결정은 나 자신이 하며 내가 결정하고 선택하고 행동하는 모든 것은 나에게 책임이 있음을 인정합니다.

나는 위의 사항을 읽었으며 이에 동의합니다,

2023년_____월 _____일 고객__________서명 또는 인

3. 또래코칭 계약서

코칭 계약서는 한국코치협회의 코칭 윤리규정에 기초하여 코치와 코칭받는 고객이 서로 코칭에 대한 상호이해를 바탕으로 코칭이 이루어진다는 것을 확인하기 위해 작성하는 것이다.

코치___________와 고객_____________는 아래의 조건을 상호이해에 기초하여 코치와 고객으로서 함께 일하는 것에 동의한다.

[계약 조건]

코칭 세션은 1회에 ______분, 한달에 ______번이며, ________년 _____월 _____일 부터 ________년 _____월 _____일까지 _____회 진행된다. 그 이후 연장할 경우 횟수와 진행시기에 관하여는 마지막 코칭 세션 전까지 합의하여 결정한다.

[고객의 책임]

고객은

1)

2)

에 관하여 지원과 도움을 받을 목적으로 __________을 코치로 고용한다.

고객은 코치가 정신과 의사, 테라피스트들이 행하는 정신적 문제에 관한 상담이나 정신요법 치료를 행하지 않는다는 것을 이해하고 있으며, 비록 코치의 지원에 기초하였다 하더라도 고객이 내리는 결정과 행동, 그 행동의 결과에 대해서는 고객이 전적으로 책임을 진다는 것에 동의한다.

[코치의 책임]

코치는

코칭 세션에서 이루어지는 모든 대화에 대해 비밀을 보장하며 외부에 사례를 공유할 경우 사전에 고객의 동의를 얻는다. 또한 고객이 코칭 세션을 통해 목적하는 바를 달성할 수 있도록 전문적 코치로서의 의무와 책임을 다하며 지속적인 역량개발에 힘쓴다.

고객과 코치는 위의 내용에 동의하며 코칭 세션을 진행하는 데 있어서 서로에게 소중한 시간이 될 수 있도록 최선을 다할 것을 약속한다.

__________년 _____월 _____일

고객________서명 또는 인 **코치_______서명 또는 인**

참고문헌

게리 콜린스(2014), 양형주, 이규창 역, **코칭바이블**, 한국기독학생회출판부
고무라사키 마유미(2008), 편집부 역, **아이의 숨은 능력을 끌어내는 코칭 대화**, 마리북스
김성희(2020), **청소년을 위한 또래코칭 질경코치모델**, 아이앤북
______(2020), **선생님을 위한 청소년코칭 질경코치모델**, 아이앤북
______(2022), **또래코칭이 학업열의 및 대학생활만족에 미치는 영향에 관한 연구**, 숭실대 대학원 박사학위논문
김영헌(2022), **행복한 리더가 끝까지 간다**, 플랜비 디자인
니시가키 에츠요 외(2021), **코칭심리학 개론**, 박호환 외, 박영사
다카하시 아츠코(2003), 배정숙 역, **3분 코칭**, 대교베텔스만
도다구미(2015), 이정환 역, **아들러식 대화법**, 나무생각
도로시 리즈(2017), 노혜숙 역, **질문의 힘**, 더난출판사
도미향 외(2023), **전문코치를 위한 ICF 8가지 코칭핵심역량**, 신정
돈 리처드리소, 러스 허드슨(2015), 주혜영 역, **에니어그램의 지혜**, 한문화
랠프월도 에머슨(2016), 전미영 역, **자기신뢰**, 창해
레니바론, 엘리자베스 와겔리(2012), **에니어그램 코칭 인스티튜트** 역, 마음살림
로라 휘트워스 외(2005), 박현준 역, **라이프코칭가이드**, 아시아코칭센터
로버트 딜치(2016), 박정길, **비전과 변화를 위한 긍정코칭**, 아카데미북
로버트 하그로브(2015), 김신배 외 역, **마스터풀코칭**, 샘앤파커스
로저리본(2021), 진영인 역, **일의 감각**, 월북
리처드 보이애치스 외(2007), 정준희 역, **공감 리더십**, 에코의 서재
마틴 셀리그만(2020), 김이자 역, **마틴 셀리그만의 긍정심리학**, 물푸레
마샬B 로젠버그(2017), 캐서린 역, **비폭력 대화**, 한국NVC
박철용(2020), **MBTI의 의미**, 하움
사이토 다카시(2017), 남소영 역, **사이토 다카시의 질문의 힘**, 루비박스
설기문(2003), **자기혁신을 위한 NLP파워**, 학지사
송희자(2010), **교류분석론**, 스그마레스
시바 겐타 외(2013), 황혜숙 역, **프로가 가르쳐주는 NLP입문**, 시그마북스
에노모토 히데타케(2004), 황소연 역, **마법의 코칭**, 새로운제안
왕중주(2020), 허유영 역, **작지만 강력한 디테일의 힘**

윤석민, 강혜옥(2021), **멘토코칭**, 박영스토리
이소희 외(2021), **코칭학 개론**, 신정
이희경(2019), **코칭입문**, 교보문고
정은경(2020), **코칭이론과 실제**, 학지사
조성진(2019), **코칭에센스**, 양성원
______(2020), **코칭과 경력개발**, 양성원
______(2023), **코칭학: 지평, 실제 그리고 연구**, 창명
조셉 오크너(2000), 설기문 역, **변화와 성취를 위한 NLP입문**, 학지사
존 휘트모어(2019), 김영순 역, **성과향상을 위한 코칭 리더십**, 김영사
주디스 리치 해리스(2022), 최수근 역, **양육가설**, 이김
최인철(2016), **프레임 나를 바꾸는 심리학의 지혜**, 21세기북스
탁진국(2019), **코칭심리학**, 학지사
탁진국(2022), **라이프코칭**, 학지사
홍광수(2013), **관계**, 아시아코칭센터
홍의숙(2012), **리더의 마음코칭이 조직을 살린다**, 비전과리더십
한국코치협회: http://www.kcoach.or.kr
ICF: http://www.coachfederation.org

FRIENDSHIP
또래코칭

초판 1쇄 인쇄 : 2024년 4월 5일
초판 1쇄 발행 : 2024년 4월 8일

지은이 : 김성희
펴낸이 : 이성환
펴낸곳: 한국또래코칭 심리연구소 / 이안에_디프넷
주　소 : 경기도 고양시 일산동구 중앙로 1305-30, 삼성마이다스 827호
디자인 : 조내숙 / 이윤진
교정교열 : 양은하
인쇄,제작 : ㈜디프넷
Email : book@difnet.co.kr

ISBN : 978-89-94574-65-3

정가 : 28,000원